ばいばい、アース

I

理由《ことわり》の少女

冲方 丁

『ばいばい、アースⅠ　理由《ことわり》の少女』目次

ラブラック＝ベル
ラブラック＝シアン
シャンディ＝ガフ
クエスティオン＝アドニス
ギネス
ベネディクティン
ティツィアーノ
キティ＝ザ・オール

世界で唯ひとりの〝のっぺらぼう〟の少女。
ベルの師匠。月瞳族《キャッツアイズ》。
城の上級剣士でベルの兄弟子。月瞳族。
〈疑う者〉の刻印を持つ剣士。月瞳族。
剣士＝脚本家。弓瞳族《シープアイズ》。
剣士＝演出家。雌雄同体の水族《マーメイド》。
狂える剣士。水族。
旅の長耳族《ラビッツテイア》。

Prologue　出立。赤い時刻にて

——いったい、目の前にいるこの男は、誰なのだろう。

あまりにも意想外な疑問が、少女の心を切り裂いた。

自分が良く知っているはずの、今の今まで生活を共にしてきた相手——自分を育て、教えた、かけがえのない男が、急に見知らぬ他人のように思われたのは、どうしてなのか。

怖い。

男は影法師のように陽を背に受けて立ち、少女には男の表情《かお》が判らなくなっていた。

男が手にした剣を掲げ、少女に向かって僅《わず》かに踏み出した。

「これが教示者《エノーラ》たる俺の最後の役目だ。ゆくぞ、ベル！」

鋭く光り輝く剣尖《きっさき》に、自然と目が引き寄せられた。途端に心がよじれたような気がした。

その苦痛に抗《あらが》うようにして、ああ、そうか、と思った。

自分がこの男のもとを去ろうとしているのと同じくらいに、この男もまた、自分のもとを立ち去ろうとしているのだ。

どうして、という問いは、ここにはない。

あるのは選択だけだ。幾つもの選択の末の、最も新しい選択。いつでも選択の種はまかれ続

けてきた。いつか、どうして、と問わずにいられるように。

そう。

どうして――

1

Lin、と音告げる時計石《オクロック》に、少女がうっすらと瞼《まぶた》を開いた。

光と目の間で明暗が等しくなるにつれ、その勝ち気そうな黒い瞳《ひとみ》の中を、飛び込んでゆけそうな青い空がどこまでも広がっていった。

(うっかり誘い込まれるよなあ……)

春めく丘野に敷かれた芝草の絨毯《じゅうたん》はすっかり陽気をたたえ、そこに寝転ぶ少女が気持ちよさそうに身を伸ばした。傍らには、少女と並んで寝転がるようにして、ずっしりと巨《おお》きな剣が、麻色の布にくるまれて横たわっている。その剣の腹を撫《な》で、身を擦り寄せるようにしてもう一方の手を胸元にやった。小さな傷が目立たぬほどに点々とする、子供らしさを残しながらもしなやかに伸びる手、その指先が、琥珀細工《アンバー・ワーク》を施してペンダントにした特別な宝石を、そっとつまみあげる。

「もう、こんなに緋《あか》い……」

どこか切とした呟《つぶや》きのままに、時計石《オクロック》は赤い色相を示している。火のように明るい赤だ。しばらくは、くすみそうにないその色に、思わず溜《た》め息が零《こぼ》れた。それから、ふっと笑った。

「ま、しゃァないか」

元気良く声に出すや、いきなり身を起こした。ほとんど宙に浮いていた。まるっきり重さを感じさせない、鳥の羽の宙に舞うがごとき身軽さで、とん、と地面に両足を立てる。

短めの黒髪が、春光を鮮やかに切りながら、ふわりと大地の引力に従った。

「さ、行こうぜ相棒。お客様がたがしびれを切らせてお待ちだ」

少女のまなざしに応《こた》えてか、足元で重そうに横たわる剣から、面倒臭そうに唸《うな》るような音が、微《かす》かに聞こえてきた。


チェーサー湖のお台場《プラットフォーム》は、早くも騒然《ざわざわ》としていた。

そこへはるばる行商にやって来た月瞳族《キャッツアイズ》の男が、

「いやあ、これまた、湖《みず》がみんなひっくり返ったみたいだわい」

思わずそう口にするほど、とにかく様々な種族の者たちで溢《あふ》れ返っている。

普段は森の奥で暮らしているはずの知恵深き月歯族《ワールドワイズ・マウティー》を筆頭に、一族の常として群で動く弓瞳《シープア》族《イズ》たち。はたまた力自慢の水角族《ミノタウロス》の若者たちやら、のんきな足長族《フロッギー》ども。耳さとい蛍族《ロイテライテ》。はては、沢地奥深く棲《す》まう見目麗しい水族《マーメイド》まで、特に水憂《オンデューン》い者であるはずの彼らさえ、珍しくお台場に出ていた。みな、何ごとかを真剣に話し合っているらしく、そんな湖《みず》の者たちの様子を、巨きな湖の淵《ふち》が鏡のように光を飲んで、お台場に高くそびえ立つ天気《てんき》輪《りん》の塔ともども、すっかり映し出しているのだった。

「ふうむ……こいつはもしや、なんぞ商売の種があるやもしれんて」

行商の男はそう呟くと、尖《とが》った耳とひげとをぴんと立て、辺りを見回した。

どうにか馴染《なじ》みの蛍族《ロイテライテ》の一団をみつけるや、気さくに笑いかけ、開口一番こう尋ねた。

「ぜんたい何の騒ぎですか？　月歯族《ねずみ》さまがたやら、集落《むら》を離れるのが嫌いな弓瞳族《やぎ》どもまで森から出てきておる。祭《さい》ではなし、かといって科人《とがびと》の裁きのようでもなし、はて」

すると、わざわざあらたまった挨拶《あいさつ》をするような水臭さもなく、一人が薄荷煙草に火をつけひと口吸うと、煙をぷかっとやって、こう答えた。

「いやサねえ、ひとっ季《とき》ほど前によ、河ぁ昇って、潮《しお》のモンがよって来ちってなサ」

「ほ、潮《しお》の者とな。いったいいかなる種族《もの》で？」

「いやいや、そいつがまあ、話の判んやつなら良かってンによう。いかんせん相手は水媒花《さかな》でなァ。これまた、悪魔みたいなンでよ、湖《みず》ン中で毒まきゃあってンね」

「は、水媒花《さかな》が……毒を？」

「潮《しお》よ潮《しお》。毒ではなかろうねンてがに、我っしらにゃさ毒よ。やっこさん、湖《みず》ぅ、片っ端から、潮《しお》ン変えっちまうつもりなンね」

「ははあ、確かにそうでもしなければ潮《しお》の花が湖《みず》で種をまくわけにもいきますまいてなあ……。それではあなたがた、その水媒花《さかな》を退治なさろうと、集まってるわけだ」

「いや、ンね」別の一人が、声をひそめて言った。「ほれ、あの水角族《うし》どもの若い衆《し》、見てみ。

やつらいっとう先に向かってっちが、いっとう先にやられおったンね」

　確かに、水角族《ミノタウロス》の若者たちの誰もが重い軽いの差はあれ傷を負っている。中には誇るべき角が片方欠けている者もおり、力自慢の彼らとしては羞恥《しゅうち》にたえないところだ。

「んでよ、月歯族《ねずみ》さまがたァ、知恵さ絞ってよ、決めなすったのさ」

　ほう、と行商の男が身を乗り出した。知恵深き月歯族《ワールドワイズ・マウテイー》が天気輪の塔で下す決定は、湖《みず》の者にとって絶対のものだ。それだけに彼らが塔に入ることは滅多にないはずだった。

「なぁさ。そんでよ、くわしか知らんちが、頼みなすったンね。旅の者《ノマド》っちねに」

「ほほう、旅の者《ノマド》に頼みなさったか！　なるほど、それならば……」

「いやあ、その旅の者《ノマド》っちなンと一緒して住んどる娘さ送って寄越しなさるてさ」

「娘を……？」

「月歯族《ねずみ》さまがたぁ、言っとったなぁ。ンでも、妙な噂がのんてな」

　噂、という言葉に男の目が光った。ほうほう、と頷《うなず》いて先を促す。

「なぁさ。ンなでも石《い》っしさ生まんだとか。あるや？　あん彩《いろ》んなんなる」

「ああ、あなたがた、そいつは時計石《オクロック》のことですな。確かにあれは時経るにつれ色が変わるが……はて、時計石《オクロック》が生んだ子とはこれまた奇態な」

「我っしらもよう知らんで。都市《パーク》におらしが、あんま悪さするってだ、追ん出されたて噂でさ。あっちこっちさ迷ってここいらんで来たと、我っしらも黙っとンね」

　ふうむ、と行商の男が唸った。

「これはまた興味深い。なかなかに良い新聞《ディール》の種になりますぞ、こいつは」

そう言って手を叩《たた》いて喜ぶ男の背後で、彼らの待つ者は時とともにゆっくりと近づき、やがてそれは沈黙を連れてにわかに現れようとしていた。

「はてなン、やつらなんで黙ってンねや」

「ありゃ、……何か来るで」

ふと、お台場の一角に静けさが訪れた。静寂は徐々に広がり、いまだ到来したものの姿を見ぬうち、それが湖に近づくにつれみな黙りこくってゆく。

と——

何の前触れもなしにその場に集う者たちが二つに割れた。誰が指示したのでもない。その、やって来る者と、湖との最短距離に、一本の道が、群衆によって形づくられていた。

しん、と沈黙の絨毯が道の上に敷かれ、

「満場の入り、だな」

呟きが、その上を先んじて通っていった。

それに続いて、静かに歩み来る、一人の少女——

その少女には、何もなかった。

尻尾《しっぽ》も、鱗骨《りんこつ》も、体毛もない。大きな目玉も尖った耳も、ひげも誇るべき角も何もないのだ。いかなる種族的な特徴も持たぬ、無特徴の特徴。その黒い瞳は周囲に怖《お》じ気ることなく辺りを見渡し、きゅっと引き締めた唇に愛想良く微笑を浮かべている。

麻色の布でくるんだ巨大な荷が背負われ、その輪郭《かたち》から剣であるらしいことが知れた。まるでそれこそが彼女の特徴なのだと言わんばかりのその剣は、幅の広さは少女の肩幅をゆうに超え、柄《つか》を合わせると身の丈よりも長く、いかにも彼女の華奢《きゃしゃ》な外見にそぐわない。

「……なンだか、気味が悪いサ」

少女が歩むほどに沈黙は薄れ、こそこそと囁《ささや》く者が出始める。それでも群衆に向かってにこりと笑みを見せるが、しかしかえって余計に奇異なるまなざしを浴びるのだった。

（いつものこと……だな）

微笑《わら》う少女の心中で、ふと呟かれる言葉があった。慣れ切った諦念《あきらめ》というのでもない。いつまでも慣れぬ自分に、はっぱをかける別の自分の声といえた。

（いつか――）

この奇異なるまなざしの、きっと変わることのあるときを切望し、信じる自分。

少女が足を止めた。

「ラブラック＝ベル！」

凛《りん》とした声で、告げた。

「それが、私の名だ。師、ラブラック＝シアンの命を受け、馳《は》せ参じた次第なんだけど」

すると群衆から一人の老月歯族《マウテイー》が現れた。重ねた齢《とし》の分だけ腰が曲がり、杖《つえ》に身を預けた姿で少女《ベル》と対向《さしむか》った。柔和《やさ》しい顔をしているな、とベルは思った。

「よう来て下さいました、ベル殿。湖《みず》の者を代表し、ご助力を仰ぎたく存じます」

「あなたは？」

「吾《わし》は月歯族《マウテイー》を率い、天気輪の塔にて裁《さい》を司る者《つかさど》、みなからは、J《ヤー》と呼ばれております」

一族の中で、最も古い齢《よわい》の者をそう呼ぶのだと、ヤーは慇懃《いんぎん》に言った。

「よろしく、ヤー。んでさ、私の相手は、何処に？」

「あちらを御覧下さい。湖の一点が、どんよりと黒く濁っております」

「はあー……、私の目には遠すぎてよく判んないけど、そうみたいだね」

「神の置き去りし手鏡とまで呼ばれたこのチェーサー湖に、一点の暗い曇りをもたらした者が、あの底におりますじゃ。きゃつの腕は樹の幹よりも太く、また幾つあるのかも判りません。真っ赤なその身は剣も槍《やり》もことごとく弾《はじ》き、口からは真っ黒い毒を吐きます」

「私の師匠《マイスター》は、それを〈八つ手《ネグローニ》〉に違いないだろうって言ってた。まァ、本当かどうかは、実際に見てみないとね」

「おお……では、退治して下さると」

「うん。どんな花であれ、花の果肉は私の好物だ。ま、安心してよ。必ず倒すから」

けれどもそれを聞いた者たちは、安心するどころかベルから更に歩を引いてしまった。

「なんて野蛮《ビーステイ》な……」

ざわつく群衆から、そんな言葉が聞こえてくる。

(ちぇ、草と実しか食わないってだけで美徳《ビュート》づらかよ)

ちょっと不快な気持ちはさておき、ベルはさっそく仕事に取り掛かることにした。

湖を見やりつつ、剣を背から下ろす。鞘《さや》というものはない。ただ剣の尖端《せんたん》と柄の付け根とに、花の皮で編んだ剣袋を絡ませてその身にくくりつけている。それを無造作に外した。

どん！　剣が自分の重さでベルのすぐ背後の地面に大きな音を立てて突き刺さった。

おお……。

群衆が呻《うめ》くような声を上げるほどに、その剣は見た目にも圧倒的に重く、巨《おお》きい。柄もとが最も幅広く、それがごく緩い弧を描いて尖端へと伸びており、くるんだ布ごしに、白詰草《クローバー》の葉にも似た輪郭《かたち》を浮き上がらせている。とても鋭さとは縁のない形であったが、まさしく大地に牙剝《きば》くかのような恐るべき質量と威風であった。

鈍重な剣から離れたベルは、ついで自分の着ているものをひょいひょいと脱ぎ出した。

「何をなさっているので……？」

ヤーが、目を丸くして問う。

「身軽くしているのさ」

答えながらも、その目は湖に向けられている。まるで衆人の環視というものを気にしていない真剣な顔で、とうとう靴まで脱いでしまった。あとは首にかけた時計石《オクロック》と、麻色の長ズボンだけという恰好《かっこう》で、おもむろにお台場に乗り込んだ。

そのまま、湖面に向かってすたすたと無造作に足を踏み出してゆく。

「なんと……」

「おわわ……」

誰もが水の中へ潜るのかと思った瞬間、なんとベルの身が水面《みなも》に跳ねた。

これには群衆の度肝の抜かれ方も並大抵ではない。どの口もどの目も大きくぽかんと開かれ、ただただ呆気《あっけ》に取られた。

水面を軽く爪先で蹴《け》ったかと思うと波紋を残して飛び上がり、ベルはあたかも風の妖精《フィー》のごとく宙に浮いた。水を蹴るたびに伸び上がる裸身は美しく、華麗に舞うかのようだ。

――が、しかし群衆にとっては間もなくそれは忌まわしい身軽さ、大地の加護から見放されたゆえの無重の者の業としてみとめられていったのだった。

そんな視線を背後に、ベルは水面を跳びながら自分の足元が徐々に黒ずんでゆくのに気づいた。ふと、ずっと下方、水の底に、何か巨大なもののわだかまるような気配を察した。

ベルは水面を真っ直《す》ぐ蹴って宙に浮かぶと、黒濁した水面に向かって囁いた。

「なあ……なんでお前、こんなところに来ちまったんだよ」

波紋が、湖面全体に広がるようにして消えてゆく。

「お前に故郷はないのかい」

呟《つぶや》きにも似た問い掛けに応《こた》えるかのようにして――

それが現れていた。

ベルの方が一瞬早かった。再び水面を強く蹴った。高く跳んだ。

黒ずんだ鏡のごとき水面が、ふいに真っ赤な色に満ちて盛り上がった。爆発した。猛烈なしぶきを上げてはるかに巨大な触手《うで》が天に向かって真っ直ぐに伸び、ベルを追った。

幾つもの吸盤《すいつき》を持つ、指が一本もない手だった。それが宙のベルをとらえた。足首に絡みついて一気に収縮し、あっという間に水の中へ引き込んだ。ふたたび轟音《ごうおん》があり、天気輪の塔ほどもある水柱が勢いよく立ちのぼった。

僅《わず》かに遅れて、晴天に降る雨のごとく、湖面に水が降り注いでいた。

この一瞬の出来事に、群衆はなすすべとてない。重苦しい沈黙が辺りを支配するかに見えたそのとき、ふいに、お台場のすぐそばで水面が揺らいだ。

「うわあっ！」

「きゃああっ！」

偶然《たまたま》そばにいた者たちを芯《しん》から驚かせて、ずぶ濡《ぬ》れになったベルが現れた。

「ち……下も脱ぐんだったかな」

苦もなくお台場に跳び乗り、足を片方上げて呻いた。触手の絡んだ辺りの布地がもの凄《すご》い力で引き裂かれている。だがそれよりも更にずたずたにされたもの——どのような力がそれをなしたものか、あの赤い触手の先端が引き千切られてベルの手にあった。

べしゃっ。湿った音を立てて触手がお台場の床に放り出されるや、

「ほら、どいたどいた」

言われるまでもなく驚嘆を恐怖に変えて、ベルのそばからみなわっと離れていった。

そこへ更に赤い触手が猛《たけ》り狂うようにして一つまた一つと姿を現し、お台場に向かって一直線にやってくると、もはや誰もが一目散に逃げ出す有様となった。

ベルは恐慌する群衆をぬって素早く剣のもとに駆け戻った。ついでに上着を羽織り、

「まだ、だいぶん水は冷たいや」

その場に取り残されたようにぽつねんと地面に突き立つ剣へ、呑気《のんき》に言った。

そうするうちにも天気輪の塔にはあれよあれよと幾つも触手が絡みつき、ざあっとしぶきを上げてお台場にその身をさらした巨大な赤い肉塊が、黄色い眼球に横長の瞳《ひとみ》を黒く輝かせ、まるで自分を殺しに来た相手をはっきりと理解するかのようにベルの姿を見定めた。

「やっぱり〈八つ手《ネグローニ》〉だ……ずいぶんとでかいけど」

ベルはきゅっと唇を引き締め、その悪魔みたいな水媒花《さかな》を見詰め返した。

「出番だぜ、相棒」

剣を覆っていた布が、はらりと剝《は》がれた。その下から現れたのはいかにも鈍重な光を放つ、老いたユリ科の鋼鉄の果《み》のかたまりである。剣とするのにこれほど不適な鋼もない。

―― EREHWON
と、剣の腹には何やら霊妙な古代文字の刻印《スペル》が記されてあったが、それを見る誰の目にもその意味は判らなかった。

〈八つ手《ネグローニ》〉が無言のまま迫った。巨木のような触手《うで》が一つ猛烈な勢いで跳ね上がり、しなうようにしてベルの頭上に襲いかかった。

「歌え、〈唸る剣《ルンディング》〉！」

ベルが猛るように吠《ほ》えた。両手でしっかりと剣の柄をつかみ、全身をひねるようにして剣を

地面から抜き放ち、ぶん回した。その身の丈を超す剣を難なく振るう姿は、まるで触れるものさえその身の軽さに取り込むかのようだ。

——YYYYYA《イイイイヤ》っ！

ベルの叫びとともに、二つの巨大な重量が上下から真っ向に衝突した。空気全体がたわむような妙に間の抜けた音が響き渡る。次の瞬間、触手がもの凄い勢いですっとんでゆき天気輪の塔に激突していた。

だが傷ついたのは塔の方だけで、触手には切り傷一つついていない。

その間にも次々と別の触手が振り下ろされていった。ベルの剣が片っ端からそれを打ち返す。そこら中にはね飛ばされた触手が地面を抉《えぐ》り、木々をなぎ倒し、お台場周辺がまたたく間に損壊の様相を呈し、もうもうとした砂煙に覆われていった。

「頑張れー！」

「我《わ》っしらァ守って下されやァ！」

じりじりと追い詰められる感のあるベルに、つい今まで奇態だの忌まわしいだの囁《ささや》いていたのは何処へやら、群衆が次々と遠巻きに激励の喚声を放った。しかしまるで切れ味という言葉からは縁遠く思われるその剣には期待出来ぬかと諦《あきら》められかけたそのとき、

「断《た》っ！」

ベルの気合一閃《いっせん》、打ち返された触手が根元と先の方とで全く別の方へと飛んでいった。

一瞬の沈黙。そしてまた、わあっ、と喚声が歓声に変わった。

切り飛ばされた触手がベルの背後で地響きを上げ、次に来たものも同様、ぶっつりと断ち切った。なんと、いつの間にかその剣の容貌《ようぼう》が一変している。振るうほどにその刃は研ぎ澄まされ、老いていた鋼鉄の果《み》はいつしかユリ科本来の白く滑らかな鉄肌をみせ、あたかも成鉄の剛《つよ》さを持ったまま幼鉄のくすみのない輝きを取り戻すかのようであった。

〈八つ手《ネグローニ》〉もただ無闇に叩《たた》くだけでは無駄と知ったか、宙に上げた触手を止めた。

その躊躇《ためら》いを、ベルは見逃さなかった。

一気に駆け込んだ。剣尖《きっさき》を向け、見る間に切迫した。〈八つ手《ネグローニ》〉が再び水中へ逃げる間を全く与えず、今や優美な白銀《リリーホワイト》に輝く剣を猛烈な勢いで振りかぶっていた。

——EEERRRREEEE……！

剣が突如として不思議な唸《うな》りを発し、歓喜の声に似て響き渡る唸りに轟然として破壊の音が重なった。一瞬だった。〈八つ手《ネグローニ》〉の真っ赤な体が切り裂かれ、粉々に粉砕されていた。〈八つ手《ネグローニ》〉の声なき悲鳴を聞いた気がした。真っ黒い血らしきものがどっと溢《あふ》れ返った。

（潮の匂いだ……）

巨大な内腑《はらわた》が生々しい鮮色に満ちてばらまかれ、切り残された触手が暴れまくった。一連の衝撃でお台場一面に亀裂が走り、〈八つ手《ネグローニ》〉のしがみつく天気輪の塔が大きく揺れた。

身を砕かれ悶《もだ》えながらも、最後の抵抗とでもいわんばかりに触手がベルに絡みつき、その稚《おさな》さの残る身を締め上げた。ベルは剣を握ったまま静かに〈八つ手《ネグローニ》〉の目を見据えた。

「……なあ、なんで、こんな所にまで来ちまったんだよ」

剣が、微《かす》かな唸りを上げた。
《モドリタイ、海――》
剣を通して、〈八つ手《ネグローニ》〉の唸りが、ベルの内部へ伝わってゆく。
「じゃあ、どうして……」
《モウ、モドレナイ》
ベルが、はっとして、剣を握る手に力を込めた。
《ココデ、シヌ》
突然、〈八つ手《ネグローニ》〉の頭部が膨らんだ。傷口から収斂《わなな》く心臓が見えた。鮮やかに赤いその内側から何かが開かれようとしているのが判った。そう――花が咲くのだ。
《タネヲ、マイテ》
その唸りを最後に、ベルの剣は再び振りかぶられていた。
「ごめんな」
〈八つ手《ネグローニ》〉の身がふいに収縮し、種子を放とうとした刹那《せつな》、ベルはその身を封じ込もうとする触手ごとその心臓部を断ち切った。粉々に破壊した。叫び声が聞こえた気がした。悲しい声だった。同じところを二度も砕かれたお台場は徐々に〈八つ手《ネグローニ》〉の重量を支え切れなくなり、やがて崩壊した。巨木のような触手に絡みつかれた塔は根元から折れ砕け、素早く退いたベルの目の前で、〈八つ手《ネグローニ》〉の死体やお台場の残骸《ざんがい》とともに湖面へなだれ込んでいった。
激しい崩壊の音のあとに沈黙がやってきた。唖然《あぜん》とする群衆を振り返るベルに、かけられる声はない。みな魂の抜けたような顔で、崩壊したお台場と塔とそして〈八つ手《ネグローニ》〉の残骸の周囲にふらふらと群がっている。

ベルは、〈八つ手《ネグローニ》〉の破片から種を一つ手にすると、脱ぎ捨てられた衣服へと向かった。

剣はいつの間にか、元に戻っている。美しくもなんともない、老いた鉄のかたまりだ。

「あ……ありがとうございました。お礼は……改めて……屋《おく》にお持ちしますので」

衣服を再び身にまとったベルに、ヤーが恐る恐る言った。優しげな微笑みが、今は多分に引きつっている。塔ごと退治してくれとは、ヤーはひとことも言わなかったのだ。

ベルは、さてなんと応《こた》えたらいいのやら、と迷ったが、剣を背負うと遠慮がちに尋ねた。

「この種と、あと……あれを、貰《もら》っていっていいかな」

「そ、そんなものを、いったい……どうなさるんです？」

「さっき言った通りさ。花の肉は好物なんだ」

気まずい沈黙があった。

ベルは切り飛ばされた触手《うで》を一つ肩に担ぐと、ヤーに向かって軽く頭を下げた。これ以上ここにいるべきじゃないな、という焦りにも似た思いに背中を押されるようにしてお台場を立ち去った。なんと野蛮《ビースティ》な……という言葉を、お蔭《かげ》で何度も聞かずにすんだ。

その帰り道、通りがかりの沢に〈八つ手《ネグローニ》〉の種を放った。すぐにそれは見えなくなり、淡い水の何処かへ消えた。とうてい芽が出るとは思えなかったが、そうすることで〈八つ手《ネグローニ》〉を弔った気分になれた。

（……あいつら、種を一つ残らずみんな、砕いちゃうだろうな）

それは当然《まったく》、正しい行為だった。だがいつか、今日の〈八つ手《ネグローニ》〉のような者の側で戦うことがあるといいなとベルは思う。そのときはそれが、正しい行為になるだろうから。

ふと気づけば、時計石《オクロック》は赤から淡香紫《ヘリオトロープ》へと、色相を移している。

夕暮れが迫り、ベルは家路を急いだ。

2

小屋に入ると、男が一人、暖炉に向かって悪戦苦闘していた。

「帰ったよ、師匠《マイスター》」

「ご苦労」

短く応えただけで、こちらを振り返ろうともしない。

ベルは〈八つ手《ネグローニ》〉の触手《うで》を円卓《テーブル》の上に投げ出した。

剣を剣立てに掛けると、いつもの、地面が足元から遠のく感覚がやってくる。大地との結びつきがひどく稀薄《きはく》で、いっそ大地に牙剝《きばむ》くような重さでしか足を踏み下ろしていられない。そのことを、きちんと教えてくれたのが、今、目の前で背を向けている男だった。お前は何も悪くない。世界でただ一人、そう言ってくれた男——

「シアン」

呟《つぶや》くように呼んでみたけれど、暖炉に火をつけることに夢中になっている。種火をうっかり消してしまったのだろう。間抜けめ。自分の魔法《ちから》を使えば、何の苦労もいらないのに。

まったく、この師匠《おとこ》は、よく、わざわざ苦労する方を選びたがる。

(今回だって何も私が行くことはなかったんだ。シアンだったら、もっとうまくやっていたに違いないのに)

ぴょんと、シアンの尖《とが》った耳が立った。ようやく火が点《とも》ったらしい。ふーっと、さも苦労したように息吐いて振り返った。せっかくの真っ白い体毛とひげとが煤《すす》で真っ黒だった。

ベルの放った手拭《てぬぐ》いを受け取ると、目を丸くして言った。

「なんだ、それは」

今その瞳《ひとみ》は、月瞳族《キャッツアイズ》に特有の、縦にやや広い楕円《だえん》の形をしている。これが明るいところだと細くなり、碧《あお》の目に黒く線を引いたようになるのだ。

「戦利品さ。相手は、師匠《マイスター》が言った通りの花だったよ」

「ふん……、良い剣撃《シュベルトストライヒ》だ。綺麗《きれい》な斬り方をしている」

「えへへ」

「しかし、まだ刃を出しきっていないな」

「様子を見てたからだよー」

「いつでもひと振りで出せるようにしておけ。ところでお前、これをどうする気だ?」

「食べる。水媒花《さかな》には違いないもの」

「ふむ」と、肩をすくめた。「それも、礼節だな。死者を弔うには食うのが一番か」

期待はしなかったが、シアンはちっとも料理を手伝ってくれなかった。出来上がったものについてつべこべ言うこともなかったが、調味料をおもちゃにする癖があった。

「うまい」

そう言われても、得体の知れない味になっているに違いないほど手を加えられたあとでは、あまり嬉《うれ》しくない。本人はそれを「凝る」と言っているが、

「だったら毎日、自分で作ってみな」

という言葉に、弱い。所詮《しょせん》は趣味の料理なのであまりいじめるのも可哀相だ。相手が食べ終わったところを見計らって、話題を変えてやった。

「なあ、師匠《マイスター》。この〈八つ手《ネグローニ》〉は、どうして海を離れたんだろう」

「さあな。海が嫌いになったのかもしれんさ」

「帰りたがってたよ、海に」

シアンが頷《うなず》いた。そうだろうな、とでも言うように。

「こいつは花の使命を全うしようとしたんだ。種を播《ま》く者としての使命をな。花だけではない。この世の全てのものは、互いに交じり合おうとするのさ。世界とは、互いに交じり合おうとする、全てのものたちのことを、言うんだよ」

そう結論すると、シアンはさっさと席を立って暖炉の方へ行ってしまった。揺り椅子に座って、蛍光石《ランプ》の明りを点《つ》け、眼鏡をかけ、パイプをくわえ、本を手に持つ。儀式にも似た食後の

姿、ほとんどただ一人、ベルが安心して隣にいられる相手の、いつもの姿だった。

パイプをふかす煙は幻影《まぼろし》で、シアンの魔法によるものだ。気分だけで、本物はもう長いこと味わっていないらしい。最後に吸ったときの、あまりにも素晴らしい味を忘れないためだと言うが、そんな偏屈さの裏にあるはずの、遠い昔にあっただろう本当の理由は、ひとことも口にしない。それはむしろひどく辛《つら》いことだったのではないかと、ベルは思う。

そしてそういうところが、不思議とベルを安心させるのだ。

シアンの隣に座って、ベルは〈八つ手《ネグローニ》〉の皮をなめし始めた。剣袋にちょうどいい。靴に合うかもしれない。そんなことを考えているうち、ふと言葉が零《こぼ》れた。

「みんな怖がってた、私のこと」

シアンは本に目を向けたまま、黙って頷いた。

「あんたが行けば、もっとうまくやったろうにさ」

「水媒花《さかな》相手になァ……俺が何を教えるってんだ」

「偏屈だよ、教えるってこと以外に力を使わないなんてさ」

「それが教示者《エノーラ》としての俺の役目だ、何が悪い」

「悪いよ。そりゃ……、うまくやらなかった私の方が悪いけど。でも、ここもまた、いづらくなるよ、きっと」

「じゃあさっさと礼金を貰って、早いうちに移動するか。さて、何処へ行くか……東か西か、この国にも、まだお前の行ったことのない場所は沢山あるからな」

「そこに行けば……」

　ベルはふと口をつぐんだ。シアンの手が本をたたんだ。顔を上げた。目が、合った。

「そこに行けば、私と同じ種族が、いるかな」

　相手の顔を、覗《のぞ》き込むようにして、言った。

「いや」とシアンはあっさり首を振る。「以前、俺が立ち寄ったときには、何処にもお前のようなやつはいなかった」

　ベルはうつむいて顔をしかめた。たった今までおとなしく眠っていた得体の知れない感情が激しく胸を衝《つ》いた。それをいつものこととして片付けられない自分がもどかしかった。

「……こんなことを繰り返してたら、そのうち私、飢餓同盟《タルトタタン》に連れてかれちゃうよ」

「飢餓同盟《タルトタタン》がどんなものかも知らないやつが、言うな」

「あんたに教えられた分のことは、知ってるさ。この世を楽しめなくなっちまったやつらのことだろう」

「ふん……。間違ってはいない」

「そんなやつらに捕まったら、きっと私はお終《しま》いだ。いったい、何処に行けば、私は私の種族に会えるんだろう。私だって、世界に交わりたいのに、苦しいよ……このままじゃ」

　シアンは暖炉に目を向けた。静かなまなざしをたたえる碧の目に火の明りを飲んで、呟くように言った。

「お前の中で、そうして言い訳のきかないでいるそれを、俺なら郷愁と呼ぶね」

「郷愁……？　なんだよ、それ」

「そうさなァ……故郷を想うこと、理想郷への憧《あこが》れ、あるいは、今いる自分も場所も愛せない、心の痛み……と言ったところか」

「じゃあ、その郷愁をどうにかする方法を教えてよ。私には、故郷なんかないんだよ」

ぱちりと、小さく火が爆《は》ぜた。

「では、旅に出るか」

さらりと、シアンが言った。とても重要なことを、食事の話でもするみたいに。そしてそれは、シアンが至って真剣なことを示していた。ベルは我ながら情けない顔になった。

「いいかベル。俺が思うに、〈剣の国〉にはお前のようなやつは、一人もいない。だが、国を出て、世界に旅すれば、お前はお前の本当の世界を、手に入れられるかもしれない」

「でも……師匠《マイスター》はいつも言ってたじゃないか。それは、最後に教えることだって。それまでは……一緒に……」

シアンが頷くのを見て、ベルは急に悲しい気持ちになった。

「都市《パーク》に行き、旅の者《ノマド》になるための試練を受けろ。お前ならば必ずなれるさ。何せ、この俺の直弟子なのだからなァ。そうでなければ、一生この国でさまよい続けろ」

「……厳しいじゃないか」

「旅は、己自身の全存在を懸けた行為だ。誰もそれを助けることは出来ん。いくら俺が教示者《エノーラ》で、お前とこうして共に時を過ごそうとも、俺はお前にはなれない。お前が俺になれないのと同じくらいに、な」

「判ってるよ……」

呟《つぶや》くように不平を漏らすが、実際それはベル自身、ずっと考え続けてきたことだった。

いつかこの生活が終わるということを、そのときこそが始まりなのだと。

「でも、いつだって突然だよ、師匠《マイスター》は。こっちにだって、心の準備ってもんがさァ」

シアンは、くすりと笑った。

「そんなところだ。あとはお前が結論しろ。焦ることはないが、な」

言うだけ言うと、さっさと自分の部屋へ行ってしまった。

その夜、ベルは丈の長いシャツ一枚になると、いつものように剣を抱いてベッドに入った。

毛布だけでは、自分の身を大地《ベッド》に結び付けておけないからだ。

「私の世界……」

何度も呟いた。その言葉を口にするたびに湧きあがる想いの正体は、判らない。

ふいに〈八つ手《ネグローニ》〉のことが思い出された。海を離れたその勇気を称《たた》えたくなった。たとえその旅の果てに無残な最期を遂げたとしても。

時計石《オクロック》は深い紫から宵藍《ミッドナイトブルー》へ。色相は移ろい、こうしている間にも夜は深まり、また新しい朝を、今日のような赤い刻《とき》を迎えようとしているのだ。

眠ろう。今は夢の中にこの想いを持ってゆこう。瞼《まぶた》を閉じると、微《かす》かな剣の唸《うな》りが聞こえた。

心などとっくに定まっているではないか。剣はそう言っていた。あとはそれを、言葉にするだけで――

3

明くる日、昼過ぎ遅く、湖の者たちが袋一杯の財貨《デナーリ》を持ってやってきた。

小屋の入り口で調子良く受け答えするシアンを食卓から覗いていると、湖の者たちもベルにちらちら視線を放ってきているのに気づいた。そこにはヤーもいた。好奇心、恐れ、畏怖《いふ》……特異なものへのまなざしが、ちくちくと肌にさわるようだった。彼らは決して自分から小屋に入ってこようとはしない。

（大丈夫だ）

ふと、その思いが湧いた。

（私は、寂しさを、誰かのせいにしないでいられる――）

あるいはそれこそ、目の前にいるこの男から学んだ最も大きなことではなかったか。

「これで、しばらくは食うに困らんなァ」

湖の者たちが帰ると、シアンがほくほく顔で言った。こういう所はいかにも俗っぽい。

「話があるんだ、シアン……」

無意識に相手の名で呼んでいた。シアンは優しい顔で、目を細めて首を傾げた。

「どうした、あらたまって」

「私、旅に出るための試練を受ける」

きっぱりと言った。とうとう言ってしまったと思った。

シアンの目が丸く見開かれ、まじまじとベルを見詰めた。ニヤっと笑みが浮かび、すぐに消えた。不敵なくらい穏やかな顔だった。

「ふむ……嘘じゃあないなァ。予想したよりも、随分とまた早く決心したもんだ」

ベルは黙った。ここで何かを言っては、自ら心を揺らすのが判っていた。

「俺とお前の剣を、持ってこい」

その通りにした。二人、小屋を出た。

陽は高く昇り、鮮烈なる光を背にして、シアンはベルと向き合った。

「さて。お前に教えることも、これが最後だ」

そう口にしたシアンが、ふいに突然、他人のように思われていた。ベルは剣の重みをしっかりと背に感じながら、じっと相手を見詰めた。

「旅の者《ノマド》になるには、その身に呪いを帯びねばならん。呪いのかたちはその者の生のかたちによって千差万別だ。この呪いこそが旅の者《ノマド》になるための最初の試練であり、それは旅に出てのちもつきまとう。ちなみに、俺の場合は、教示以外の力の行使が不可能なのさ」

シアンはいたずらげな笑みを浮かべたが、それに応じる余裕は今のベルにはない。

「呪いは、旅の者《ノマド》の血によって継承される。覚悟はいいな」

そう言って自分の剣を抜き放つと、剣を握らぬ方の手に刃を走らせた。鮮やかな赤い雫《しずく》が、その親指の腹に滴った。

　ベルも同じように傷をつけた。シアンの伸ばした手に向かって、手を差し伸べる。傷と傷が触れ合い、いっとき互いの痛みを共有したような気がした。その途端、何か目に見えないものが傷を媒介《なかだち》に入り込んでくるのが判った。はっとベルが身を震わせた。僅《わず》かな恐れと、強い幸福の思いが湧いた。シアンの内部にあるものが、ベルの中に流れ込んでくる。そのことが、確かな実感としてベルを支えた。

「お前の旅の目的はなんだ、申し子よ。高らかに唱えよ！」

「わ……私は、私の由来《ルーツ》を知りたい！　私と同じ種族に出会いたい！　私も……私も、この世界に交じり合いたいんだ！」

　血をもって唱える声は、泣き叫ぶかのようだ。

　一気にそれが流れ込み、ぱちりと弾《はじ》けるようにして消えた。指と指とが離れた。傷は何処にもなかった。ただ指の腹に乾いた血がこびりついているだけだった。ベルは急に寂しさを感じ、次の瞬間、唐突に目の前にいる男に違和感を抱いていた。

「呪いがいつか祝福に変わるときを信じ、受承せよ」

　シアンが、ベルから僅かに離れ、剣を手に、まるで立ち塞《ふさ》がるようにして佇《たたず》んだ。

「何か、変だ」ベルが呻《うめ》いた。「シアン……あんたの顔が、まるで……」

「まるで初対面のように見えるか。ふむ、最後の教えが果たされようとしている証拠だ」

　シアンは、あくまで何気ない風でいる。恐ろしく真剣なくせに、それを悟らせない風で。

ベルは泣きそうになった。何かを押し止《とど》めるように、両手で自分の肩を抱いた。それでも何も止められはしなかった。掠《かす》れた声を絞り出すようにして言った。

「ああ……駄目だ、シアン、あんたが消えてゆくよ……」

「卒業する者に、師についての記憶は必要ない。ただその教えが、生きてさえいればいい。それに、その方が、教えることの下心が知れずに済むのでな」

「下心……？」

「託すのさ。俺には辿《たど》り着けないと判っている処に、行って貰《もら》うために」

男は影法師のように陽を背に受けて立ち、ベルには相手の表情《かお》が判らなくなっていた。

「ああ……こんなことだと思ったんだ。こんなことだと……だから、旅の話は持ち出したくなかったんだ。ちくしょう、ひとの心をいじくっておいて何が教示者《エノーラ》だ。ちくしょう……寂しいよシアン、とても苦しいよ……」

「すまんな、ベル。俺を斬ればその苦しみからも解放される」

「あんたは！　そうやって、いつも、誰からも必要とされない者になろうとするんだ！」

「それが、教示者《エノーラ》としての俺の宿命だ」

ひくっとベルの喉《のど》が鳴った。かろうじて涙をこらえていた。

「……私も……あんたみたいな強さが欲しい」

「お前には必要ないさ」

優しさに満ちた声。シアンはとうとうその剣を掲げた。レンゲ科の鋼鉄を美しく磨き上げた、色深く鮮やかな青燐色《ラピスラズリ》の剣だ。光と影の間で鋭く青ざめた輝きを放つ刃の腹には、ENOLAの刻印《スペル》が刻み込まれていた。教示者《エノーラ》を意味する、神代の文字が。

ベルの手が、震えながらも、すがるようにして自らの剣を執った。

それは、シアンの剣と向かいあったときから、低く唸りを帯びている。

「お前は、いつかその剣に記されたEREHWON《エレフォーン》の刻印《スペル》の意味を知ることになるだろう。無何有郷《むかゆうきよう》という、今では意味の失われたその言葉の、本当の意味を」

そう口にする間も、二人の間で緊張は高まっていった。二人がたとえそれを望まずとも、もう間もなく、剣と剣とが互いを求めてその握り手を動かすだろう。

徐々に高まりつつある剣の唸りに、ベルはほとんど無意識に言葉を零《こぼ》していた。

「あんたが好きだよ、シアン」

「もっと良い男を見つけるだろうさ、娘よ」

そしてそれが、最後になった。

「これが、教示者《エノーラ》たる俺の、最後の役目だ。ゆくぞ、ベル！」

ベルの剣が咆哮《ほうこう》するかのごとく唸りを上げた。ベルが動いた。衝《つ》き動かされた。いったい何に？　疑《おも》うのと同じ瞬間、形のない答えがやってきて、ただ、ああ、そうか、と思った。

走った。

Lin、とひとつ、澄んだ音がした。

時計石《オクロック》は、赤い色《いろ》相を示している。

火のような赤だ。
しばらくは、くすみそうにない色だった。

I　由縁。聖星照《アースシャイン》の下

1

（ここいらの石は、食欲が旺盛《おうせい》だ）

すり鉢状《クレーター》の盆地に足を踏み入れたベルは、内心で一人ごちた。

辺りに人影はなく、ただ奇妙な風貌《かたち》をした石の柱が、深く沈思する者たちのように細く影を引いて佇んでいる。それらの石がごく最近まで緑に潤う木々であった証拠に、地面にはまだ枯れきらぬ葉が一面に敷かれていた。

その葉も、しりしりと微《かす》かに音を立て、硬い輝きを帯びてゆく。

（クォーツの森もずいぶんと久し振りだけど……懐かしくも、なんともないや）

ベルが醒《さ》めたまなざしで見渡すそこは、木と石とがせめぎあい食らいあう場所であった。

石たちは木々を自分たちと同じ物質に変えて取り込み、かと思うとそこから再び緑が萌《も》え出す。花が石を穿《うが》つように咲き、根が石を土に戻してしまう。

風景はめまぐるしく変わり、そこに降り注ぐ天《そら》の光を、石が飲んだか木々が吸ったか、地の狭間《はざま》で結晶し、やがて、時とともに色相を変える、不思議な石が生まれる。

ここはクォーツの森——時計石《オクロック》の産地だ。

そしてまた、ベルが、この世界に初めて現れた場所だった。

（この石たちのどれかから、幼い私が、現れた……）

誕生以前の、記憶ともいえぬ記憶だった。懐かしさなどあるはずもない。もとい、こんな千変万化する森で、いったいどんな記憶が、かき消されないままでいられるというのか。

ただ、その代わりとでもいうのか。そんな世界中の忘れ去られたものたちが光の結晶と化し、時を刻み始めているのがここだった。化石と化した記憶。時が移ろうつど、Lin Lin、と音告げるのは、それだけ時が凍りつき、永遠になったことの証《あか》しだろうか。

「この、木と石たちが、私の母であり、兄弟たちであるんだろうか……」

声に出して呟《つぶや》いてみるが、やはり現実味なんかないことに、ちょっとがっかりした。

「んなわけないいか」

と苦笑し、盆地の中心へと向かう。

そこに、ベルをこの世界に生《は》んだ物があった。

「石の卵……もう跡形もないな、こりゃ」

奇妙な破片《かけら》を手に取った。

金属と陶器の狭間にあるような、どちらともつかない手触りだ。元はどのような形状をしていたのか……。木と石のせめぎあいの真っただ中にあっては、もはや想像もつかない。

恐らく、都市《パーク》の者がここでベルを発見したとき、たまたま球形に近い形をしていたため、その中から現れたベルを、石の卵が生んだように見えたのだろう。

そう、ベルは思う。

そもそも、ここいらの地形からして妙だ。まるで巨大なものが落ちてきたかのように、地面が抉《えぐ》れ、すり鉢状《クレーター》をなしている。あるいは、石の卵は、天からやってきたのだろうか。

「我が故郷は、天空にあり……か、冗談じゃないね」

そしてふと、今の一連の思考を、自分らしくなく感じた。

きっと誰かに教えられた、本来自分のものではない考えなのだろう。

その誰かについての記憶は、もうない。ただ、それと出会い、育てられ、そして別れた、そんな漠然とした知識があるだけだ。

今では、その誰かと別れたことに、何の寂しさも感じていなかった。

ぼんやりと暮れなずむ空を眺めながら、ベルは破片を放り捨てた。こーん、と一つ、澄んだ音がした。

「さーて」

からっと元気良く口に出した。

「ここから何かが始まるとして、これから、どうするかな」

都市《パーク》にゆくのだ。すぐにやってくる答え。これも教えられたことだろうか。判らない。判っているのは、そろそろ〈八つ手《ネグローニ》〉の肉にも飽きた、ということだけだ。もっと美味《うま》いものが、都市《パーク》には沢山あるだろう。それは、都市《パーク》にゆくのに十分な理由になる。

胸の時計石《オクロック》は赤紫色を示し、地面の石たちも刻々と色相を変えてゆく。

夕闇が訪れ、ベルは野宿を決めた。

まず、小屋から持ってきた僅《わず》かな荷物の中から、白亜片《チョーク》を取り出した。適当な寝場所を定めて守護円を書き始める。単純な印《スペル》を連続させるだけの、ごく初歩的な筆記魔法《グラマー》だった。

この辺りに凶暴な獣《けもの》花はいない。だが寝ている間に自分まで石化される恐れがあった。

身を守る要素《ワード》の中でも特に石の働きを抑えるよう、文法を整えようとするが……威勢よく書き出された筆記魔法《グラマー》はそのまま勢いを増し、

「なんか違うな……」

ぶつぶつ呟きつつも、円の基本線《ライン》からどんどん修飾印《モディファイアー》がはみだし、ひどくいびつな形になってゆく。

単純な作用を表せばいいだけなのに、印《スペル》がいつまでたっても完成しないのだ。ついにはただひたすらだらだらと長くなり、あっちを消してこっちを補強し、と繰り返すうちに、何処で印《スペル》を切ればいいのやら、そもそも何の印《スペル》を書いていたのやら判らなくなってきた。

いい加減に自分の文法能力に絶望して強引に決定印《ピリオド》を打った。そのときだった。ベルの目に、ふと、自分のものとは違う印《スペル》が映った。

いや、それは印《スペル》とは違う法則によるものだ。

「演算魔法《マスマティクス》か……」

演算技術については無知も同然のベルにも、それが見事なまでに簡潔なのが判った。

僅かな因子《ナンバー》の組み合わせを最大限に生かし、難解になりやすいところをうまく避けているそれは、ベルのどうでもいい印《スペル》に滅多やたらと上書きされて台なしになっている。

「あちゃあ……こいつを使わせて貰《もら》えばよかった。もっと早く気付けよ、くそっ」

ふと、その考えも自分らしくない、本来ならそんなものに関心を示すはずはないのに、という違和感が襲ったが、それについていちいち考えるのをやめた。

自分がそう思うことに変わりはない。ただその自分が思うに、この演算の主が誰だかは知らないが、辺りに誰もいないところをみると既に立ち去ったのだろうということだけだ。

(ここを出るときに印《スペル》は消していこう……比《スペル》べられたらたまんないや)

そう結論すると、ごてごてとした自分の印の真ん中に毛布を敷き、その上に寝転がった。

マントにくるまって剣を抱き、細く長く息を吐いた。

横になって仰ぐ空は、果てしなく広い。

時計石《オクロック》が、いつの間にか鈍紫色《ヒーザー》になっている。

Lin Lin と辺りの石たちが音を告げ、迎えようとするのは、たとえようもなく孤独な夜だ。

しかしそこに、湿った感情はない。こんなにも一人だというのに、この森は淋しさを感じさせない。孤独が淋《さむ》いと感じるのは、忘れられないものの中でこそだ。

気がつくと、太陽は鋭く最後の光を放って盆地の向こうに没している。

闇が、さざ波のように、寄せてきていた。

星々がまたたき始め、夜の景色が冷ややかに青ざめてゆく。

そのとき、ベルの眼前に、突如として不思議な光が広がっていた。

しん、と静まりかえった大気の底に寝そべったまま、ベルはその淡い輝きを浴びた。

それは、星であった。

夜空を覆い尽くさんばかりの巨大な星が、輝く青玉《サフィユ》にも似て、夜空を昇ってゆくのだ。

〈聖星《アース》〉。

誰もがそう呼ぶ、星の中の星——

巨《おお》きな、巨きな、母なる星。

日中は太陽の光にかき消されるが、夜ともなれば太陽よりもむしろ毅然《きぜん》とした面影を見せ、闇の底を淡藍《うすあい》の光で優しく照らし出す。

伝説の神話では神々の住み処《か》とされるその星が、どうして母なる星と呼ばれているのか。もはや答えようのないその理由《わけ》を、今は時計石《オクロック》だけが、化石の中に抱いている。

ただ、この光は安らかだった。ひどく穏やかで心がなごんだ。聖星《アース》の淡い光に包まれると、乾いた寂しさが僅かに潤うようで、ふいに心細さを覚えるようだった。

気づくと、手が、胸元を撫《な》でていた。衣が濡《ぬ》れているような気がしたからだと、撫でてから思い当たった。だが、布地はさらりと乾いている。聖星《アース》の淡い光が見せた幻だった。

幻の水底に沈みながら、ベルは己の心が囁《ささや》くのを聞いた。

(出会いたい……私に交じり合うことを許してくれる世界に、早く会いたい……)

それは、出会いに行くというよりもむしろ帰還に似ていた。まだ見ぬ故郷への、見果てぬ帰還だった。
郷愁の名のもと我が身をもてあますベルに、眠りは、ゆっくりと確実に訪れた。

2

(見つけた、見つけたぞ……)
闇の向こう――夢と現実《うつつ》の狭間《はざま》に、微《かす》かな声がする。
ベルはそれを夢に聞き、何を？　と、夢に問い返した。
応答《いらえ》はない。代わりに、
(長かった、本当に……)
そういう、激しい感情を無理やり嚙《か》み殺すような声が、僅かに響いた。
声は、始まったときと同じように、唐突に木と石のさざめきの中へ溶け込んでゆき――
(理由《ことわり》の少女よ……)
それを最後に、ふっつりと消えた。
それらの言葉を、ベルが現実《うつつ》に持ち帰ることは、ついになかった。
やがて、朝が来た。
澄み渡る大気に、チチチ……と花たちの目覚める声が飛び交った。

瞼《まぶた》を開いたときにはしっかりと覚醒《かくせい》しているのが、ベルの常だ。

横たわったまま、ちらりと胸の石を見た。明けて間もない、泉色《ファウンテンブルー》。

陽が中天への経路を辿《たど》るにはまだ時間があった。今のうちに軽く朝食を済ませておこうと身を起こした。そのときだった。ベルの視界に唐突に現れるものがあった。石と木の相半ばする風景を、くっきりと白くくりぬいたような人影。それが、ベルの目をしばし席巻《せっけん》した。そして、自分のくるまっていたマントがその人影に引っ張られているのを感じて——というよりも、そのことに今の今まで全く気づかなかった、ということに気づいたことで、驚きよりも先に口が勝手に悲鳴を上げた。

「ひゃあっ⁉」

叫びながらもマントを引っ張り返し、相手の手から奪った。へたりこんだまま、それにくるまるようにして必死であとずさった。

反射的に剣を握っていた。マントで身を庇《かば》いつつ剣先《きっさき》を構えた。心臓が大鳴りに鳴っているのが、耳のすぐ側で聞こえるようだった。

問答無用でぶった斬っていてもおかしくなかった。そうしなかったのは、ひとえに相手の美しさによった。

そう。それは美しかった。

(う、長耳族《うさぎ》——?)

それは、一人の子供であった。

きらきら光る赤い瞳《ひとみ》。真っ白いミルク色の体毛。長い耳が、頭の両脇で後ろ向きに反り返っている。形の整った可愛らしい兎唇《みつくち》は、白い体毛とは対照的なまでに、紅い。

真っ赤なチョッキに黒ズボンという出で立ちで、チョッキのポケットから覗《のぞ》くのは、金の鎖でとめられた懐中時計——〈剣の国〉では非常に珍しいゼンマイ式の機械時計《マキナ・クロック》だった。

だがむしろ、その子供の種族の方が、よほど珍しい。

長耳族《ラビッツテイア》の住み処は〈剣の国〉から遠く離れた、大陸の裏側と呼ばれる〈硬貨の国《デナーリラント》〉にあり、旅の者《ノマド》を多く輩出することで有名だ。世界で最も魔法に精通し、旧《ふる》い神代の技術にも通じているという。

だが旅の長耳族《ラビッツテイア》に出会うことは滅多になく、そしてそれだけに、出会えば必ず何かしらの幸運を手に入れることが出来ると信じられている存在だった。

今、ベルの目の前にいる幼い長耳族《ラビッツテイア》が、何かしらの幸運を授けてくれるとはとても思えないが、まず間違いなく旅の者《ノマド》だろう。もしかすると、昨晩、ベルが台なしにしてしまった演算魔法《マスマテイクス》の主かもしれなかった。

「あー……すまない。つい……」

慌てて剣を下げて詫《わ》びるが、ベルを眺める子供の表情に、変化はない。

それどころか、本当にベルを見ているのか、ひょっとすると判らなくなるほどだった。

(なんだ、こいつ)

ただひたすらに呆然《ぼんやり》とする、少女だか少年だか判らないその子の相貌《かお》からは、全く知性とい

うものが感じられない。そのくせ、その容姿はいやに優美で──

(綺麗《きれい》な、人形みたい……)

そう思った途端である。何を思ったか、長耳族《ラビッツテイア》の子供がひょいと手を伸ばし、ベルのマントの端っこを握った。そのまま口へ運んだ。なんと、齧《かじ》った。ほとんどベルに反応を許さなかった。それほどの唐突さだった。

「こっ、こら!」

あわをくってまたマントを取り上げた。そのときにはもう手の平一つ分ほどの布地が食い千切られている。

こくん。子供の喉《のど》が小さく鳴った。

あんぐりと口を開けるベルに、微かに小首を傾げてみせた。

これで、この子が昨日の演算の主では、という考えは、全く吹き飛んでいる。

「なんて道化た顔してるんだい」

もとが美しいだけに、なんだかやけに間抜けて見えた。

(関わりあいになるのはよそう……)

とうとうベルも諦《あきら》めて、自分の荷物をたたみ始めた。この子がどんな事情でここにいるにせよ、さっさと立ち去ろう。それが賢明だ。心底からそう思った。

荷物といっても僅《わず》かなもので、剣を背負い、バッグを肩に吊《つる》し、マントを翻すと、子供に背を向けた。

そのとき。

――Tick Tack……

と、一斉に響き出すものがあった。それは二人の足元で響き、辺りに佇《たたず》む石の柱たちの間に反響し合い、すり鉢状《クレーター》の盆地一帯に、にわかに満ち満ちていった。

「何だ……?」

何かが近づいてくるような、肌がぴりぴりとささくれるような感覚が襲う。辺りを見回すが、ただ石たちがある他は何もありはしない。

ただ石たちが――

ベルが跳ねた。目の前が真っ白になるような反射的な動作だった。子供を軽々と小脇に抱え、一気に駆け出した。

(やばい……!)

行動の後で、その意味が、ようやく頭の中で理解されていた。

チクタク音が爆発した。地面がめくれかえった。硬質の花が咲《ふく》らむように開いたそれは、ごつごつとした鉱青石《アズライト》の牙《きば》を一面に生やし、たった一瞬前に子供のいた空間を挟むようにして閉じた。

とてつもない轟音《ごうおん》と、ベルの叫びとが、重なった。

「岩鰐《オクロックダイル》だ！　ちくしょう、石精《ノーム》が人を襲うなんて！」

がなりながらも、既に盆地の緩やかな坂を中ほどまで登り切っている。剣や荷物や子供にも全く重さを感じさせない走りだった。

あと僅かで坂を越える。その目前だった。すぐ前の地面が急激に盛り上がった。剣を強く握りしめた。子供を肩に放って乗せ、足は更に地面を蹴《け》る。目の前が暗くかげった。巨大な顎《あぎと》が天を覆い、燃え上がるような紅玉《ルビー》が岩鰐《オクロックダイル》の全身に現れ、それは滴るような怒りの輝きを放っている。

「〈唸る剣《ルンディング》〉・！」

呼ぶ声をそのまま気魄《きはく》に変えて、剣を振るった。走る速度は衰えない。とてつもないしなやかさである。このときベルは右手だけで剣を握っていた。

――EEERRRREEEEHHHH……！

剣が咆《ほ》えるような唸《うな》りを放った。

一閃《いっせん》した刃が白銀《リリーホワイト》に輝き、恐るべき剛《つよ》さで石の牙を粉々に吹き飛ばした。

ベルの足は止まらない。剣撃《シュベルトストライヒ》に穿《うが》たれたところから天《そら》が見えた。ベルと子供は、真っ青な天空に躍り出た。背後で、岩鰐《オクロックダイル》の体がばらばらに崩れていった。その眼とも心臓ともいえる紅玉《ルビー》の唸りが、剣を通して微かに伝わった気がした。

（ノロイヲモチコムナ……）

岩鰐《オクロックダイル》の唸り。そしてそれはまたたく間に霞《かす》み、消えていった。

盆地の縁に降り立って、ベルはクォーツの森を振り返った。森の守護精《ノーム》が最後に伝えた言葉に、厳しく眉《まゆ》を寄せた。呪いを持ち込むな。確かにそう言った。それがどういう意味を持つのかは判らない。だがそれが、旅の者《ノマド》になるための最初の試練であり、旅に出てのちもつきまとうものであるということが、薄々、感ぜられるのだった。

眉根が寄った。しかめっつらというのでもない。苦笑に近かった。

「ふん……追ん出されることには、慣れてるさ」

そう呟《つぶや》くベルの表情《かお》を、ようやく地面に下ろされた子供が、不思議そうに見詰めた。

クォーツの森を外れ、普通の森に入ると、一度だけ方角を確かめた。

時計石《オクロック》を地面に置くと、ぼんやりと光の円が浮かび上がるのだ。

色相環《グラデーション》と呼ばれるそれは、藍・青・緑・黄・赤・紫の基本相が連続して円を描き、色と方角とは常にいかなる場所でも一定している。

ベルは、青の方角——東へと赴いた。

しばらく歩くと、森を貫く、黄レンガの道《イエローブリックロード》にぶつかった。その名の通り中天を表す黄色いレンガが幅広く敷き詰められ、〈剣の国〉の要所を結びつけているのだ。全ての道は都市《パーク》につながっている。あとは、その道に従って行けばよかった。

「ここまで来れば、焦ることたあないな」

そんなわけで、道沿いに設けられた屋根付きベンチ《バスステーション》を見つけると、そこで朝食にかかった。

少ない荷物の中から椀《カップ》を取り出すと、中に幾つかの小さな水晶を放り込んだ。

水晶は、水族《マーメイド》が特殊な技術で製造する、水やお湯の固まりだ。日々の生活には欠かせない代物だった。今ベルが所持しているのはチェーサー湖特産の水晶で、安い割には保存が利くし、外部の熱の影響を受けない優れものだった。なにより水そのものが美味《うま》い。そういう意味でも、あの場所を離れるのはちょっと残念だった。

水晶をスプーンで砕くと、途端にお湯へと戻り、そのかけらも液体とともに溶けていった。それに赤い水晶を混ぜ、同じように砕くと、紅茶になった。

「ほら、飲むか」

子供に椀《カップ》を差し出すが、受け取ろうともしない。

子供は、クォーツの森からここまで、ひたすら何も言わずにベルの後をついて来ていた。腹でも減っているのかと、こうして施しをやっても、これだ。何の反応もせず、笑いも泣きもしない。

ちょこんと座り込んだ子供の前に椀《カップ》を置くと、もうそちらには見向きもせずに、ベルは自分の腹を満たす作業に取り掛かった。

もう一つの椀《カップ》で、同じように紅茶を作ってすすった。半分ほど残したところで、膨果粉《パウダー》をたっぷり入れる。それに糖蜜《とうみつ》を加えると、オートミールの出来上がりだ。〈八つ手《ネグローニ》〉の干し肉と合わせて食うと、簡素ながらもなかなか美味い。

紅茶と蜜の香りに夢中になっていると、ふと、子供が何かを食べているのに気づいた。

「な……」

さすがのベルも目を剝《む》いた。

子供の周りには、いつの間にか、色とりどりの果実や、虫媒花《むし》たちの集めた蜜籠《ハニーポット》、香草の束が、ベルの両手に抱え切れないほど置かれているのである。

今度はベルが呆然《ぼうぜん》としていると、ふいに風媒花《とり》が一羽やってきて、子供の肩にとまった。その嘴《くちばし》に、房になった果実がひと枝くわえられている。房を子供のそばに落とすと、チチ……と短く鳴いて飛び去った。かと思うと、次の風媒花《とり》がまた何がしかを落としてゆく。

いきなり子供がこちらを向いた。思わずどきりとした。その手がベルに向かって差し出され、ベルのすぐ目の前に届けられたばかりの果実の房を置いた。どうやら、食べろと、言っているらしい。

「あ……ありがと」

子供は、ぼうっと、こちらを見ている。

何だか気味が悪かったが、取り敢えず食べてみると、非常に上等な味がした。

「いや……もういいよ。自分の分を食べないと……」

子供は何も応《こた》えず、しばらくするとまた視線をそらし、無表情に果実を食べ始めた。その美しさと相俟《あいま》って、不気味さと紙一重の、つくづく不思議な子供だった。

ベルはひとまず食べ終えると、急ぐようにして食器を洗いにかかった。真水を封じた水晶を砕き、それで自分の椀《カップ》を洗い流すと、子供に差し出した椀《カップ》に手を伸ばした。

するとベルを遮るようにして子供が椀《カップ》を手に取った。ぎょっとして手を引っ込めるが、そんなベルの様子に関心を示すでもなく、子供はすっかり温《ぬる》くなった紅茶をすすった。

「それ……やるよ。椀《カップ》は、余ってるから」

返事もしない子供に、なんだかどんどん気味悪くなってゆき、ベルは慌てて立ち上がった。

荷物をまとめてベンチを立とうとした。その足が、凍るようにすくんだ。

二人の周囲を、いつの間にか無数の風媒花《とり》たちが、音もなく取り囲んでいた。

青いのやら赤いのやら、大きいのも小さいのも、まるで森中の鳥がそこに集まったかのように、枝をたわませ、二人を見詰めている。

剣が、ベルの背で、微《かす》かに唸りを帯びた。

だが、風媒花《とり》たちに敵意は感じられない。

剣が唸りを帯びたのは、敵意とはまた違うものが、降り注がれたからだ。

岩　鰐《オクロックダイル》の唸りに似た、拒絶の意志……

そうか、とベルはふいに悟った。相手を拒むのにも、色々ある。牙を剝くのも、食物《ほどこし》を与えるのも。そしてふと、もしや彼らが拒んでいる相手は、自分ではないのではないかという気がした。岩　鰐《オクロックダイル》が最初に襲いかかったのも、風媒花《とり》たちが食物を運んできたのも。

あの子供――

ベルはベンチを振り返った。色とりどりの果実が、子供のいた辺りにばらまかれ、木洩れ日《こもれび》にきらめいている。子供の姿は、何処にもない。

ざあっ。驟雨《しゅうう》のような音が立った。無数の風媒花《とり》たちが一斉に飛び去る音だった。

ベルの椀《カップ》も、いつの間にか、何処かへ消えてしまっていた。

3

（いったい、なんだったんだろう……）

化かされた気分だった。不思議な子供は、もうどこにも現れようとはしなかった。そのくせ、振り返るとそこに子供のぼんやりした顔があるような、妙な気になった。

辺りを振り返りながら黄レンガの道《イエローブリックロード》を歩き続けていると、ほどなく森が開け、小高い丘陵に立った。その途端、子供のことなど念頭から消えた。それほどの壮大さだった。

平地へと続く道の向こうに、ひときわ巨大で美しい建物があった。ほとんどの壁が時計石《オクロック》で出来ているという、〈剣の国《シュベルトラント》〉の城である。

遠目に、今それはベルの石と同じく、昼前の霞色《ミストグリーン》を示している。

（都市《パーク》……）

ベルはそっと心の中で呟いた。丘を越えながらその様子を眺望《ながめ》やった。城を中心に、それは巨《おお》きな六芒形《ヘキサグラム》を描いている。

城を抱く中央区《キャストラル》が六角形を描き、その壁に沿って、六つの、尖《とが》った三角形をした街があるのだ。東側の三つの街には城壁があるが、西側の三つには壁がなく、そのせいか形もごてごてしている。

ベルは、黄レンガの道《イエローブリックロード》に従って、都市《パーク》へ向かった。

下方西《アンダーウエスト》の街だった。街全体の基本色が黄色で、黄レンガの道《イエローブリックロード》の多くがここにつながっていた。

見た目にも雑然としており、門も開きっ放しの街に、多くの者が出入りしている。

入った途端、喧騒《けんそう》がベルを包んだ。通りでは様々な種族の者たちが行き交い、真っ直《す》ぐ歩くこともままならない。一種異様な風体のベルにちらちら目を向ける者もいたが、声をかける者はいなかった。ベルは、ちょっと右往左往しつつ、たまたま目についた、〈アマレット亭〉という宿屋に入った。

一階が酒場を兼ねた食堂になっており、ひとまず腹ごしらえを済ませ、気が向けばそこに泊まるつもりだった。

幾つかのテーブルで、昼の陽射しをやり過ごそうとしている客たちが、ちらとベルを見た。だがすぐに目が離れ、ベルは店の中に入った。カウンターには誰も座っておらず、ベルは剣と荷物を置いてカウンターの端席に座った。

「ここは〈外〉だぜ、お嬢ちゃん」

カウンターの向こうで、立派な巻き角を生やした亭主が、言った。

ベルが、知ってるよ、と頷《うなず》くと、弓瞳族《シープアイズ》のその男は、おや、と金色の目を見開いた。

「見掛けによらねえな。城の水族《マーメイド》でも紛れ込んだかと思ったが……あんた、城外民《アンダードッグ》かい」

まさか、眉目《びもく》秀麗で有名な水族《マーメイド》に間違えられるとは思わなかった。ちょっとびっくりしながら、ベルは首を振った。

「いや……〈内〉も〈外〉も、関係ないよ、私には」

亭主は眉《まゆ》をひそめたが、すぐに、ははあ、と判ったような顔で肩をすくめた。

「田舎もんは、先《ま》ず、都市《パーク》のルールを知ることだな」

ベルはそれには構わず、例の〈八つ手《ネグローニ》〉退治で貰った財貨《デナーリ》を一枚、亭主に渡した。

「何か食べられるものと……あと、冷えた花茶《フラウ》を」

「へえ、これだけで、二、三日は泊まって行けるぜ」

「場合によっちゃ、そうするよ」

亭主はエプロンのポケットに銀色財貨《デナーリ》を放り込むと、氷と花茶《フラウ》の入った瓶と、意外にしゃれたグラスとをベルの前に置いた。

「いいかい、お嬢ちゃん。あんたがどんな田舎から上って来たか知らんが、都市《パーク》にはちゃんとした法《テーマ》があるんだ。それを守らないと、命取りになるんだぜ」

ベルは適当に頷いた。都市《パーク》を統べるもののことは知っていたが、それがいったいどういう意味を持つものか、まだ何の興味もなかった。

そんなベルに、亭主はなおも親身になって忠言してくれている。

「法《テーマ》は、〈正義〉と〈悪〉とから成り立っている。世の中の全ての者は、みんなそのどちらかに、生まれつき定められているんだ。少なくとも、ここ、〈剣の国〉じゃあそうだ。なあお嬢ちゃん、あんたこの国が〈剣の国〉と呼ばれてることも知らないんじゃないのか」

ベルの容姿の異常さなど、ひとことも口にしない。そのせいか、ベルは珍しいくらい素直に相手の言葉に反論した。

「なんだか、馬鹿にされてるなあ」

亭主は、カウンターの向こうで料理に取り掛かりながら、静かに笑った。

「ねえ、そのお嬢ちゃんってのもやめてよ。私にはちゃんとした名前があるんだ」

「そうかい。良かったら教えてくれよ」

「ラブラック＝ベル」

「あいさ、ラブラック」

亭主はつくづく気さくにいらえした。

「俺は〈アマレット亭〉の主《あるじ》、ハギスだ。あんた、《剣の国》をどれくらい知ってる？」

「たいがいのことは知ってるつもりだよ。都市《パーク》じゃあみんな、生まれつき、〈正義《トップドッグ》〉と〈悪《アンダードッグ》〉とに分れてるって。それがつまり、城の〈内《トップドッグ》〉と〈外《アンダードッグ》〉ってことだろ？」

「その通り。城内民《トップドッグ》と、城外民《アンダードッグ》。この二つの区別があってこそ、法《テーマ》は成り立ってる。それを乱すことは、決して許されん」

「城の中に入りたいと思ったことは、ハギス？　あの中じゃあ、怪我も病気もないって」

「さて、怪我も病気もないからといって、幸せとは限らんさ。それに、いったん〈悪《アンダードッグ》〉に定められたんだ、そんなことを言うつもりもない。大事なのは、定められることだ。あんたも、早いところ自分がどちら側にいるのか、知ることだな」

「その必要はないよ。私はもうすぐ、この国を出て行くんだ」

「なに？　まさか……」

「旅の者《ノマド》になるんだ。そのために私は、都市《パーク》に来た」

ハギスは黙った。皿いっぱいの風媒花《とり》の料理を出すまで、もうひとことも喋《しゃべ》らなかった。

ベルが皿に手をつけ始めると、ハギスは静かに言った。

「やめておけ。神が、許しはしない」

「は？」

ぽかんとしてベルはハギスの顔を見詰めた。

「おいおいラブラック、あの城に住む神のことを知らないのか？」

ベルは肉をくわえたまま、首を振った。

「田舎もんはこれだから……。いいかラブラック、この国を本当に治めてるのは、〈正義《トップドッグ》〉のやつらでも、城の王様でもねえ。神様だよ、神様。……お、おい、どうした、頭を抱えこんじまって。そんなにショックだったのか」

「いや」ベルは眉間に指を当てながら、溜め息を吐いた。「その、〈機械仕掛けの神《デウス・エキス・マキナ》〉についてね、思い出したんだ」

「デウ……なに？」

「私にも、良く判らないよ。その昔、薄情な、どこかの誰かに、教えられたんだろうけど……。なんか、自分の中で全然違うことを知ってる、もう一人の自分がいて……ああ、いや、なんでもないんだ。……ところで、すごくおいしいよ、この花《とり》」

ハギスは怪訝《けげん》そうに頷いた。

「そうかい。今朝採れ立ての花だ、美味《うま》かろうよ。……おい、本当に大丈夫か？」

ベルはにっと笑った。本当に大丈夫だった。そのための処置なのだから。記憶がただの知識としてある限り、自分の師についての記憶がない限り、

(――斬った。誰を？　どうして？)

決定的に自分が傷つくことはないはずだった。そう、そのための処置なのだから。

そのときだった。

〈アマレット亭〉の入り口で多くの人の気配がした。

「なんだあ……？」

ハギスにつられて、ベルも振り返った。

入り口に、子供がいた。表情というものがぽっかり欠落したおもて。赤い瞳《ひとみ》。ミルク色の体毛。その手には、見覚えのある椀《カップ》が握られている。

ベルはぎょっとした。クォーツの森で出会った、長耳族《ラビッツテイア》の子供だった。そしてそれを取り囲むようにして、ハギスと同じ、弓瞳族《シープアイズ》の青年たちが立ってこちらを見ている。

「……お前ら、その子をどうするつもりだ」

ハギスが、低く問い掛けた。鉛のように重い、威厳のある声音だった。

「どうするもこうするもあるかよ、ハギスの親爺《おやじ》！」

青年の一人がわめいた。その腰に吊《つる》されているものに、ベルはようやく気づいた。

(〈悪〉の剣士《ソリスト》たちか……)

その青年だけではない。子供を取り囲む全ての者たちが、様々な形の剣を携えている。

「長耳族《ラビッテイア》だぜ、長耳族《ラビッテイア》！　こいつはチャンスってもんだ、そうだろう？」

青年たちはみな一様に興奮している。ベルには話が全く見えなかったが、ハギスの目は既に怒りを帯び始めていた。

「俺たちが弓瞳族《シープアイズ》ってだけで、どれだけ他の剣士《ソリスト》たちから馬鹿にされているか、知ってるだろう！　このままじゃ、俺たちには一生かかったって主導権《スポット》を得るチャンスなんかありゃしないんだ」

「だからと言って、そんな子供を犠牲にする気か！」

「長耳族《ラビッテイア》なんざみんな化け物だ。このガキだってそうだ。いきなり消えるわ、俺の剣を齧《かじ》るわ。ここまで連れて来るのに、たいそう苦労したぜ」

青年が子供を蹴《け》った。子供の手から椀《カップ》が転がり落ちた。子供は相変わらず無表情だった。

ベルは剣の柄《つか》に手を伸ばした。ほとんど無意識に。話がようやく見えてきていた。子供の顔のあちこちに、血が滲《にじ》んでいた。服も泥だらけだ。その上、化け物呼ばわりされた。よく判らないが腹が立っていた。自分の師についての記憶がないことをまたぞろ思い出していた。そういう、

（斬った――）

処置だった。弓瞳族《シープアイズ》がちゃちな剣を抜いた。剣尖《きっさき》に間抜けな歯形がついている。子供に齧られた跡らしかった。青年の目がぎらぎらしていた。ふと、こいつらも同じだと思った。岩鰐《オクロックダイル》が襲いかかったのも、風媒花《とり》たちが食物を運んできたのも、普段は非常におとなしいはずの弓《シー》

瞳族《ファイズ》が剣を抜いたのも。ふと、子供が持っていた椀《カップ》の中から、また別の物が転がり出たのに気づいた。奇妙な物質――

（石の卵……）

金属でも陶器でもない、この世の言葉ではおよそ表せそうにない不思議な破片《かけら》。なんでこいつが。色々なものがベルの頭の中を一瞬のうちによぎり、一緒くたになって体を動かした。止まらない。

「こいつを斬ればハクがつく！　長耳族《ラビッティア》の血を吸えば、俺たちの剣は最強に育つ！　他のやつらに渡したらお終《しま》いだ、だからここに連れて来たんだよ！」

「馬鹿野郎！」

ハギスが叫んだ。それとほぼ同時に、その青年に向かって椅子がふっとんできた。青年が驚いて反射的に剣を振るった。どかん。激突した。胸板にまともに食らった青年はひっくり返って動かなくなった。なによりすっぱ抜いた剣がその一撃で二つに折れていた。

椅子が転がる音が、静かに響いた。それまでベルが座っていた椅子だった。

「ラブラック、あんた……」

ベルは剣の柄に手を触れ、佇《たたず》んだ。思わぬ言葉が、口をついて出ていた。

「〈悪〉の剣士《ソリスト》の質も、落ちたもんだ。〈悪〉たるか、〈悪〉なすか、その違いを知らんやつが、剣を執るな」

違う。これは自分の言葉じゃない。そのことがいっそう、ベル自身を後に退《ひ》けなくさせていた。無性に自分の剣を振るいたかった。それだけは、決して自分以外の何かによることはなかった。

「お、おい、ラブラック……決闘許可証《ドッグタッグ》は持っているのか」

「ないよ、そんなもん」

「やめろ、これはあんたには関係のないことだ。早くここを出て行け。……それにしても、なんちゅうでかい剣だ。そんなものをあんたが使えるわけがないだろう。剣を持てば誰でも剣士《ソリスト》になれるってわけじゃないんだ」

ベルは、皮肉っぽく笑った。

「同感だね」

そして今や手に手に刃をかざす青年たちに向き直った。それが余計に彼らを激昂《げきこう》させた。

青年たちが一斉に動いた。群成すのを常とする弓瞳族《シープアイズ》らしい、一糸乱れぬ連携戦術だ。三人、正面からベルに向かってきた。それに対してどのようにベルが動こうとも即座に反応出来るよう残りが展開した。その時点で既にベルは追い詰められている。室内の構造をよく考えた、見事な連携だった。

(馬鹿にされてるって? これだけの技術を持っていながら?)

確かに、一人一人の剣士《ソリスト》の力は弱いのだろう。生まれつき戦う力を持たない弓瞳族《シープアイズ》の宿命だ。

そして、それを工夫し、強くなろうとすることで、かえって馬鹿にされるのだ。

(下らない……)

ベルは剣の布を剝《は》いだ。鈍い光を放つ老いた鉄が現れた。その剣先《きっさき》が床を離れ、ベルの足元がミシリと音を立ててたわんだ。

剣が物凄《ものすご》い勢いで真横に振るわれた。その鉄肌は早くも白く輝き、刃が鋭さを帯びた。

刹那《せつな》——

(何だ⁉)

ベルの身を、何かが支配した。剣は止まらない。旋風のような衝撃が、最初の三人に襲いかかった。

鉄と鉄とが激しくぶつかり、砕かれた。三人は一斉にふっとんで後ろで控えていた残りの連中もろとも床に這《は》いつくばった。三人のうち二人は完全にのびてしまい、ベルに最も近かった一人が、剣を砕かれた勢いで変な方向に曲がった腕を抱えてのたうった。

「なんだこいつ⁉」

「気をつけろ! 背後に回りこめ!」

青年たちが態勢を整える間、ベルは自分をいっとき襲ったものについて考えを巡らせた。

だがすぐさま次の群が襲いかかり、しかもカウンターに乗って一人が真後ろを狙ってきた。巨大な剣がベルの細腕に振るわれ、背後に迫った一人を、カウンターごとふきとばした。ハギスが悲鳴を上げた。ベルの剣を下方から直撃された青年は、受け止めた剣を粉々にされて天井に激突し、調理場に転がった。

(まただ……)

剣を振るうたびに、何かがベルを縛りつける。だが体の動きに支障はない。

むしろ心に――

斬り上げた剣を、そのまま向かってきた剣士《ソリスト》たち目掛けて力まかせに振るった。

青年たちを横ざまに薙《な》ぎ払った。辺りが血に染まるかと思われた瞬間だった。ベルの剣は刃を丸く鈍らせ、相手の体よりもむしろ剣そのものに向かって振るわれていた。

青年たちの剣が一瞬で破壊された。その衝撃で彼らの腕が肩口からひんまがった。だが、まだ生きていた。

(なんだってんだ、ちくしょう……これじゃあただの鉄の塊だ)

ベルは、自分の剣が青年の身を切り裂かんとするとき、他ならぬ自分自身がそれをとどめていることを悟った。どうしてか？　まさか媒花《けもの》と他の種族の者たちとを区別しているわけでもない。どちらも同じ生命で、どちらも同じように斬ることが出来るはずだ。

(呪い――？)

ふいに、合点がいった。愕然《がくぜん》とした。

(まさか私は、もう何も斬れないんじゃあ……)

その考えは、間違いなく自分自身のものだった。その恐れや不安も。

いつの間にか、青年たちで五体満足なのは、たった一人になっていた。

他はみな床に倒れ、苦しそうに呻《うめ》いている。怪我の痛みに苦しんでいる者よりも、その剣を砕かれたことで、言葉にならない声を上げている者の方が多かった。

剣士《ソリスト》たちにとって、体を斬られることよりも、剣を折られることの方がよほど衝撃的だ。たとえ腕を斬り落とされても、治癒者がいる限り、少なくとも元に戻る。だが剣はそうはいかない。剣士《ソリスト》たちは、鋼鉄の果《み》を剣と成し、幼剣の段階から自ら育てあげる。剣という形で第二の生命を与えられた鋼はその形に沿って成長する。いったん剣という形を失えば滅多に元には戻らず、たいていはそこで成長を終え、あとは朽ちてゆく。

そもそも彼らが剣を抜いた最初の理由は、その剣をいっそう強くするためだ。子供の血を吸わせて。それが、逆に砕かれてしまった。その怨《うら》みは、堪え難いものになるだろう。

ふと、妙な音が、部屋に響いた。

かり、かきり、かっ……

と、硬いものを噛《か》み砕き、すり潰《つぶ》す音。

音の主を、みなが振り返った。

長耳族《ラピツテイア》の子供が、砕かれた剣の破片を拾い、なんと、菓子のように食らっていた。

表情はなく、鋼を口にふくんでも痛がりもせず、当然のように飲み下している。

「うわーっ！」

突然、最後の一人が走った。

その剣を構え、子供に向かって、切っ先を走らせた。

ベルが動いた。ひとっ跳びで青年に追いすがった。反射的に剣を振るった。この一瞬で、自分の呪いの正体が判るかもしれないと思った。真っ二つになった青年の姿が脳裏に浮かんだ。

途端、心が震えた。

だが、青年とそしてベルとをハギスが止めた。青年を突き飛ばし、ベルの前に立ちはだかった。ハギスの肩口に触れるか触れないかのところで、ベルの刃が止まった。

「あんたが、とんでもない手練《てだ》れだってことは、判ったよ」

ハギスが言った。

「非常識なほど、野蛮《ビーステイ》だってことも」

「私は……」

「こいつらは、俺を慕ってくれている。どんな馬鹿なことをしでかそうとしても、俺だったら、止められたはずなんだよ」

そんなわけはない――ベルは思う。ハギスが思っているほど、今起こったことは、単純じゃないんだ。だが、ベルは何も言わなかった。黙って領《うなず》くと、荷物をまとめにかかった。

破壊されたカウンターを見て、財貨《デナーリ》を取り出そうとすると、ハギスがそれを止めた。

「やめてくれ。そんなことよりも、早く行け。〈正義〉のやつらがこの騒ぎを嗅《か》ぎ付けてやってこないうちに。決闘許可証《ドッグタッグ》なしに剣を使ったんだ、ただじゃすまんぞ」

ベルはテーブルの上に何枚かの財貨《デナーリ》を置くと、何も言わずに宿屋を出た。

ふと気になって子供を探すが、いつの間にかまた、いなくなっている。

目の前が真っ暗になったような気がした。

宿屋を出ると、ひとだかりが出来ていた。ベルの姿を見て、わっと引いた。それを無視して通りを歩くと、少しも行かないうちに、向こうから何やら巨大なものがやってくるのが見えた。亀だ。その両脇を、月瞳族《キャッツアイズ》の男たちが固めている。みな剣士《ソリスト》だ。彼らの頭よりも、亀の甲羅の方が、高い位置にあった。甲羅は鳥籠《とりかご》のような形をしている。

(甲艦花《ゴブレット》だ……)

その堅固な生ける檻《おり》は、どんな力によっても、砕けそうになかった。

ベルはぼんやりと立ち止まり、亀がやって来るのを待った。

月瞳族《キャッツアイズ》の男たちが、剣に手をかけ、亀が来るよりも先にベルを取り囲んだ。

「剣闘を行ったというのは、お前か？」

なんだか間の抜けた質問だ。ベルは面倒臭そうに頷いた。

「決闘許可証《ドッグタッグ》は？」

「持ってないよ」

「では、我々とともに来て貰《もら》おう」

「それはつまり」とベルは、城壁を指差した。「あの中に、行けってこと？」

「そうだ。そこにある獄塔で、お前を取り調べることになるだろう」

「別に、いいよ。どのみち、もうこれ以上、ここにはいたくないんだ」

言うなり、ベルは命令されもしないうちに、勝手に甲艦花《ゴブレット》に乗り込んだ。

「早く行こうよ」

〈正義〉の剣士《ソリスト》たちは怪訝《けげん》そうに顔を見合わせると、檻の鍵《かぎ》を閉ざした。

ベルをその背に囚《とら》えた亀は、ゆっくりと城内民《トップドッグ》の住む地域へと向かった。その様子を、ひとだかりに紛れて、一人の子供が、じっと見詰めている。やがてその長耳族《ラビッテイア》の子供は、相変わらずの無表情のまま、甲檻花《ゴブレット》の後を追い始めるのだった。

4

歩いて行くよりもよっぽど楽だと、ベルは、甲檻花《ゴブレット》の背に封じられたまま、負けん気を起こしていた。こんな檻だって、壊そうと思えばいつでも破壊出来るのだ。何も不安がることはないし、気分を幻滅させることもない。

城壁のそばに近づくにつれ、陽射しが壁の向こうに隠れて届かなくなっていった。それほど高い壁だったことを、ベルはぼんやり思い出していた。

やがて城門のところまで辿《たど》り着くと、門が大きな音を立てて左右に開かれた。至るところに時計石《オクロック》がちりばめられた、壮麗な門だった。石は今、乾いた砂《サンドイエロー》色を示している。

ベルの背後で、門の閉ざされる音が重く響いた。

そしてふと、ベルが閉ざされた城門を振り返った。城門を飾る、無数の時計石《オクロック》を見た。それらの中には、特にその腕を認められ、石に直接その名を刻み込むことを許された石切り職人の名があった。そこに、ベルの知った名があるはずだった。かつてベルを最初に養っていた者の名である。だが結局、ベルがそれを見つけることはなかった。

剣が微《かす》かな唸《うな》りを帯びるのを覚えた。剣は今、ベルの膝《ひざ》の上に抱かれている。剣の柄元《つかもと》に添えた手が、僅《わず》かな鋼の震えを感じていた。それは決して事を荒立てようという意志を示してはいなかった。残念なことに。

「懐かしいかい……」

ベルは、石を探すのを諦《あきら》め、そっと剣に囁《ささや》いた。

「私はここに、何の思い出もないよ」

そして壁の内側、〈正義《トップドッグ》〉の住む街を眺めやった。道路はきちんと舗装され、道に沿って整然と並木が植えられている。壁の外に比べて、格段に清潔で、物見高く、窮屈だった。

家々からは様々な種族の者たちが現れ、亀の背に囚われたベルを、何かのお披露目であるかのように見物にあずかり、なにごとかを口々に囁いている。

ベルはむっつりとして表情を消し、亀の進む方角を真っ直ぐ見据えた。

「いや……」

その目が、遠くを見るように細められた。

「お前と出会ったことが、ここでの私の、たった一つの思い出だ……〈唸る剣《ルンディング》〉」

その昔、最初にベルを拾い、育てたのは、城内民《トップドッグ》だった。夫婦ともに、都市《パーク》の主族である月瞳族《キャツアイズ》だ。夫は、時計石《オクロック》を様々に加工することを生業《なりわい》とする、石切り職人である。文字通りの名工だった。時計石《オクロック》の産地であるクォーツの森で、〈石の卵〉から生まれたベルを夫が見付けて以来、我が子としてその妻とともに可愛がってくれた。どうして、こんな気味の悪い子供を育てる気になったのか。子供がいなかったからだろう、とベルは思う。

ベルの養父母に限らず、城内民《トップドッグ》には、なかなか子が生まれない。だから、彼らの名を継いでくれる者であれば、誰でも良かったのかもしれない。自分たちの保護欲を満たしてくれる存在であれば、どんな化け物であっても、良かったのかもしれない。本当に、彼らはベルを可愛がってくれた。

大きくなるにつれ、ベルの奇妙さが問題になった。その怪力と身軽さが、まるで病気にでもかかっているかのように扱われた。そののっぺりとした、いかなる種族的特徴も持たない姿ゆえに、「普通でない子」と呼ばれた。普通でない子。それは誰のせいでもない。

養父母は、ベルが誰かを傷つけるのではないかと、いつも心配していたフシがある。どうしてだろう。そしてまた、誰かが、ベルのことを傷つけるのではないかと、不安がっていたようでもある。これまた、どうしてだろう。いまだに、よく判らない。きっと、普通ではないからだ。あるいは、それが判ってしまっては、いけないような気もする。

「今日は、ずっと一人だったよ」

外出して、集落《ファーム》に帰り、家に戻ると、いつでもそう告げていた。そう言うと、表面上は判りにくいけど、どこかで養父母が安心するのが感ぜられた。養父母が、そんなことではいけない、お友達を作りなさいというようなことを言っていたかどうかは、思い出せない。言っていたような気がするが、あまり好きな声ではなかった。

その時期はまだ、自分の属する世界に疑問を持ったことなどなかったようだ。〈石の卵〉から生まれたときに口にしていたという、何処の国の言葉だか判らない不思議な言葉も、養父母から言葉を習ううちに忘れていってしまった。今思えば、それこそ、生まれたときに知っていたはずの、答えだったのかもしれない。だがそれは既に失われてしまった。

養父の石切りは、とても面白そうだった。養父の真似をして、なかなか筋が良いと褒められたときは、とても嬉《うれ》しかった。鉱物は好きだ。不思議な意志がある。初めて時計《オクロック》石をちゃんとした形に切ることが出来たとき、養父はそれに琥珀細工《アンバー・ワーク》をこさえてくれた。以来、いつでもそれをペンダントにして首にかけている。石切りは大変な作業だがとても面白い。

養母は、それに賛成しなかった。石の代わりに、楽器を習うようすすめた。楽器は、作物を作るためのものだ。都市《パーク》は、楽器によって生かされているといってもよかった。様々な楽器によって奏でられる旋律は、地を耕し、雨を呼び、特定の作物を成長させ、そしてそれ以外は枯らしてしまう。楽器は嫌いではなかったが、苦手だった。しかも、一生、集落《ファーム》ごとに定まった曲を演奏するしかない。たまに不作のときに曲を改訂することはあっても、基本的には、何も変わらない。そう思ってしまうと、何もかもが実に退屈だった。でも養母は、生きてゆくとはそういうことなのだと言った。それでも楽器は苦手だった。ちっとも自分のものになってくれない。種族ごとにそれぞれ主に得意とする楽器があるが、どれもうまくなかった。

だがうまくないなりに、弾き方はある。それを喜びとする以外にも、奏で方はあった。楽器を習うために学校に通った。生きてゆくとはそういうことなのだと、自分に言い聞かせていたようにも思う。学校で友達を何人も得たような気がするが、ずっと一人だった。

そんな日々を過ごすうち、ある楽器に出会った。正確には楽器ではないけれど、音を奏でることに変わりはない。

いつものように一人で楽器を練習していたときだ。ふいに、不思議な唸りが聞こえた。それが本当に聞こえているのかどうかも曖昧《あいまい》な、唐突で、奇妙な音だった。それがまるで自分を呼び寄せているみたいだと感じたのは、どうしてだろう。いまだにそれだけは、よく判らない。

ともかくも、いつの間にか、音を辿っていた。自分の行方を手繰り寄せるようにして、音の主を探して回った。そして、実にとんでもないところにまで潜り込んでいた。

城の地下の宝物庫に、それはあった。途中、幾つもの扉をくぐり、それと同じ数だけの鍵を壊し、手にしていたはずの楽器も何処かへいってしまっていた。今では、それがどんな楽器であったかも、覚えていない。

埃《ほこり》っぽくて、長い間、誰も足を踏み入れたことのないような部屋には、沢山の宝物があった。どれもこれも、使い道がなくて、ただそれが宝物であるというだけで、そこに置かれているような物たちだ。そしてそれらの物が並ぶ中、そいつは鎖につながれていた。そいつの重さがあまりに桁《けた》違いなせいで、床にめりこませないために、鎖で吊《つ》ってあったのだ。

近づくと、そいつが鳴いた。鉱物の持つ独特な意志が、その響きに感ぜられた。そいつは、誰かに自分を手に取って貰いたがっていた。

そいつに触れる気になったのは、そいつの腹に刻み込まれた不思議な刻印《スペル》に、何か懐かしいものを感じたからだ。

――EREHWON《エレフォーン》
そういう古代文字だった。意味は判らない。いまだに。

そいつに対して、気味の悪さや、怖さは、なかった。

そいつに触れたときのことを、今でも良く覚えている。誰にも顧みられず、そのまま光のないところで朽ちてゆくしかない老いた鋼が、唸りを上げて喜んでいた。それに応《こた》えて、自分もまた、不思議な喜びの気持ちを口にしていた。

「見つけた、友達だ」

そいつの名が、〈唸る剣《ルンディング》〉というのだと、後で知った。まだちゃんと果《み》になる前の、未発達のユリ科の鋼鉄を、そのまま丸ごと剣にしてしまったものだった。そうすることで、たとえ外見がどんなに老いてしまおうとも、鋼鉄がまだ意志を持つ前の、純粋で、力に満ちた状態が、いつまでも保てるのだ。

だが、そのためには、実にとんでもない大きさと重さとを持つ剣に仕上げねばならなかった。それで、誰にも振るうことの適《かな》わない剣として、ずっと閉じ込められていたのだ。

そんなものを造り上げてしまった剣作家は、非常に変わり者だったらしい。その腕は誰にも太刀打ちできないほど見事であったくせに、どんなに優れた剣士《ソリスト》にも扱えないような、難解な剣と刻印《スペル》とを好んだという。そしてその揚げ句の果てに、飢餓同盟《タルトタタン》に飲み込まれてしまった
――

そんな剣作家の最後の作品である〈唸る剣《ルンディング》〉は、ついにその握り手を得て、薄暗い地下の宝物庫から出ることが出来た。大騒ぎとともに。

誰かが、宝物庫に至るまでの鍵《かぎ》が壊されていることに気づいた。城の剣士《ソリスト》たちがぞろぞろと出てきた。賊だ賊だと騒ぎ立てた。一斉に剣が抜かれた。その中を風のように駆け抜け、逃げ出そうとする賊は、手にしたばかりの剣を振り回し、近寄る者を片っ端からふっとばしてゆく。誰もそれが少女だとは思わなかった。少なくとも、ただの少女だとは思わなかった。のっぺりとした外貌《すがた》、異様な力、城の壁さえひとっ跳びしそうな身の軽さ。あれはいったい何という化け物なのだ。何とも形容しがたい怪物が、城に現れた。

――であえ、であえ。

みな、剣を持て。何とも説明しがたい化け物が、城に現れた。

あの化け物を、逃がしてはならん。絶対にこのままにしてはならん。

ところであの化け物は、いったい何をしでかしたんだ?

そんなことも判らんのか、目の前でいま暴れているじゃあないか。

追うんだ、追うんだ。逃がしてはならん。引っ捕らえるのだ。

きゃつはいかにも危険だ。それ、みなで囲いこめ。

あの化け物は、いったい……

ええい、頑張れ。ここで逃してはならん。ならんぞ。

あの化け物は……

みな、剣を持て。あの化け物を、みなで討て。

泣いているのじゃないか？


外はすっかり夜になっていた。飲み込まれそうなほど暗い闇を照らすのは、天《そら》に昇った青い星、星の中の星、母なる星たる聖星《アースシャイン》の光だ。

淡藍《うすあい》の光に照らされて、少女は城を駆け抜ける。巨大な鋼を振り回し、ぼろぼろと涙を零《こぼ》している。どうして泣くのか判らない。どうしてこんな大騒ぎになるのか判らない。そのくせ、不思議と誇り高い気持ちがわきあがる。

ふいに、少女の前に、四蹄族《ケンタウロス》の青年が立ちはだかった。刻印《スペル》を施した見事な剣を手に、逞《たくま》しい赤い馬体を奮わせて、真正面から少女と向かい合った。

〈唸る剣《ルンディング》〉が、咆哮《ほうこう》するように唸りを上げた。そこにある意志を、叫びを放った。

――世界を穿孔せよ《デュルヒ・ブレッヒエン》、
得難い適所《ピッチ》を自ら外れ、唸《うな》りを上げろ。それがお前の望むもの、お前が行こうとしている所。お前がそこに存《いま》すことの由縁《リズム》を取り戻せ。

誇り高い剣の意志に少女の心はまったく飲み込まれ、その幼い手を力の限り振るった。

四蹄族《ケンタウロス》の青年の振り下ろす剣は、紙のように砕かれ、その勢いで腕が折れ曲がった。青年の馬体は横倒れになり、苦痛と憤怒《ふんぬ》に満ちた呻《うめ》き声が青年の口からほとばしった。

少女は青年の体をひとっ跳びし、なおも駆け、はしゃいだ。

――ああ、すぐそこが門だ。あそこから、私は出て行ってやろう。どこに行くのか判らないけれど、ここでない何処かに行ってしまおう。

少女の目はもう門に釘付《くぎづ》けになっている。ふとその視界が遮られ、いったい何が起こったか、少女は横殴りにつきとばされていた。

あっと思ったときにはもう遅い。目の前に鋭い刃の切っ先がつきつけられていた。

少女は地面に転んだまま、刃をじっと見詰めた。怖くはなかった。不思議な気持ちでいた。いったい何がどうして、こんな騒ぎになってしまったのか、よく判らない。ただ、自分がそれだけのことをしたということを、誇りたい気持ちでいっぱいだった。暗い影のさす誇りだ。普通でない子が、みなを見返すには、こうするしかなかったのだ。

もうすぐこの刃が自分に突き刺さりに来るのだろうかと思っていると、ふいに、その剣をつきつけた青年が、言った。

「なぜだ。どうして、こんなことをした」

少女の目が、刃から青年に移った。黄金色の毛並の、若く逞しい月瞳族《キャッツアイズ》の青年だった。その姿が、ふいにぼやけた。いつの間にかまた、涙が止まらなくなっていた。

友達、と呟《つぶや》くと、月瞳族《キャッツアイズ》の青年は眉《まゆ》をひそめ、耳を傾けた。だがそれ以上は言葉にならず、ただ剣を握る手を示した。

「その剣が、欲しかったのか？」

月瞳族《キャッツアイズ》の青年は何とか理解したようだった。

「ガフ！　何をしている！」

さきほどの四蹄族《ケンタウロス》の青年が、痛みに呻きながら吠《ほ》えた。少女の周囲を、剣士たちがじりじりと囲い込んだ。少女も含め、みな、黄金色の月瞳族《キャッツアイズ》の青年の挙動を見守った。

月瞳族《キャッツアイズ》の青年は、少女から剣を引くと、あっさり鞘《さや》に収めてしまった。

「ガフ！」

猛《たけ》り狂うような四蹄族《ケンタウロス》の青年に向かって、月瞳族《キャッツアイズ》の青年が、首を振った。

「子供の悪戯《いたずら》だ、キール」

そして、その場は、そういうことになった。

だが、少女は牢《ろう》に入れられ、両親はいつまで経っても迎えに来なかった。心のどこかで彼らが来ないことを知っていた。不思議とそれだけは確かな気がしていた。

剣は決して手放さず、誰もそれを奪い取ろうとはしなかった。少女に抵抗する気配がない限り、誰もそれ以上、少女を追い詰めようとはしなかった。そんなことをしてまた暴れられては困るからだろう。だが、迎えはいつまで経っても来なかった。

夜が明け、空腹にふらふらになった頃、ふいに少女を訪れた者がいた。ガフと呼ばれた青年と、もう一人、誰かが。

その、もう一人の誰かが、こんなことを言った。

「お前の両親は迎えに来ない。何故なら、これからは俺が、お前の親になるからだ」

少女に、その意味は判らない。悲しみが溢《あふ》れるのを感じただけだ。

その誰かが、言った。

「俺についてこい。その剣の使い方を、教えてやる」

前後を考えると、どうやらその誰かが、ベルの師となる人物らしかった。だが、もはやベルには、その誰かについての記憶はない。ただ漠然とした記憶——乾いた思い出が、心の何処かにこびりつくようにしてあるだけであった。

5

過去に潜り込み、思い出にふけるベルに、声がかけられた。

「なんだって？」

ふと我に返って問い返すと、

「さっさと出るんだ。そこはまだお前の牢ではない」

と剣士《ソリスト》の一人ががなった。

甲檻花《ゴブレット》から降りると、陰気そうな蛍族《ロイテライテ》の獄吏が現れ、見覚えのある塔に案内された。

高い、牢獄の塔だ。上に行けば行くほど刑が軽く、地下にゆくにつれ重い刑を科される。その、中ほどの部屋に、案内された。粗末な宿屋の一室のようだった。

宿屋と違う点は、鉄格子の付いた窓と、重々しい鉄の扉、そして、扉の入り口に、巨大な蠟《ろう》燭《そく》が置かれてあることだ。蠟燭には、炎を表す印《スペル》が刻み込まれている。

「なんだい、これ」

ベルの質問に、陰気そうな獄吏が答えた。

「どれだけの間、ここにいるのか、計るためのものじゃ。刑によって、大きさの違う蠟燭が、立てられる。火は、消すことも、大きくすることも、出来んよ」

部屋に入る際、ためしに息を吹きかけてみた。炎は微《かす》かに揺れたが、獄吏の言う通り、大きくも小さくもならなかった。

「この蠟燭が尽きるまで、私はここにいるってわけだ」

「普通は、そうだて。だが、無用に騒ぎ立てたりすれば、長引くこともある」

「取り調べを、まだ、受けてないんだけどな」

獄吏の背後に控えている剣士《ソリスト》たちに向かって言ったのだが、答えたのは獄吏だった。

「蠟燭が尽きた時に、行われる。それまで、そこで待つのじゃ」

「取り調べはなしで？」

獄吏は頷《うなず》いた。そして扉を閉めた。鍵のかけられる音がした。

「取り調べは、後だて。先に裁きがある。裁きの後、おんしの〈正義〉が秤《はかり》にかけられる。取り調べはその後じゃ」

「何か変だよ、それ。順番を逆にしてくれないか」

「逆にすると、裁けぬ者もおるでな。〈正義〉の者は、特に」

そう言い残すと、獄吏はさっさといってしまった。剣士《ソリスト》たちがぞろぞろと立ち去る気配がした。彼らが、

――おい。あれは……まさか、いつかの……

――ああ。戻って来たのだ、あれが、城に戻って来たのだ……

そう、ベルについて噂しあうのが聞こえた。どうやらその昔、城で暴れた少女についての記憶は、まだくすんでいないらしかった。

(いつかも、こんな部屋だった。〈唸る剣《ルンディング》〉と初めて出会ったときも……)

ベルは荷物を放り出した。ベッドに腰を下ろすと、膝《ひざ》を抱えて扉を見詰めた。剣を肩で抱き、まるで何かを待っているような気になった。

(誰を待つって言うんだ……?)

そんなあてはない。伝《つて》も何も、ないのだ。

「前途多難だ……」

ぽつりと呟いた。その分、体が重くなったようだった。ベルは口をつぐみ、じっと扉を見詰めた。ずっとそのままでいた。取り敢えず寝ようと頭で考えた。体はそのままでいた。

どれだけの間、そうしていただろう。

何も思わない、何も感じない、空白の時間が、不思議と心地好く過ぎていった。時はゆっくりと流れ、ついで止まり、そしてそれはほどなくして再び動き出した。残念なことに。

ふいに、音がした。がりがりと、何か硬いものがかじられる音が。

(なんだ……?)

見上げたそこに、窓があった。鉄格子のはまった窓だ。だがいまやその格子は、あらかた食い尽くされてしまっている。そしてその隙間から、部屋に入り込んで来た者——

ベルはぽかんとして、その侵入者の姿をみとめた。

もはや忘れようにも忘れられない、あの長耳族《ラビッテイア》の子供であった。ぼりぼりと鉄を食いながらベッドまでやって来ると、ベルのすぐ側にちょこんと座り込んだ。

ぎょっとなるベルにぼんやりと赤い瞳《ひとみ》を向け、ついで扉を見詰めた。じっと見詰めた。膝を抱え、自分自身の中に埋没してゆくように、鉄のかけらを噛《か》み砕くのをやめ、ごくりと飲み込むと、それ以上ぴくりとも動かなくなった。

「お……おい?」

子供は、まるでこの部屋に閉じ込められたのは自分の方だと言わんばかりに、扉に視線を釘付けにしたまま動こうともしない。

「な、なんなんだ、お前。いったい何しに来たんだ。私を助けるつもりなのか?」

ベルは立ち上がって、窓の外を見た。頬がひくひくと引きつった。

「お前、いったいどうやって登って来たんだ? こんな高い所、私だって降りられないぞ。なあ、おいったら、ちっとは何とか言えよ。そんな所を見てたってどうしようもないだろう。なあ、お前、いったい何しに来たんだ。こんな所まで、何しに来たんだよ。礼でも言おうってのか? いいよ別に。あれは私が勝手にやったんだから。……なあ、何とか言えって言ってんだよ。そんな所を見てたって……」

ふと、思い当たった。

「お前……喋《しゃべ》れないのか？」

けれども子供は、黙って扉を見詰め続けるばかりである。

ベルは深く溜《た》め息を吐いた。子供と同じように扉に目を向けた。

「くそっ……見てるだけで開く扉なんかあるもんか！」

わめいた。

「私は旅の者《ノマド》になるために、このけったくそ悪い都市《パーク》にまでやって来たんだ。こんな、ろくでもない思い出しかないような所に……ちくしょう、私はどうしちまったんだ？　こんな牢の中にいなけりゃいけない理由なんか、どこにある？」

ふと気がつくと、子供がいつの間にかベルを見ていた。その赤い瞳に自分の姿が克明に映し出されるのを見て、なにやら急にこの子供に感謝したくなった。

ベルは剣を手に取った。巨大な鋼鉄の重量が、大地から浮遊しようとする足をしっかりと立たせるのを感じた。

「お前、名は……？」

子供はやっぱり黙ったままだった。膝を抱くその手に、見覚えのある椀《カップ》が握られている。椀《カップ》には、あの〈石の卵〉のかけらが一つ、ころんと入っていた。

くすりとベルが笑った。

「どうせ、何を訊《き》いても、答えちゃくれないんだろうな」

笑って扉と向き合った。覗《のぞ》き窓の向こうで、じりじりと蠟燭の炎が燃えていた。

「〈唸る剣《ルンディング》〉！」

叫んだ。

手にした剣を、扉めがけて思い切り叩《たた》きつけた。

蝶番《ちょうつがい》が爆発したように吹き飛んだ。鍵《かぎ》が砕かれ、扉は大きくたわんで廊下に転がった。

悠々として廊下に出た。慌ててやって来た獄吏に向かって、大きな声で笑って言った。

「蠟燭の火は、消えちまったぜ」

獄吏は、呆然《ぼうぜん》と立ちすくむ他になすすべがないようだった。

「なあ、今、思い出したんだが……ガフって名前の剣士《ソリスト》が、城にいるはずなんだ。そいつを、ちょいと、呼んでくれないか？　うん、もっと早くそれに気がいっていれば良かったな。なんというか、私の兄弟子なんだ、そいつ。はは、すっかり忘れてたよ。いやね、師匠のことはもうこれっぽっちも覚えてないもんでさ。つい、忘れてたんだよ」

ベルは一気にまくしたてると、獄吏に向かって、にこっと笑いかけた。

「判った？」

気の毒な獄吏は、真っ青になって何度も頷くと、逃げ出すようにして身を翻した。

II　訣別《けつべつ》。大地を奏でる者たち

1

騒ぎが起きたのは、時刻も紫の色相《いろ》を帯び始めた頃だった。

〈アマレット亭〉の主《あるじ》ハギスは、破壊された一階を閉め、ただ一人無傷の青年に、修理屋を呼びにいかせていた。宿の部屋は怪我をした弓瞳族《シープアイズ》たちで埋まっており、傷兵院さながらだ。青年たちの呻《うめ》き声が怨念たっぷりに響くような所に、好んで泊まる客もいない。

開き直って馴染《なじ》みの客と一杯飲《や》っていると、ふらりと一人の青年がやってきた。

ハギスの目が丸く見開かれた。使いにやった青年が帰ってきたのではなかった。

「お前、どうして〈外〉に……」

それっきり、ハギスは黙ってしまった。周りにいる者たちも同様である。

青年の口元に、薄く笑みが浮かんだ。

「しばらくぶりだ、ハギスの親爺《おやじ》。剣を折られたんだって？」

「……いんや、俺のが折られたわけじゃねえ。俺のは、とっくの昔に枯れちまったさ」

ハギスはその月瞳族《キャッツアイズ》の青年をまじまじと見詰めた。艶《つや》のある純白の体毛に、凍るような碧《あお》の目。その冴《さざ》やくような容貌《ようぼう》は一見かよわげだ。そのくせ、妙に鋭い雰囲気がある。赤い頭巾《バンダナ》を額に巻いており、それで眉《まゆ》と耳先とを隠し、相手に自分の表情を読ませないでいて、油断なく相手の様子をうかがっている。そんな男だった。

「じゃあ、誰が？」

「うちの若いやつらだよ。ひでえざまでな。ここで寝てらあ」

「話をしてもいいかな」

「いや、それは……」

「駄目か」

「うむ……いや、あいつらに尋《き》いてくれ」

青年は頷《うなず》いた。階段を振り返ると、思案するような目で、二階に向かった。

「アドニス」

ハギスが呼び止めた。

「家族には会ったのか」

「会うつもりはない」

きっぱりとした返事がかえってきた。振り向きもしない。そのまま階上へ消えた。

青年の姿が見えなくなって、はじめて他の者たちが口をきいた。

「あいつ……いったい、何しに帰ってきたのかな」

「さあ……あいつも元は〈外〉だからなあ……おかしくはないさ」

「だが、今は〈内〉だ」ハギスが溜め息して言った。「今日は、面倒な客が多い……」

そのとき、街の入り口で、誰かが悲鳴を上げた。

「今度は何だあ？」

しかめっつらのハギスが立ち上がるのと同時に、また別の誰かが叫んだ。

「飢《タ》……飢餓同盟《タルトタタン》だ！」

そのひとことで恐慌が街に広がり、ハギスたちも否応なくそれに巻き込まれた。

燃えるような夕暮れが、人々の足元に長く影を落とさせる刻《とき》――

その影法師の群は、街に現れた。

陰鬱《いんうつ》な色の外套《がいとう》が舞い踊る。やにわにたちこめる肉桂《シナモン》の香り。街に滲《し》み入るように、異形の影法師たちはやって来た。もはやいかなる種族の者かさえ判らぬ狂者たち。全身に得体の知れない印《スペル》を滅多やたらと書き込んだ姿で、錆《さ》びた楽器を掻《か》き鳴らし、刃の欠けた枯剣を振り上げ、手にした火掻き棒で街の住人の足元から影をすくい取ろうとする。

街の住人たちはそれこそ狂乱のていで我先にと逃げ出した。もし万が一飢餓同盟《タルトタタン》に取り込まれるようなことになれば――この世の影となって、未来永劫《えいごう》、苦しみながらさまよい続けることになる。恐怖が、誰の脳裏にもあった。

「なんてこった！　こんな街中に現れるなんざ……」

――NNNNOOOOOWWWWWHHHHH……！

ハギスのわめき声が、妖《あや》しげな嘆きの声にかき消された。

けたたましくもこの上なく虚《うつ》ろな叫び。妖しい不協和音を奏で上げ、影法師たちは街を通り過ぎていった。その頃には誰もが、飢餓同盟《タルトタタン》が城へ向かっていることに気づいていた。

城か、あるいは城壁の〈内〉に。だが城門はすぐさま閉ざされ、影の群は壁に沿ってぞろぞろと絶え間なく進み、やがて太陽から最も遠い場所に溜まり込むと、そこで止まった。

「……やつら、仲間の匂いを嗅《か》ぎつけたんだ」

しばらくして、ハギスが厳正な審判を下すかのように言った。

「誰か、近いうちに飢餓同盟《タルトタタン》のお仲間入りするやつが、都市《パーク》にいやがるんだ。……何もかも、楽しめなくなっちまったやつが」

そして思わず宿を振り返った。

あの青年は、傷ついた敗者たちといったい何を話そうというのか。

だが、その厄介な客は、飢餓同盟《タルトタタン》が足を止めた頃にはもう既に立ち去っていた。

いったい何を話したのか、弓瞳族《シープアイズ》たちの誰も、何も言わなかった。

2

「思い切って呼んでみるもんだなあ」

ベルは感心して言った。食事の席だった。花の肉を一つ食らって、あとを続けた。

「まさか、無罪放免、とはね」

今、ベルの前に、金色の体毛に包まれた月瞳族《キャッツアイズ》の男がいる。名を、シャンディ＝ガフという。〈剣の国〉にて、〈正義〉《トップドッグ》の剣士団の筆頭にある男だ。立派なたてがみに、太く重厚な体《たい》軀《く》。澄明な目にベルをとらえ、その姿勢は真っ直《す》ぐで微動だにしない。壮年に差し掛かったばかりとはいえ、その貫禄《かんろく》は並大抵ではない。この男が現れたとき、ベルには王その人でもやって来たのかと思われたほどだ。

「お前はそもそも、何も罪を犯してはいない」

ガフはそう言うと、円卓《テーブル》に掌ほどの大きさの銀板《カード》を置いた。

〈枯れない鉄〉——財貨《デナーリ》と同じ材質で出来た、なんとも貴重な代物だった。これ一つ売れば、ベルの生活など一年はもたせられるほどの価値があった。

「なんだい、これ」

「決闘許可証《ドッグタッグ》だ。あとは所定の位置に、お前個人の印《スペル》を自由に刻み込めばいい」

ベルは食う手を止めずに、片眉を上げてガフを見やった。

「つい最近、郵便公社《ディールズハット》から俺に宛てて鳥が届いた」

それだけで、ぴんと来るものがあったが、ベルはただ黙って聞いた。

「お前の師から、お前のことを頼むよう、言の葉がつづられていた。剣士《ソリスト》としてのお前の生活を、俺が保証する。……どうした？　許可証《タッグ》を受けとらないのか？」

「いやあ……ただ風聞するだけで、あんたみたいなやつを動かすなんて、私の師匠は、そんなに凄《すご》いやつだったのかなあ、と思ってさ」

「俺など、あの方にくらぶべくもない」

「ふうん」

「正直、お前が羨《うらや》ましいぞ。何せあの方の最後の試練を受けることが出来たのだから」

ベルは、ぼんやりと頷いた。カードに手を伸ばそうという気配は毛ほどもない。

「……あの方を、恨んでいるのか？」

「恨むもなにも、すっぱり忘れさせられちまったから……恨みようもないよ。でも、あんたには悪いけど、こいつは、私には、ちょっと受け取りにくいな」

ガフの指が、とんとんと卓上のカードを叩《たた》いた。ベルの言葉を思案するように何度も頷くと、カードをベルの方に押しやった。ベルの黒い双眸《ひとみ》が、真っ向からガフを見据えた。

「獄塔で俺を呼んだときから、お前は俺の客人だ。剣士は自ら客を選び、それに尽くすべきだと、俺は思っている」

ベルの目が、ちらりとカードの上に落ちた。

「それに、俺個人、剣士としてのお前に期待している」

「……私は、でも、この国で一生、剣士をやってくつもりはないよ。私は、旅の者《ノマド》になるんだ。それに……剣を使うのに許可がいるなんて、馬鹿馬鹿しいと思ってるし」

「判っている。お前の師がお前に望んだことや、お前がお前自身に望んだことも。また、俺たちにとって一生を費やして余るものが、お前にとっては過程の一つでしかないことも。だが、旅に出るためには、どのみち王との契約に基づく使命を全うする必要があるのだぞ。それは、旅の扉を開く権利が国にとっての無利益や無法であってはならないからだ。お前は剣士として、しばしこの国に貢献せねばならぬ」

説くようでも、押し付けるようでもなく、ガフは言った。

(判っている、ねえ……)

どうして臆面《おくめん》もなくそう言えてしまうのだろうか、この男は。

(聡《さと》いなあ)

「私は……」

ベルは言いよどんだ。だがその手は既にカードの上にかかっている。

「呪いをかけられているんだ、私。旅の者《ノマド》になるための呪いだよ。そのせいで、もしかしたら私の剣には〈区別〉がついてしまっているのかもしれない」

「区別……?」

「花も石も木も——どんな種族の者も、私は同じように斬れるはずだったんだ」

ガフの目が、驚いたように見開かれた。

「凄いことを言う」

「え……?」

「どんな者でも、花と区別なく斬るというのか」

「だって……」

「いかなる者を斬ることも、花を斬ることと一様に考えていることこそ、俺には呪われているように思えるのだが」

「……野蛮《ビースティ》だって？」

ガフは渋い顔で、頷《うなず》きも首を振りもしなかった。

「私にとって、剣に区別がついてしまうことほど、怖いことはないんだ。この剣は、私が何かに触れるときの、そう、手袋みたいなもので、それに区別があっちゃならないような気がするんだよ」

「そうして、触れたときには既に相手に斬りつけているのか？」

「そういうわけじゃ、ないけど……」

「ふむ……？　俺にはどうしても、お前が呪いをかけられているようには思えんのだがな。少なくとも……誰かに呪いをかけられているようには」

「どういうこと？」

ガフはゆっくりと首を振った。

「ともかく、お前が自らその呪いの意味を解かぬ限り、判ることではないだろう。そしてそのためにこそ、許可証《タッグ》を受け取ったらどうだ？」

ふっと笑いがベルの唇《くち》から零れた。

「かなわないなあ……」

その手が、しっかりと銀に光るカードを握った。

「……私の印《スペル》。私個人の印《スペル》か。うん。野蛮《ビースティ》とでも刻《い》れるかな」

「ベル」

呆《あき》れたようにガフがたしなめる。

ベルが笑って何かを言いかけたとき、すぐかたわらでひどく騒々しい音がそれを遮った。

例の長耳族《ラビッテイア》の子供である。並べられた御馳走《ごちそう》をちょいちょいつまむだけで、後はばりばりと食器をかじっては飲み下している。ベルは、困った顔でガフを見やった。

「剣士は客人を大切にするものだ」

きっぱりと、ガフは言う。

「旅の長耳族《ラビッテイア》に親しく客となって貰《もら》えるのは、名誉と考えるべきだ」

「客人、ねえ……」

ベルは首を傾げて、皿をかじる子供の姿を見詰めた。


中位東《ミドルイースト》の街にいた。ガフが案内したのは、まだガフが見習いのときに使っていた部屋で、いまだにちょくちょく使っているようだった。

三階建ての棟が六方に対して整然と配置され、うち上位東《トップイースト》の棟の最上階の一室だった。

ベルが部屋にのぼると途端に床が悲鳴を上げた。階下の住人も何ごとかと騒ぎ出した。

剣の重さに床が耐えられないのだ。やむなく、ガフは棟の管理者と相談して、たまたま空いていた一階の隅の部屋にベルを住まわせることにした。本当に残念そうな顔だった。己の客人として、是非ともかつて自分の使っていた部屋に住んで欲しかったのだろう。

(律義なやつ)

　それは決して不快ではなかった。けれども、ガフにここまで連れて来られてからずっと、どことなく落ち着かない気分でいるのも確かだ。まだ、あの〈アマレット亭〉に泊まった方が平静でいられたかもしれない、とさえ思う。

　部屋はともかく、ガフの残していった家具はありがたく頂戴《ちょうだい》した。頑丈で無愛想、余計な飾りが一切ない、親しみの持てるベッドやタンス、テーブル、机などが、一階のベルの部屋に次々と運び込まれた。

「豪勢だなあ」

　最後にカーテンが部屋を彩ると、ベルが感心しきって言った。

「そもそも、はじめから俺を訪ねればよかったのだ」

　ガフは憮然《ぶぜん》とした顔でいる。

「あまり頼りたくなかったんだ、誰も」

　ベッドに腰掛けて、ガフを上目遣いに見やった。

「でも、まア、こうなったら、せいぜい頼らせて貰うからさ。後悔すんなよ」

　渋い微笑が、ガフのおもてに浮かんだ。

「のちほど、また来よう」

　そう告げて、立ち去った。

「こんな上等な風呂は久し振りだ」

長耳族の子供がさっそく家具をかじりはじめたところをひっつかまえて、湯場《バス》に入った。備え付けの水晶球も濁りがなく、熱も漏れない上等な品だ。大きな水晶球を砕くと、すぐさま盛大な湯気が立った。みるみるバスタブに湯がたまり、冷水を封じた小さな水晶球を幾つか入れ、温度を調節する。こりゃあ、いい。わくわくして衣服を脱ぎ捨てた。子供が逃げ出そうとするのをむんずと捕まえて引っ張り込むと、珍しく抵抗するような素振りをみせた。どうも風呂が嫌いらしい。でもそうはいかない。

「そんなうす汚い様じゃ、ガフがうるさいに決まってるだろう」

構わず服をひっぺがした。客人というよりも大きな子供を預かったようなものだ。

「何だお前、男か」

さして気にした風もなく、もがく子供を抱いて無理やり一緒に湯につかった。子供の目が丸く見開かれた。湯の熱さに驚いているらしい。ベルには心地好い加減だ。子供の赤い瞳《ひとみ》が潤んだ。よっぽど嫌なのかと手を放すと、ぼんやり湯船に座り込んだ。始終、表情らしきものを示さないでいるのが、ひょっとするとそれが悲しげに見えることがあった。

「お前、何処に行くつもりだったんだ？」

長い耳を垂れたまま、子供は何も答えない。

ベルは泡の実を割って中身を湯に入れた。ふわっと白い泡が立ち、淡いシトラスの香りが二人を包んだ。皮綿《スポンジ》で洗ってやると、子供の顔がますます悲しげに見えた。それは、ただ単にそう見えるだけだ。けれどもその端麗な人形じみた顔は、やはりこの上なく寂しそうだった。ベルは子供を抱きしめた。何だか本当に寂しいのは自分のような気がした。

「親切にされるのは、辛《つら》いな」

ぽつりと呟《つぶや》いた。淡い香りに包まれて、時計石《オクロック》は暗い赤を示している。まったく、そんな時間は早く過ぎ去ってしまえばいいのに。夕暮れがゆっくりとやって来ていた。


間もなくガフが再びやって来た。何処へ行っていたのか、緊張がそのおもてにあった。ベルがほとんど素っ裸で部屋に迎え入れると、途端に苦いものを噛《か》んだような顔になった。

「都市《パーク》での生活を身に着けねばならんな」

「野蛮《ビースティ》でけっこうだよ、私は」

思わず口走ってしまってから、うまくないなあ、と心の中でぼやいた。どうしてもっとうまくやれないのだろう。

「でも、ま、あんたに余計な迷惑はかけたくないな」

素直に服を取り出して身につけた。そのベルの顔を、子供がぼんやり眺めている。こちらは、それだけは自主的に、ちゃんと服を着込んでいる。

「ところで、何の用件だって？」

「謁見が、許可された」

ガフは何気ない風で、そう言い切った。

「明日の黄《マチネ》の刻にて」

とんでもないことを、しごくあっさりと言ってのけるさまを、ベルは他にも何処かで見たことがあるような気がした。真剣であればあるほど、むしろ飄々《ひょうひょう》と告げる誰かの姿を。

だが今はそれどころではなかった。

「もう？　たった今のすぐさっきで？」

「王には、あらかじめそれとなく話をしておいたからな」

ベルは絶句してしまった。

「あんたって……すごいんだ」

やっと、そう感嘆した。都市《パーク》では珍しいほど素直な賞賛である。ガフはますます仏頂面になって、照れを隠すように円卓《テーブル》の方を見やった。

「やはり、枯れていたか」

テーブルの上で、風媒花《とり》が一羽、水籠《みずかご》につかって芽を萌《ふ》き、新たな花を咲かせている。

「もう少し早ければ、まだ言の葉が咲《ひら》いていたのだが……」

「いいさ、別に。もともと、あんた宛ての風聞《ディール》だもの」

「師の最後の言葉だ。出来れば共に受け、分かち合いたかった」

ガフははっきりと、最後と言った。二人とも、黙った。

やがて、ベルの方から口を開いた。そのことを話すのに、そう大した決心があるのではなかった。話すことで心を和らげたかった。

「なあ、ガフ……師匠は、最後の試練について、何か言ってなかったかな」

「何か、とは？」

「さあね。……たとえば、不肖な弟子に斬られるとか」

言った後で、にわかに心臓が叫びを上げて脈打った。自然と目付きが鋭くなった。唇が震え、すがるようにガフを見上げた。ガフの表情は、微塵《みじん》も動揺していなかった。

「何も、言ってはいなかった。だが、たとえ何が起ころうとも、本望であったろうな。お前ほど、師に愛された者はいなかった」

断固とした口調が、やけに頼もしかった。

ベルは笑うように吐息した。

「ありがと」

ガフは静かに頷《うなず》いた。

遠くの方から、大地を演奏する者たちの、一日の終幕《フィナーレ》を告げる音色が届いてきていた。ベルが幼いときに、何度となく練習したメロディーが、本当に遠くから聞こえてくる。大地への呼び掛けは、常に大地から遊離し続けるベルにとっては虚《むな》しい行為でしかなかった。

「両親には、会いにゆかないのか」

唐突に、ガフが問うた。

「機会があったら、行くさ」

「もし会いにゆくのならば、紫の刻《ソワレ》がまだ始まったばかりの頃がよかろう。演奏者《シンフォニア》たちにとって、ちょうど客を迎える時分だ」

「別に……昔の親の客になりに行くつもりは、ないよ」

「そうか」

その風貌《ふうぼう》に似合わず、ガフは口ごもって言った。

「だが——顔だけでも見せておいた方がよかろう。何なら、それとなくお前が戻ったことを、伝えておいてもいい」

不自然でさえあった。まるで、今会っておかなければ、もう二度と会えないとでも言うようだ。その意図を、ベルはとうとう見抜けなかった。何よりも、正体のない抵抗感があった。養父母に会うことへの抵抗がいったい何であるか、あまり知りたくなかったし、また知るためには実際に会うしかないことが判っていた。それは、会いたくないということでは決してなかった。だからこそ……

「今はまだ、会えないな」

ベルはそう言ってガフから目をそらした。口調こそ穏やかだが、その話題をきっぱりと拒んでいた。

ガフは黙って頷いた。まだ何か言いたそうな顔でいたが、間もなく部屋を立ち去った。

多忙の身だろうに、とベルはガフの背に深く感謝した。手ずからベルの面倒をみてくれているのが、たとえその師の言葉に忠実に従っているにすぎないとしても、それは返す当てのない借りとなってベルをとらえていた。思わず逃げ出したくなるほど重かった。

（お前はただ、毅然《きぜん》としていればいい）

花が、テーブルの上でそう言っている気がした。だがそれはとても難しいことだ。

3

紫の刻《ソワレ》に移る少し前に、ベルは部屋を出た。剣を背に負い、途中、閉まりかけた店で服を買い替えた。下方東《アンダーイースト》の色である若草色《ジャスパーグリーン》に身を包み、かつての我が家へと向かった。

その間、子供は部屋に置かれた。といって、単についてくるような素振りを見せなかっただけのことだ。部屋を出るベルに、静かで無機的な横顔を見せたままであった。しばらくの間、ずっとそのまま座り込んでいた。

その手に、ベルから貰《もら》った椀《カップ》が握られている。中には、〈石の卵〉のかけらが一つ、ころんと転がっていた。長い間、子供はぼんやりと窓の外を見詰め続けた。陽が落ちていった。部屋が暗くかげった。夜が来た。闇の向こうから、巨大な青い星がしずしずと浮かび上がった。淡い藍《あい》色の光が、窓の向こうから子供の頭上に降り注がれた。

子供の手が、椀《カップ》の中のかけらをつまんだ。

鉄でもなく、陶器でもない。重いかと思えば軽く、軽いかと思えばやけに重い。不思議で奇妙な〈石の卵〉のかけらを、子供は何の脈絡もなく食べ始めた。

舐《な》め、嚙み砕き、すり潰《つぶ》し——聞けば口の中がやたらと苦くなるような音が響いた。

その音が、あるときふいにやんだ。そして変化があらわれた。

聖星《アースシャイン》の輝きに魅せられたかのように、子供の目が大きく見開かれた。

――おお……

呻《うめ》くような声が喉《のど》の奥から漏れた。その身が震え、次の瞬間、その目の奥に光が灯《とも》った。知性の明りを瞳《ひとみ》に帯びて、それは徐々に全身に行き渡ってゆく。

子供は震えながら立ち上がった。何者かがその身の奥に去り、別の何者かが入れ代わり現れる、そんな震えとともに、長い耳が反り返り、背がぴんと伸びた。腕を左右に大きく広げ、顎《あご》を引き、眉間《みけん》には気難しそうなしわが寄った。ふとその口をもごもごさせて考え込むような表情になった。かと思うと、にわかに顔を輝かせ、呟いた。

「ふふん。なるほど、これが、〈賢者の石《シュタイン・デル・ヴァイセン》〉か。なんとも奇妙な味わいよ、気色の悪い」

その風貌はもはや子供とは言い難いものになっている。油断なく世界を見据え、皮肉まじりに笑いながら常に思考を巡らせているような、奇妙に老成し、どこか溌剌《はつらつ》としていた。

ふとその顔が歪《ゆが》み、ぎくしゃくと体のあちこちをさすった。

「ち……攻撃誘発性《ヴァルネラビリティ》か。手酷《てひど》くやられておるわ。だが、世界を敵に回した甲斐《かい》はあった」

満足そうな笑みを浮かべ、遥《はる》かに聖星《アース》を見はるかす。その手が胸元を探り、チョッキのポケットをひっくり返すが、目的の物が無いことが判ると、憤慨したように窓を睨《にら》んだ。

「うつけめ。因果の糸ごとあれを手渡すやつがあるか」

心の底から馬鹿にしたように、窓ガラスに映る自分の姿をののしった。己自身の虚像を突き飛ばすようにして窓を開き、勢いよく手すりに跳び乗った。

「あらためて算出するまでもない！　我があまねき〈式〉どもよ、早々に風聞せよ！」

鋭い叱咤《しった》とともに、風が巻いた。あたかも王にひれ伏す従者のごとく、木々が騒ぎ、風切る音が飛び交った。

「そこか」

にやりと唇を吊《つ》り上げた。愛嬌《あいきょう》など毛ほどもない顔で街の向こうを見据え、

「案内せい！」

跳んだ。その身をいっそう強く風が巻き、刹那《せつな》、夢幻のごとくその姿が消えた。

聖星に照らされて、影のみがしばらくの間その場にとどまり、ゆっくりと消えていった。


〈アマレット亭〉では、傷ついた弓瞳族《シープアイズ》の青年たちが、酔いに任せて談義していた。

「本当に、あいつを信用出来ると思うか？」

「あいつも元は〈外〉の者だ。俺たちと同じだ」

「しかし今は、〈内〉だ。もう同じではないぞ」

「だが、こうして俺たちを見舞ってくれたぞ」

「だが、何のために」

「剣を復活させてくれるためだろう」

「だが、何のために」

そこで、皆が黙った。難しい顔をして、自分たちの砕かれた剣に手を触れている。中にはさっさと見切りをつけて剣を弔ってしまった者もいたが、事と次第によっては埋葬した剣を再び掘り起こす気でいた。

「聖灰か……」

一人が重々しく呟《つぶや》き、円卓《テーブル》の上に置かれた瓶を見詰めた。それこそ、〈内〉から来た赤い頭巾《バンダナ》の男が、彼らにもたらしたものだ。

〈内〉には、病気も怪我もない。何故なら、聖灰という不思議なものが、常にあらゆる者を癒《いや》し、加護するからだ。治癒者を一人呼ぶにも大金のかかる〈外〉の者にとっては、夢のような話であった。しかしむしろそうだからこそ、〈外〉では、聖灰は実は猛毒であると思われていた。〈内〉の者の間で子が生まれにくいのは、この聖灰のせいだと言う者さえいる。それで、ハギスにもこのことは告げなかったのだ。もし知れたら、有無をいわさずに捨てられてしまうに違いなかった。だが――

「この聖灰を使えば、俺たちの剣は復活すると、あいつは言っていた。それが嘘だとして、どうしてあいつが嘘をつく理由《ことわり》がある？」

「それが妙なのだ。あいつが言うには、俺たちの〈悪〉を試すためだとか……」

「なんだっていいんだよ。もう一度この剣を振るえるのなら――あの忌ま忌ましい長耳族《うさぎ》と、のっぺらぼうのガキに目にもの見せてやれるなら、たとえ毒だろうと……」

「だが待てよ。全体、話が尋常じゃないよ。うかうか危ない話に乗ることはないよ」

「お前は一人だけ剣が無事だからそんな風に言ってられるんだ」

「そうだ。なんならこいつの剣も砕いてしまおうか。そうすればこいつも俺たちと平等にものを考えられるじゃないか」

「待て待て、せっかく無事なものを、わざわざ仲間同士で傷つけ合うこともないだろうに」

一人が呆《あき》れたように止めた。まさかあの青年は、こうして争いごとを持ち込むために聖灰をもたらしたんじゃなかろうか、とさえ思った。

「アドニスめ……」

赤い頭巾が眼に浮かんだ。意図が全く読めない、端的にいって信用ならない男だった。

「ともかく、ここにあの長耳族《うさぎ》からぶんどった物がある」

その手に金の懐中時計を掲げ、全員を見渡した。

「やつらがこうした物をえらく大事にするのは有名な話だ。こいつを餌におびき出すのに、そう苦労は要らんだろう。問題は、そのとき、俺たちの使う剣が……」

言葉の途中で、顎がかくんと落ちた。

「どうした……？」

啞然《あぜん》として、部屋の隅を指差した。自然、皆の目がそちらに向けられた。そこに、彼らのいう長耳族《ラビッテイア》がいた。だがその風貌はまるっきり違う。虚《うつ》ろな視線は鋭い眼光に、何を考えているのかさっぱり判らない表情は、どんな恐ろしいことを考えているのか計り知れない緊張を帯びるものに、変貌していた。壁に背をもたれて、度肝を抜かれた青年たちの様子をにやにや笑って眺めている。

「学ばぬやつらよな。誰に目にもの見せてくれると？」

嘲《あざけ》りを隠そうともせず言い放つと、無造作に歩み寄った。

にわかに青年たちも色めきたった。注文したばかりの、調整もしていなければ印《スペル》も彫っていない幼剣を手に取った。何がどうしてこうなったのかさっぱり判らなかったが、ともかく、やらなければやられるといった、やけくそのていで、子供目掛けて殺到した。

刹那、炎上した。火の気などあるべくもない空間で、何人かが瞬時にして火だるまになり、床に転がってのたうった。ものすごい臭いが部屋に充満した。恐慌が訪れた。

「貴様らなど、暗算で十分よ」

からからと子供が笑った。

一人が、床に浮かび上がった〈式〉を見た。見事なまでに簡潔で無駄のない演算魔法《マスマティクス》——だがそれを仲間に伝えるすべもなく、全身を氷の刃で貫かれ飛沫《しぶ》いた血さえ凍りつかされた。怒号が乱れかい、絶叫がほとばしった。子供は涼しげな顔でひょいひょいと剣を逃れ、時計を取り戻すと、いかにも洒落《しゃれ》た動作で胸のポケットに鎖をつないだ。竜頭《リューズ》を巻き、繊細な歯車の動きとともに針が時を刻むのを嬉《うれ》しそうに見詰める。その間にも、次々と青年たちが切り裂かれ、吹き飛ばされ、骨まで凍りつき、燃え盛る松明《たいまつ》と化していった。

やがて、部屋中がうんうんとうなされる声で一杯になった。火も氷も、風の刃も吹き飛ばされた手足も何もない。青年たちは五体満足で互いに重なって床に倒れ、ぎゅっと目を閉じたままじたばたともがいている。

「良い悪夢を」

いたずらげに言って、どきりとするほど無邪気な笑みを見せた。ポケットに時計をしまい、テーブルの上の瓶に手を伸ばした。

「ふむ、〈剣の国〉の名物か」

ためつすがめつしてから、それを別のポケットにしまった。

「ろくでもないな」

そのろくでもない物が好きでたまらないといった調子で、ポケットの上から叩《たた》いた。

そのとき、階下から青年たちを呼ぶ声がした。宿屋の亭主であろう。子供はやってきた窓に臨んだ。闇の向こうから、妖《あや》しい嘆きの声が聞こえてくる。この世の何処にも身の置き場を失い、さまよい続ける者たちの合唱であった。

「ふふん。ずいぶんとまた楽しそうな歌声ではないか」

窓から身を乗り出し、窓ガラスに映った自分の顔に、ふと笑みを消した。

「放っておくさ。我が愛《な》し娘《こ》が、そう簡単に煉獄《れんごく》の夢に飲み込まれたりはすまいよ」

聖星《アース》の照らす闇の向こうに、子供の姿が消えた。微《かす》かな声が響き、

「理由《ことわり》の少女よ……」

影のように消えていった。部屋のドアが開いた。やってきたハギスは、雑魚寝《ざこね》しながらうなされる青年たちを見渡し、やれやれと呟いて一人一人に毛布をかけて回った。

「自棄《やけ》になりやがって……俺も、初めて剣を折られたときゃあ、そうだったっけか」

一人ごちながら、そこだけ一つ開いていた窓を閉めた。

「剣を折られることで、強くなるんだよ、剣士《ソリスト》ってやつぁ」

下方東《アンダーイースト》の街に、ベルはいた。懐かしい風景が心に迫ってくるのに、激しく戸惑っていた。

ミモザ夫妻の家はすぐそこだった。目と鼻の先に。窓の明りが見える。養母は農場で使う楽器をひとまず置き、とっくに夕食の支度を終えたところだろう。二度三度とせかされて、ようやく養父の石切る手が止まるのだ。意外に空腹なことに気づく養父は照れたように笑って、かたわらの幼いベルを連れ、食卓につき養母を手伝うベルを見守り、養母はいまだに手慣れないベルを叱り、いつでも一番上等なものを真っ先に食べさせてくれて……

ベルの足は動かない。剣がやけに重い。地面がこんな時に限って足をつかまえて放そうとしない。進めない。

今日は、一人じゃなかったよ。心の中で呟く。ずっと一人じゃなかったよ。この剣を手にしたときから。ミモザ夫妻は、そのことを不安がるだろうか。それとももう何も感じたりはしないのだろうか。彼らが自分を迎え入れてくれることは判っている。来訪を喜んでくれるに違いなかった。ただ、何もかもが重くて、そこまで進めない。

遠くの方から、嘆きの声が聞こえていた。人々の糧となる様々な音色を貪《むさぼ》り食らい、阻害する声が。あれをやられると、作物の実りが極端に悪くなるのだ。

――NNOOWWHHEERREE……！

旧《ふる》い、神代の言葉を、飢餓同盟《タルトタタン》は唱える。

どこにもない。どこにもいない。

どこにもゆけない。どこにもいられない。

無何無郷《NOWHERE》。

それは、この世の最高最大の法《テーマ》である「楽しむこと」に、真っ向から背く言葉であった。その響きには、どことなく惹《ひ》かれるものがある。剣の唸《うな》りとは、別の惹かれ方をする。そう、ちょうど正反対の方向に引き寄せられるように。

背で、剣が微かな唸りを帯びた。

「大丈夫」

ベルは剣の柄《つか》にそっと触れた。

(大丈夫だ)

そして、もと来た道を、戻り始めた。心なし、歩調が早くなっていた。

部屋に戻ると、子供の姿がなかった。だがさして気にせず、ベッドに腰かけると、決闘許可証《ドッグタッグ》を前にしばし思案した。王に会うまでに、何らかの刻印《スペル》を入れておく必要があった。

すぐに決まった。〈ラブラック〉と刻み込まれた許可証《タッグ》が、間もなく剣の鍔元《つばもと》に鎖でとめられた。その印《スペル》こそ、やはり、この国での自分を、一番うまく表していると思った。

4

「珍《ラブラック》しい者が来たと伝えてくれ」

蠢《うごめ》く影法師たちの群に、そう告げる者がいた。

じめじめとした陽の当たらない陰湿な地面が広がり、所狭しと天幕《テント》が張られている。どれも、みるからにボロだ。だが、ただのボロではないことを、男は察しているようだった。どの天幕《テント》の入り口にも、近づこうとしない。ひょいと連れ込まれてしまえば、その中は無限の迷宮であった。天幕《テント》のそこら中に施された奇怪な印《スペル》と演算とが、それを示している。

群の〈目〉役が、男を連れて歩いた。顔中に包帯を巻き、その上に目を表す印《スペル》が大きく書き込まれている。〈耳〉役がその周囲をそれとなく取り囲んだ。いざとなれば〈牙《きば》〉役が、文字通り男に対して牙を剝《む》く。

やがて男はひときわ豪勢な天幕《テント》の前に案内された。豪勢といっても豪華であるのではない。豪勢にボロであった。入り口から手らしきものが伸びて男を招いた。男は終始無言を通した。影法師たちはここぞとばかりに妖しい嘆き声を上げている。

——NOWHERE……!

男は天幕《テント》の中に入った。

しんしんと、底冷えするような、青い電気石《トルマリン》の床が果てしなく広がった。天幕《テント》をくぐったはずなのに、背後で扉の閉まる音が重々しく響いた。そのくせ扉など何処にもなかった。

「ふん。見事に食われたな」

ぼそりと呟《つぶや》いた。生ける天幕《テント》に食われたのだ。飲食魔法《レスト・ラント》であった。通常の空間とはかけはなれたその腹から逃れる術は、見付かりそうもない。男は何の気もなさそうに、ぶらぶらと歩いた。電気石《トルマリン》の床に、冷ややかな足音が長く尾を引いた。

「ようこそ、我が城へ。ラブラック」

声がした。艶《あで》やかな女の声だ。男が振り向いた。いつの間にかそこに、一組の円卓《テーブル》と椅子があった。円卓《テーブル》の上に男をもてなす用意があるのを見て、男は不敵な笑みを浮かべると、女と対《さし》向《むか》って座った。

「久しいな、ドランブイ」

女が頷《うなず》いた。見目麗しい水憂《オンデユーン》い者であった。豊かな藍《あい》色の髪をかきあげ、男の杯に氷酒を注いだ。紅い唇と艶《つや》めく声に、めまいがするほどの魔的な魅惑をたたえて言った。

「あなたがここを訪れるなんて……、とうとう、雛《ひな》に巣立たれたのね」

「まあな」

「でもそれだけのことで、私を訪れたりはしないでしょうに」

男はひとふりの剣を円卓《テーブル》に置いた。鞘《さや》を払うと、見事な一品が鋭い光をたたえて現れた。だが今やそれは、刃の腹に刻まれたＥＮＯＬＡの刻印《スペル》ごと、真っ二つに砕かれている。

「腕ごと吹き飛ばされた。さすがに死にかけた。体の方は、まあなんとかなったが、剣の方がどうにも具合が悪い」

「相変わらず、無茶をするのね……」

女が言った。淡々としているようで、声音の奥底にひどく悩ましい響きがあった。

「これを、私が癒《つな》ぐ理由《ことわり》が、欲しいわ」

「お前が、こいつを鍛《つく》った剣作家だからさ、値する者《ドランブイ》よ。お前にしかこいつは癒《つな》げない」

「なるほど……」

女は不思議な微笑を浮かべながら、剣を鞘に収めると、大事そうに受け取った。

「まだ、幻を吸っているの？」

男がパイプをくわえるのを見て、静かに笑った。態度がずいぶんとくだけたものに変わっていた。男は幻の紫煙を吐き出し、頷いた。

「私たちが、ちょうど反対の方向へゆくのを決めたときからずっと？」

「ああ……」

「シャンディ坊やは元気？」

「もう坊やって齢《とし》でもないさ、ガフのやつは。次代の兄王《フォルチュネ》を担うだろう」

「そう」と女は憂えるように吐息した。「可哀相に」

「そうとは限らんさ。あいつは、国に残ることを自ら決めたんだ。俺たち三人とも、それぞれ別の価値を求めたに過ぎん」

「聖灰が、どのようにして作られるのか、シャンディは……？」

「知らんだろう。だが、それを暴く者が、これから城に向かう」

「理由《ことわり》の少女……」

　男が頷いた。まるで己の罪を告白するかのように、厳粛に、重々しく。

「それが、〈硬貨の国《デナーリラント》〉で俺が与えられた、謎々《エニグマ》だった。俺はそれを解き、育てた。ある程度に育つまでは、城にゆかりのある、都市《パーク》の者に、任せたが、な」

「その子にも、呪いを受承させたの」

「無論な。だが……やはり効いてはいないだろう。なんぴとたりとも、あいつに呪いをかけることは叶《かな》わんさ。あいつが、自分で自分に、呪いをかける以外には、な」

「相変わらず、心の底ではいつも誰かを裏切り続けているのね」

　男が口を閉ざした。沈黙が流れた。女が目を細めて微笑し、つと口をきった。

「理由《ことわり》に対して、懐疑する者が要るわ」

「当てはあるのか」

「飢餓同盟《タルトタタン》の〈鼻〉は、鋭い……」

「ふん。それが、お前らの目的か」

　女は答えない。静かなまなざしが交わされた。遠い所に立つ二人が、互いに向けて届かぬ手を差し伸べ合うように。

「申し子だよ、あいつは」

　女は黙って聞いている。

「お前の鍛《つく》った剣を振るい、俺の教えの全てを受け継いでいる。俺の残したあいつの中の導き手《ガイダンス》が、やがてあいつを、俺たちでさえ届かなかった場所へと導くだろう」

何気なく。さり気なく。そしてそれだけ真剣に、男が言った。

「俺たちの、申し子だ」

「判っているわ。本当は、それを私に告げに来たということも」

女は目を逸《そ》らし、遠くを見はるかすように、無限に続く電気石《トルマリン》の空間を見詰めた。

「とうとうこの国にも、理由《ことわり》が問われることになるのね。機械仕掛けの神《デウス・エキス・マキナ》も……。でももう、これ以上、私と由縁を持たない方がいいわ」

「ふん。何ならお前の本当の名をここで呼ぼうか、ドランブイ？　剣作家として以外のお前の名を？」

「そのとき、あなたも私と同じように、飢餓同盟《タルトタタン》の一部と化すでしょうね」

男が不敵な笑みを浮かべた。二人の間で空気が凍るように緊張した。女のまなざしが何処か切なさを帯びたようであった。それともそれさえ男の気のせいだったろうか。

「時が過ぎたわ」

ふいに女が言った。その顔が、急速に惚《ほう》けたようになってゆく。

「剣は仕上がり次第、届けさせるわ。また……会えるといいわね……」

それを最後に、女の心がより大きな何かに飲み込まれた。男は、今や女が飢餓同盟《タルトタタン》という一つの群体と化したことを知った。風景が揺らぎ、電気石《トルマリン》の床が妖《あや》しい影を帯び始めた。

男が席を立った。振り返るとそこに扉があった。男はなおもしばらくその場に佇《たたず》み続けた。幻の煙がその口から輪になって吐き出された。足元を、染みるように影が這《は》い登ってくる。男は動かない。まるでこのまま影に身を委《ゆだ》ねてしまおうかと思案するように。

だが、間もなく男は、来たときと同じように、ふらりと天幕《テント》を立ち去った。

5

「珍《ラブラック》しい者か」

ガフがベルの決闘許可証《ドッグタッグ》を見てしきりに頷いた。

「判りやすくて、いいでしょ」

城にいた。王との謁見を果たすためである。子供はいなかった。昨夜から見掛けないのである。ベルも、もはやいちいち気にしてはいなかった。

「その名を刻んだのは、お前が二人目だ」

ガフは注意深く言葉を選ぶように、ぼそっと呟いた。

「二人目？　私以外にも？　へえ、それこそラブラックだな」

「お前の師だ」

また、ぼそっと言った。なにやら感慨深げな様子である。師はやはりいまだお前とともにある、などとぬかした。

ベルは内心の気持ち悪さを素直に顔に出した。

「嫌なんだよ、そーいうの。押し付けがましい」

「すまん」

こちらも素直に謝った。

しれっとした顔をしているようで、二人とも、実は密《ひそ》かに緊張していた。王との謁見こそ、旅に出るための都市《パーク》における最初の試練といってよかったからだ。

といって、ベルは謁見が具体的にどういうものになるか、全く知らなかった。ガフもまた、かなりのことは知っているだろうに、何も言わない。公正さがこの男の金科玉条だった。王よりもなによりもまず己の公正さにこそ仕えているとさえいえた。同じ師を持つ者同士とはいえ、手助けすべき所とそうでない所とを、明確に区別しているのだ。

堅物、とベルは内心でそれを罵《ののし》った。柄にもなく緊張していることで、いたずらに不安をかきたてられた。何せ、うまくやれないことにかけては天才だと自分で思っている。むかっ腹が立つと、何をしでかすか自分でも判らない。だがせめて今日だけは、念を入れて自分を抑えなければならなかった。うまくやるのだ。

そのくせ、内心では、まだ見ぬ王に対してさっそく暴言を吐きまくっている。何だ偉そうに、あんたの国を誰が出ていこうがそいつの勝手じゃないか。余計な邪魔しゃァがって、みてろよ、どんな手を使ってでもこのけったくそ悪い都市《パーク》とおさらばしてやるぞ。そのためにあんたを叩《たた》っ斬ることになったって、こっちゃァちっとも構わないんだからな——なんとも危険な言葉が頭の中を飛び交っていた。

城の内部を進むにつれ、ふいにそれが勢いを失っていった。といって冷静になったのでもない。またぞろ、自分の中の別の自分が、心の中で口を開き始めたのだった。

（契約の儀とは、一個の楽者として、神を愉《たの》しますことをいうのだ）

およそベル自身とはかけはなれた思考であった。それが城の中心部へと向かうにつれ、強烈にベルの意識を占めてゆく。

（王の面前にて己が楽器を告げ、それを執るのだ）

――ちくしょう、お前が出てくると余計に不安になるんだよ。

（王は神成す者だ。そして旅の扉は、その王の面前においてしか開くことが敵わない）

――黙れ！

長い長い廊下を抜け、所々に時計石《オクロック》を嵌《は》め込んだ豪華な扉を幾つもくぐり、数え切れぬ数の階段を上って、城の中心部へとやってきた。実際はそう大した距離ではないだろうに、ベルにとってはやたらと長い道のりに感ぜられるのだった。

「この先が、〈剣と天秤の間《パブリックオブジャスティス》〉だ」

やがて、ガフが厳しい顔で告げた。左右にゆるく弧を描いて廊下が続き、その真ん中に大きな扉がそびえ立っている。ベルが頷《うなず》くとともに、扉は開かれた。

巨大な広間だった。広々とした舞台を、無数の座席が、扇形に囲んでいる。神とともに王の在《いま》す、この国の中心地だった。と同時に、この国最大の劇場の一郭だった。座席には既に多くの者が座っており、真っ直《す》ぐ舞台へと降りてゆくベルとガフに、おびただしい数の視線が集まった。

〈剣と天秤の間《パブリックオブジャスティス》〉とは、〈剣の国〉の紋章を象《かたど》った三つの広間の総称だ――）

舞台への道を進みながら、もう一人のベルが心の中で囁《ささや》いた。

（紋章は、中心に立つ神を、三つの舞台が、三方から囲んでいる。〈剣と天秤の間《パブリックオブジャスティス》〉は、それを象ることによって、空間そのものを神像とし、神そのもの、国の聖所たらんとするのだ。今いる〈玉座の間〉は、そのうちの一つ、お前が旅に――）

余計な導き手《ガイダンス》。その声なき声は、自分の足で歩いているという実感を確実に奪ってゆく。

ふと気がつくとガフと並んで舞台の前に立っていた。舞台へと続く階段のてっぺんで、玉座がぽつんと冷ややかに鎮座している。まるで墓標だとベルは思った。

（そうだ。それはまさしく墓なのだ。神にその身を捧《ささ》げた王の――）

舞台の上に幾つもの人影が現れた。東方と朝を象徴する青の衣に身を包んだ、神官団であった。青い靴に青い手袋、みなそれぞれに異なった形の仮面をかぶり、その仮面の色さえ青だった。誰一人としてものも言わず、奇妙に人形めいたその動きは、

（神にその心を捧げた王族たちだ――）

魂の在り処《あか》を失った者たち――あの飢餓同盟《タルトタタン》の影法師たちに通ずるものがあった。

舞台を彩る時計石《オクロック》に対し、あまりにもその色を固定された神官たちは、玉座の背後を覆う巨大な緞帳《どんちょう》をゆるゆると引き上げていった。次第に立ち上がってゆく幕の向こうから、なんとも

不思議な輝きが零《こぼ》れ、

（この国に住まう、神の御座だ——）

ベルは、内心の声に語るにまかせた。正直なところ、眼前に現れたものに対して、呆気《あっけ》に取られていた。

それは一本の巨大な樹であった。ベルはこの舞台が実は円形をしており、この樹を植える鉢のようなものであることを知った。舞台は三つの広間に対してそれぞれ開かれており、三つの広間とは、この巨大な樹を囲む、三種三様の観覧劇場であるのだ。三つの広間と、六芒星《ヘキサゴン》を描く都市《パーク》。それらの中心に生えるこの樹こそ、〈剣の国〉の法《テーマ》を司る神の現身《うつしみ》であり、そしてそれはなんと、たったひとふりの剣の樹であったのである。

（剣樹神《ユグドラシル》だ。国の有史以来、生長を続ける癌種《がんしゅ》の剣——）

それはこの国の永遠を象徴し、決して枯れることなく神の在り処であり続ける剣の樹であった。かつてはEMOCLEW《エモクルウー》という、王国を意味する神代の刻印《スペル》が刻まれていたが、もはや無限に近い増殖を繰り返す刻印《スペル》からは何も読み取ることは出来なかった。無数ともいえる刻印《スペル》の乱数表は、それぞれに霊妙な輝きを明滅させ、さながら鼓動のようだ。

（神は病んだ剣種にこそ住まう。その病は死に至る病であり、自己のうちなるこの病は、永遠に死ぬことであり、死ぬべくして死ねないことだ。それは死を死ぬということであり、この剣種は、その病ゆえに不死である御座——）

心を占めようとする声に抗《あらが》って、ふとベルは奇妙な想念が湧き起こるのを覚えた。もしこの樹が神そのものであるとしたら、果たしてこの剣樹神《ユグドラシル》は自分をみとめているのだろうか。樹に目などあるはずはないのだが、それでもこの樹はなんらかの方法で思考し、ここにいる全ての者たちを認識しているに違いなかった。それなのに、

「この樹は、私を見てない」

ベルは、すぐ隣にいるガフにも聞こえないような声で、小さく呟《つぶや》いた。ぞくりとした。その想念がいったい何処から来たにせよ、それは今自分がここにいることの意味を、根底からくつがえすものであった。王との謁見もなにも、自分はそもそもこの樹から、あるいはこの国から、無視された存在なのではないのか。だとしたら――

そのとき、樹の全身に生える刻印《スペル》の一つ一つが、急速に明滅を速めていった。光が樹全体に満ち、輝かしく包み込んだ。まるで光の膜が樹を覆うようだった。その膜の向こうに、今までに見たこともないような姿が影を現し、それはゆっくりと舞台の上に登場した。

（巫者《みこ》たる王は神とともに住まい、樹のうちにあってその身を失い――）

巨大な、手だか足だか判らぬものが、樹の中から新たな枝が生え出るように出現した。ついで全身が出てきたのだが、いったいどの部分をどうとらえ、解釈していいものか、ベルにはおよそ判りかねた。それほどの異形であった。ベルはまたしても呆気にとられ、そこに坐《いま》す者の姿をただただ見詰めた。

「我が面前にて、神坐《かみいま》すもとにそなたらを歓迎しよう」

王が低く轟《とどろ》くような声で言った。上の口だった。双つの顔が、上下に重なっているのだ。上

の顔はその異形にしては場違いなくらいに整っていた。それに対して、下の顔は常に変化し、歪《ゆが》み、生え、枯れたかと思うと別の相貌《そうぼう》を表す、まさしく混沌《こんとん》の顔であった。

（〈正義《トップドッグ》〉と〈悪《アンダードッグ》〉の双つの顔だ。世界は王の身に依《よ》りその双貌をさらけ出す——）

　その王の身は、実にあらゆる種族的特徴を持ち、またそれだけ巨大であった。翼も鱗《うろこ》も水かきも長い爪も、ありとあらゆる体毛も、あらゆる手足、あらゆる骨格、あらゆる臓腑《ぞうふ》さえもが、もとは月瞳族《キャッツアイズ》であったろう身にそなわっているのだ。

　ベルはあまりのことに、不安も緊張も全く消し飛んでしまった。代わりに、木偶《でく》の棒のように呆然《ぼうぜん》とつっ立っている。

「我が身を厭《いと》うのであれば、神の内にて立ち戻るが？」

　王の上の顔が言った。低く重い、誠実な声音だった。その厳しくもどこか優しげな口調は、いたずらっぽくさえあった。そこへ、

「なるほど、無形の姿よの。いかなる種族《もの》にもあてはまらぬわ。それゆえか、礼儀のかけらも見えぬな」

　下の顔が、毒をこめて皮肉った。

「ベル」

　小声でガフが呼んだ。跪《ひざまず》けというのだ。ガフはとっくに片膝《ひざ》ついて頭《こうべ》を垂れている。

　そのためには、剣を下ろす必要があった。ベルは剣皮を解《ほど》いた。剣袋から解放されるや否や、もの凄《すご》い質量が広間の床目掛けて落下した。剣先《きっさき》が床を穿つ寸前で、ベルの手がしっかりと柄《つか》

を握った。そのまま剣を横たえればいいところを、ふと試してみたくなった。

（この王は私を見ている。じゃあ、神は――）

そのまま片手で剣を掲げ、真っ直ぐ振り下ろした。剣は最大の弧を描いて、王とベルの間を流れるように振るわれた。瞬間、広間中の時間がひどくゆっくりと流れた。剣の剣尖が王に向けられたほんの刹那《せつな》の間、時が静止した。王とその背後にある何者かに向けて、ベルのまなざしが鋭く己自身の存在を問うていた。

そうして、剣は何ごともなかったかのように、脆《もろ》くベルの前に横たえられた。

しん、と広間が静まりかえっていた。

無論のこと、この無礼極まりない振舞いに、ガフも含め誰もがただただ絶句した。

だがベルは膝をついた姿勢で真っ直ぐ王の双貌を見詰め、目をそらすことがない。ただ、

（やっぱり、この樹は私を見てない……）

不思議とそう確信し、それゆえの挑むようなまなざしで、王にのぞんでいた。

王の上の顔は、一貫してベルを穏やかに見詰めている。その視線は、ベルが王の背後にあるものを見極めようとするのと同じく、ベルの背後に負わされたものを静かに見据えるようであった。そのすぐ下で、もう一つの顔が盛大にしかめっつらして上の顔に抗議した。

だが王の中でどのような葛藤《かっとう》があったものやら、結局、下の顔も諦《あきら》めたように鼻息を鳴らしてベルに皮肉っぽい笑みを見せた。

「ローハイド王よ」

強引に場を取り繕うようにガフが顔を上げた。広間中に響き渡るような大声だった。

「旅の扉を打たんとする者を〈剣と天秤の間〉《パブリックオブジャスティス》に招じたるは我が名においてのこと。どうか我が名シャンディ＝ガフのもと、この者に契約の儀を！」

言外に、ベルの振舞いに対する責任の一切は自分《ガフ》が負うことを告げていた。

これにはベルも内心で仰天した。こんな形で、これが自分一人の問題ではないことを知らされるとは思ってもみなかった。たまらない罪悪感を覚えた。たとえベルが、これは自分だけの問題だと言ったところで通用するはずもない。それが、痛いくらいによく判った。

「よかろう。これより契約の儀を執り行おうぞ」

だがローハイド王は、ガフの言をそのまま額面通り受け取った。つまりはベルの行為を不問にするということである。ガフもまた、それを当然のことのように静かに頭を下げた。

そのガフにも、また王にも、ベルは、ようやく負い目を感じていた。

(かなわないなァ……)

そう思うと、気分がすっきりするのと、王に対してムッとするのとが同時に起こった。

自分などよりもよっぽど化け物じみた姿でいて、自分などとは比較にならないほど寛大で、また信頼され称《たた》えられている。その嫉妬《しっと》にも似た気持ちをどうにか受け入れ、ベルは改めて王を見上げた。

「契約の儀にのぞむは何者か。答えよ、ガフ」

王の双貌が、口を揃えて言った。

「かの高名なる教示者《エノーラ》ラブラック＝シアンに師事せし者、その最後の試練を見事果たし、都市《パーク》に参った者、名をラブラック＝ベル、我が姉妹弟子にてあり申す」

観衆がざわめいた。ラブラック＝シアンの名は、それほど高くうたわれていたのだ。また、別の意味では、それが最後に育てた、のっぺらぼうの娘のことも。

「お前が契約の儀にのぞむは、いかに？」

今度はベルに対し、問うた。

「旅の者《ノマド》になること！」

反射的に立ち上がらんばかりにして、勢い良くベルが返す。

「何故、それを望む？」

「私自身の由縁を知るために」

自分が広間中の者に注目されているのが判った。まさしくここは一個の劇場であった。

ベルはたたみかけるようにして続けた。

「私が何者で、何処から来て、何処へ行けばいいのか、知りたいんだ。私と同じ種族を探して。そうしなければ、私……私は……ずっと一人だから」

またもや広間は静まり返っていた。ベルの言葉の意味を誰もが受け取り損ねていたからだ。その単純さゆえに、またその平然たる理屈ゆえに。それでいいとベルは思う。誰一人として、ベルの本当の気持ちなど知らないのだから。同じ姿形をした者は周囲に一人としておらず、大地から遊離し続け、触れるもの全てをその身の軽さに取り込んでしまう者にとって、しがみつくということのなんと難しいことか。判れという方が無理だった。

だが、この王ならば。ガフならば、あるいはベルが本当にそれを望んでいる、ということだけでも理解してくれるかもしれない。強烈な望みをベルは持った。途端に、たまらなく不安になった。どうか判って欲しい。判って貰《もら》えなければ自分は――

「よかろう。契約を交わすべく試練を与える」

王の双貌が言った。その言葉を聞くまでにはほんの僅《わず》かな間もなかったはずだ。だが、ベルにとっては実に長く緊迫した瞬間であった。またそれだけ嬉《うれ》しさも一層倍だった。

「お前の執る楽器の名を唱えるがいい、小さき者よ」

ベルはたまらず立ち上がった。剣をふりかざし、ガフの口調を精一杯真似て叫んだ。

「かの高名なる剣作家、値する者《ドランブイ》が作、〈唸る剣《ルンディング》〉！」

そのとき、自分がようやく一つになってその場に立つことが出来たような気がした。導き手《ガイダンス》も声をひそめ、意識の在《あ》り処《か》を全面的にベル自身に譲った。

「全く、冷や冷やさせる……」

ガフが珍しくぼやいた。無論、王に剣を向けたことを言っているのだ。

「ごめん。うっかりしてた。今度から気をつける」

ベルは本当の理由を告げず、飄々《ひょうひょう》としてただそれだけを言った。

二人、特別な通路を青い衣の神官たちに連れられて移動した。広間を移るのだ。〈剣と天秤《パブリックオブジ》の間《ヤスティス》〉の一つ、〈玉座の間〉から〈剣闘の間〉へ。下方西《アンダーウエスト》にあって黄の刻《マチネ》を司る広間だ。観衆も、別の通路を通って、続々と移っているはずであった。

途中、神官が増えた。今度は黄牙《アイボリー》の衣である。同じように仮面をしてはいるが、青い神官たちと違って、その動作は滑らかだ。ただ、無言であることは変わらなかった。

「これからお前は、剣楽者としての力を試される」

ガフが言った。契約の儀について何かものを言うのは、これが初めてだった。つまりは、何の手助けにもならないということだ。

「一人の剣士が選ばれ、お前と闘うのだ。場合によっては、命のやり取りになる」

「馴《な》れてるよ」

平然としてベルは言った。

「相手は？」

「最高階級《トップヒエラルキア》にある、四大剣士の一人……名をキールという。お前とは因縁浅からぬ者だ」

「因縁？」

「かつてお前に剣を砕かれている」

「私に⁉　いつ？」

「お前が、その剣欲しさに城で暴れたときだ」

ベルは眉間《みけん》に指を当てて考え込んだ。思い出せなかった。代わりに他のことを訊《き》いた。

「四大剣士ってことは、四人いるうちの一人ってことだろ。あんたはそのうちの一人に入ってるのかい、ガフ？」

「ああ」

短く答えた。

「あんたと同じくらい強いのかな」

「手練《てだ》れだ」

具体的なことは何も言わない。相手の種族も、剣の質のことも知りようがなかった。

「ま、いいさ」

ベルはにっこり笑って、威勢よく肩をそびやかした。

「相手がどんなやつだろうと、負ける気はしない」

ふいに目の前が明るくなった。広間に出たのだ。

〈玉座の間〉と同じような構造で、違う点は舞台が二つあるということだった。細い通路でつながった二つの舞台は、一方に神の樹を奉じ、もう片方は剣闘場としてだ。その周囲を、黄《アイ》牙《ボリー》の壁と観覧席が取り囲んでいる。

「まるっきり見世物だな」

呟《つぶや》くベルの肩を、ガフが叩《たた》いた。

「武運を祈る」

それだけ言い残し、神官たちに連れられて行ってしまった。

ベルもまた、神官たちの手引きで、剣闘場に上がった。

剣を手にとり、軽く構えつつ、刃の腹に頬寄せた。微《かす》かな唸《うな》りが伝わり、ベルはそっと剣に唇《くち》づけた。どんな苦難も、この〈唸る剣《ルンディング》〉とならば乗り越えられる。そう思った。

そのとき、ふと、不安が襲った。他でもない、自身に課せられた呪いのことだ。果たして自分は相手に斬りつけることが出来るだろうか。もし出来なければ、たとえ負けなくとも、勝つことは不可能ではないのか。

ふいに、声がした。

(なんぴとたりとも、お前に呪いをかけることはかなわない——)

導き手《ガイダンス》の声と似ているようで何処か非なるものだった。ベルは振り向いて声の主を探した。だが身近には、もの言わぬ黄の神官たちと、何人かの青の神官たちがいるばかりだ。それとも、その神官たちの間から、声は聞こえたのだろうか。

そうこうするうちに、観覧席が人で埋まっていった。神の樹より王が姿を現し、舞台上のベルを見詰めた。

それとともに、一人の男が、ベルが来た道とは対向《さしむか》った通路から、現れた。四蹄族《ケンタウロス》であった。かっかっと四本の馬蹄《ばてい》を鳴らし、舞台に上がった。髪も馬体も、燃えるように真っ赤だった。

「契約の儀を仕《つかまつ》る。四剣士が一人、キール＝ロワール！」

男が、腹の底に響くような声で、そう名乗った。

「まさか、お主とこんな形で再び相見《あいまみ》えようとはな、思ってもいなかったぞ」

真実、幸運であるかのような口調に、ベルは首を傾げた。本当に、誰だか思い出せない。けれどもそれを言っては男が憤激するだろうと思って、一応、短い時間の中で思い出す努力をしてみた。

キールと名乗った男が、すらりと剣を抜いた。猩々緋《オックスブラッド》に輝く、見事な一品である。長さだけでいえば、ベルの剣に劣らぬ長大な代物であった。よほど丹念に、また苛烈《かれつ》に育てた剣であろう。その刃の腹に、LIVED《リヴド》の刻印《スペル》があるのを殊更にベルに示してみせた。

――かつて生き、いままた生きる者、

そういう意味の刻印《スペル》だ。

「お主の剣によって砕かれたかつての剣を苗に、ここまで新たに育て上げた剣だ。剣を砕かれたことで、俺は強くなれた。その点において、感謝するぞ」

そしてその礼として、ベルを真っ二つにしてやると言わんばかりの気魄《きはく》であった。その灰色の瞳《ひとみ》を見て、ようやくベルは相手を思い出していた。

いつか、〈唸る剣《ルンディング》〉と出会ったとき――

自分は最後にこの男の剣を砕いて、城を逃げだそうとしたのじゃなかったか。

（いやあ、思い出せてよかった。気になってしようがない）

今のキールに、かつての青年の面影はほとんど残っていない。己の甘さを全て殺《そ》ぎ落としたような、精悍《せいかん》の一語に尽きる面構えである。

（剣士は剣を折られて、強くなる、か……）

よく言われることだが、敢えて実践する者などいるべくもない。むしろ敗者を慰めるだけの言葉と思われがちである。ベル自身、自分の剣が折られるなど毛ほども思っていない。それほどに、剣は剣士にとって自分の手足同然に育て、鍛え上げるべきものだった。

（〈唸る剣《ルンディング》〉を失ったら——多分、絶望して死ぬな）

そんなことを心の隅で思っていると、

「これは居合いだ。判っているな」

キールが、凄《すご》い目をして言った。

居合いとは、どちらがそこに居続けられるか、互いに試みることをいった。存在の奪い合いともいえる。どちらがより剣振るう者として相応《ふさわ》しいか、剣士としての全霊を懸ける行為だった。精神的に負うものは、ただ技量を比べ合う試合に対し、格段に重い。

（よっぽど真剣なんだなあ……）

ふと、その赤い体から、いつかの〈八つ手《ネグローニ》〉のことを思い出していた。思えば〈八つ手《ネグローニ》〉を斬ったのも、村人に頼まれたからというよりも、居合いゆえだ。そればかりではない。これまでベルが剣を振るい続けてきたのも、居合うためでこそあれ、決していたずらに技量をひけらかすためではなかった。

ベルが、にっこりと笑った。見事に花の咲いたような、鮮やかな笑顔だった。キールの顔が、一瞬、その笑顔に呆気《あっけ》にとられたようになった。

「判ってるさ」

自分が一匹の花であり、それに対向《さしむか》うのもまた一匹の花であるような錯覚を覚えていた。

——世界を穿孔せよ《デュルヒ・ブレッヒエン》、
それこそ、〈唸る剣《ルンデイング》〉がベルとともに望むことであり、それは正しく、花が咲く《デュルヒ・ブレッヒエン》ことを意味した。花が一つそこに咲くとき、それは、そこに咲くかもしれなかった他の、無数の花の亡骸《なきがら》の上に咲いているのだ。

ベルは呪いのことを思った。それを自ら理解するために受け取った決闘許可証《ドッグタッグ》のことを。

(これなら、斬れそうだ……)

キールの表情が変わった。睨《にら》み殺すような目はそのまま、怨念《おんねん》積み重なる憑《つ》き物が、すとんと落ちたような、晴れやかな顔になった。

互いに、越えるべき壁として、相手に感謝し、剣を向けた。

剣楽の宴《うたげ》が、そうして今まさに始まろうとしていた。


「えらい騒ぎだな」

観覧の側に回ったガフに、声をかける者がいた。白く冴々《さえざえ》としたおもてに、赤い頭巾《バンダナ》のひときわ映える、ガフと同じ、月瞳族《キャッツアイズ》の青年であった。

「アドニス……」意外そうに、ガフが呼んだ。「剣楽嫌いのお主がいるとは、珍しいな」

青年は微かに笑って、二人の剣士の立つ舞台へ顎《あご》をしゃくってみせた。

「興味があるんだ」

その立ち居振舞いは、ガフを前にして何ら遠慮するところがない。

「あれだろう、あんたの噂の妹弟子は」

ガフが頷《うなず》いた。

「本当に凄い剣だな、あれは。あんたならば、あの剣を受け止められるか？」

青年の問いに、ガフはふと奇妙な感じを覚えた。その正体を判じかねるまま、

「実際に立ち合ってみねば、判らん」

もっともな答えを返した。

「そうか……。俺には、無理だな。受け止めようものなら、体ごと吹き飛ばされる」

青年の口調は淡々としている。真っ直《す》ぐにベルの姿を見詰め、ぽつりと呟いた。

「小さき者《ベル》、か……」

青年に対する奇妙な感じのわけを、ガフはふいに悟った。その物言いが、まるで以前にもベルの剣を見たことがあるかのようなのだ。それを尋ねようとしたとき、青年が言った。

「始まるな」


観衆が、諸々《もろもろ》の楽器の奏者たちとともに、拍子を取り、唄い始めた。

足踏み、剣、鉄を打ち鳴らし、ピッチを上げ、高らかに唱え、舞台を囲み、歓楽す。

純粋なる遊劇にして、最高神聖なる劇場演技――

剣楽こそ、地に映え神に捧《ささ》ぐ、いかなる農楽交響にもまして地を耕し、いかなる建楽台唱に

もまして城を支え、風水降雨の類《たぐ》いを司《つかさど》り、国の豊饒《ほうじょう》と永遠を称《たた》え、世界の法《テーマ》である〈楽《シュピーレン》〉に従順する、劇場遊儀の快楽原則《ニルヴァーナ》であった。

〈剣の国《シュベルトラント》〉こそは、〈剣《シュベルト》〉と〈花《シュベルテル》〉の咲きみだれる国《シュベルトストライヒ》——

剣楽とは、剣士たちがその剣　撃《シュベルトストライヒ》をもって世界に己の存在を問い、世界を穿孔する《デュルヒ・ブレッヒエン》行為をいう。自分がそこに存在する証《あか》しを立てることで、世界はその存在の影に穿《うが》たれる。それこそ真に花が咲く《デュルヒ・ブレッヒエン》ということであり、それがこの国の神を第一に楽しませるのだ。

神に習い、宥《なだ》め、和ませ、その諸々の力を得るための方法——

神楽しませ、神楽します己を楽しませ、共にいる者全てを楽しませ、天地万物の全てを一切の楽、一つの交響に組み立てる、そのための剣楽であった。そのとき世界は一つになり、秩序と混沌《こんとん》の境界線にて酔い痴《し》れるのだ。

誰もかれもが、その諳《そら》んずる唄に酔ってゆく。

だが、熱狂的な響楽の真っただ中にあって、独り、ベルは醒《さ》めていた。響き渡る唄に飲み込まれ、飲み込まれながらも一個の異物であった。

剣を握ってこのかた、剣楽などというものに関わったこともなければそのつもりもなかった。飲む気のない酒を目の前でなみなみと注がれるようなものだ。食傷を起こしていた。腹が立ってきた。真剣さを茶化されているような気がした。

ベルは、注がれた無形の美酒を蹴《け》り飛ばすように、猛然とキールに向かって驀進《ばくしん》した。

6

仕掛《フェイント》けも何もない。真っ直ぐ突っ込んで真っ直ぐ振るった。かわされて当然の一撃だが、それだけ強烈だった。キールが素早くかわすが、むしろ剣風の圧力に弾《はじ》き飛ばされるかに見えた。舞台の床が木っ端微塵《みじん》に吹き飛び、広間全体がびりびりと震撼《しんかん》するようであった。

いかにも華奢《きゃしゃ》なベルの繰り出す、異様なまでに破壊的な剣撃に、一瞬、観衆が息をのむ。が、腕を振り切った姿勢のベル目掛けて、いささかも動揺を見せぬキールの剣が跳ねた。

ベルの体がふわりと宙に浮いた。跳んでいた。まるで飛鳥だ。それを追って、空間を、剣撃とともに切り裂くものがあった。熱の塊だ。髪先の焦げる臭いがベルの鼻をつく。剣の腹でその熱風を受け流しつつ、舞台の端から端までひとっ跳びするような跳躍を見せた。

(焰《ひ》……!)

キールの剣種と、それに刻まれた印《スペル》の効力がこれで判った。剣が、その握り手の意志によって焰熱《えんねつ》を発するのだ。その熱が逆に握り手を脅かすことはないようだった。それだけきっちりと己の手で剣を育て上げている証拠だ。ベルは正直、感嘆した。

これでお互い、まともに撃ち合う手はないはずだった。ベルの剣を受ければ剣ごとその身を砕かれ、逆にキールの剣を受ければ、剣を握ったまま松明《たいまつ》にされてしまう。

だがそれとは裏腹に、両者とも全く退《ひ》く様子もなく、互いに走り込み、じっと機を見計らい、すれ違いざま、馬上の剣と舞い跳ねる鳥の剣とが交わされた。

——巧《うま》い……！

キールが嘆声を上げた。ベルの剣は決してやたらとぶん回すだけのものではない。確固とした技術があり、哲学があった。剣を振るう力と角度と速度、微妙な気合い、無形でありながら確かな流れ成す撃ち合い、どれをとっても並大抵の力量ではない。その上で、剣を握る由縁にはっきりとした自覚がある。キールの言葉はそれを認めるものであった。

互いに剣交わす音は荒々しくも見事な剣楽を奏で、それは果たしてどちらが弾《た》てる音か。ベルの剣か。キールの剣か。けだし、その音にて歓楽するのだ。やがてどちらか一方が沈黙するそのときまで、互いに振るい、影響させ合うのである。それこそ正しく居合いの形であり、剣握る手の由縁であった。ベルの剣には、その自覚、そのための哲学があった。

——呀々《はは》っ！

ベルが笑った。その目は爛々《らんらん》として剣闘に没頭し、はからずも剣楽者として一流の舞台演技を見せていた。その剣は振るうほどに鋭く刃をあらわし、剣肌は今や白銀《リリーホワイト》に輝かんばかりだ。撃ち合う瞬間ごとに剣は新たに鍛《う》たれ、美しく流麗な状《フォルム》を獲得してゆき、間合いがずんずんと伸び、剣撃は重く鋭く、そして速くなった。

いったい何合目か、互いにすれちがい、撃ち合ったある瞬間、ベルの方がほんの一瞬早く身をひねり、キールを側面から斬り払った。下手をすれば自分の方が斬られる、半ば捨て身の攻撃であった。だがそれだけ相手に手を出す余裕を持たせなかった。

（やった……！）

誰もがそう思った。それほどに巧みで苛烈《かれつ》な一撃だった。なにより当のベル自信が勝利を確信していた。

だが——キールの馬体がぶん殴られたように弾き飛ばされた。左腕ごと肋骨《ろっこつ》がぐしゃりと砕けた。全身がたわむようにして空中に舞い、無残にも舞台に叩《たた》き付けられた。しかしその身のどこにも、切り傷一つ、ない。

（呪い——）

その言葉が、文字通りベルを呪縛《じゅばく》した。動きが止まった。一瞬、気が萎《な》えた。その一瞬を、キールは見逃さなかった。歯を食いしばって痛みに耐え、立ち上がりざま、跳んだ。

——轟《ごう》っ！

恐るべき咆哮《ほうこう》とともに、右腕だけで馬上から切り下げた。およそ体半分砕かれたとは思われぬ、とてつもない迅速さを持った見事な剣撃であった。

その剣を真っ向から受け止める以外に、ベルにすべはなかった。激しい衝撃とともに熱が来た。両手の皮膚を捲《めく》り返されるような激痛が走った。叫んだ。背にどっと冷たいものが走った。目の前が真っ白になった。それでもしっかりと剣を握っていた。受け切ると同時に、キールの後方へと大きく跳躍して逃げた。

〈唸る剣《ルンディング》〉がすっかり刃を丸く収めてしまっているのをぞっとする思いで悟った。柄《つか》を握っているだけなのに、手に猛烈な痛みがあった。見たくもないほど手酷《てひど》く火傷《やけど》を負っていた。この期に及んでも、負ける気はしなかった。しかし、勝てる気もしなかった。相手を斬ることとなしに勝てるわけもなかった。だがベルはそのわけを必死で探した。

回答が、当然のように、一つだけあった。

（それしかない……）

手に力が入らなくなるのに、必死で耐えた。最後の撃ち合いがあった。

焔剣を真っ向から受け交わし、馬上からの剣撃に今度は二の腕を焼かれた。意識が消えかけるほどの痛みに、もはや感覚のほうが消し飛んだ。一度でも焔を食らって、再度これだけ接近するとはキールも思っていなかったに違いない。そこにつけこんだ。感覚のない手で、剣の唸《うな》りだけを頼りに、全身で〈唸る剣《ルンディング》〉を振るった。

ごつん。鈍い音がした。

キールがよろめいた。その右腕が砕け、肘《ひじ》のつけ根から奇妙な具合に曲がってしまっていた。

それでも、その手はしばらく剣を握ったまま離さなかった。かといってそれを振り上げることも出来ない。ゆっくりと、剣は切っ先から先に落ち、舞台に突き立った。

いまや熱狂渦巻く舞台に突き立つ剣を間に置いて、二人、向かい合った。両腕が使えず、キールがきりきりと歯を嚙《か》んだ。掠《かす》れた声が、ひとことだけ、その口をついて出た。

「斬れ……」

殺す必要はなかった。だがこのままでは観衆が納得しない。契約の儀が完成しないのだ。

「これしかないんだ」

ベルが言った。灼《や》かれた手で、剣をなおも握りしめた。腫《は》れ上がった指の間から血が滴った。

剣を担ぐようにして振りかぶった。それを見てキールが愕然《がくぜん》とした表情を浮かべた。

「やめろ——」

二人の目の前で、LIVED《リヴド》の刻印《スペル》が真っ二つに砕け散った。

キールの口から絶叫が迸《ほとばし》った。耳を塞《ふさ》ぎたくなるような、悲痛な叫びであった。


剣にもたれ、ベルはかろうじて立っていた。両腕を剣身に回すが、その手には柄を握る力も残ってはいない。全身から冷たい汗が噴き出た。喉《のど》がからからだった。

そのベルの前で、キールは砕かれた両腕をだらりと下げ、瞑目《めいもく》している。閉ざされた瞼《まぶた》で、天を仰いでいる。満面に、苦痛の表情があった。だが最初に叫んでから、もう何一つとして声を上げていない。ただじっと耐えている。

広間の合唱が、尻《しり》すぼみに消えていった。代わって、猛烈な非難の声が上がった。

相手の身を斬ることなく、敢《あ》えてその剣のみを砕くのは原則に反していた。なにより、斬ることのできない剣を剣と呼べるのか。この者はいったい剣士と呼ぶにふさわしいのか。

合唱が、いつの間にか呪詛《じゅそ》に変わっていた。

「恐怖《パシュフル》が四方から迫る！」

これが、剣楽原則に背く者に対する脅しであり、また最初の罰であった。いかなる者も、この呪詛のもと、〈正義〉の剣士たちの目の敵にされるのだ。たとえよってたかってなぶり殺しになろうと、それを助ける者はいない。

ベルは目を見開いて歓楽者たちを見渡した。その手に、自然と力が入った。猛烈な痛みが走ったが、心がむしろそれを望んだ。うつむいていた顔を上げ、きっと周囲を睨《にら》んだ。

「これが私のやり方だ！　文句のある奴ァここに降りて来て私と闘え！」

広間中を沈静させるに足る大音声であった。

まさかこれ以上の剣闘など出来るはずがない。たかをくくる観衆の前で、ベルはゆっくりと〈唸る剣《ルンディング》〉を掲げてみせた。それとともに剣もまた激しく唸りを帯び、舞台を囲む者たちをぞっとさせた。誰一人として舞台に降りる者などいない。そもそも、王の許可なく舞台に降りるなど、そんな無法を犯す理由がない。

哄笑《こうしょう》が起こった。観衆の全てを罵倒《ばとう》する笑いであった。ベルはしばらくの間、その笑いが自分の口から放たれていることに気づかなかった。なんで笑うのだろう。おかしくもなんともないのに。他ならぬベル自身が不思議がった。それでも笑わずにはいられなかった。

ふと、キールが真っ直《す》ぐ自分を見詰めていることに気づいた。苦悶《くもん》の影を残したその顔に、きっぱりとした意志があるのを見て、慌てて笑いを飲み込んだ。

キールは振り仰ぐようにして王に向き直ると、大声で叫んだ。

「勝者に誉《ほま》れを！」

王の双貌《そうぼう》は、じっと舞台の上の二人を見詰め、やがて口を揃えて宣言した。

「契約の儀における試練は、果たされた。小さき者よ、そなたを称《たた》えよう」

ざわざわと、広間がさざめいた。だが王の言に異議を唱える者などいようはずもない。

「俺の負けだ」

キールがベルを見やって、淡々として言った。

「お前は強いな」

砕けた腕で、なんとか砕けた剣を抱え、ベルに背を向けた。立っているのも辛《つら》そうな足どりで、舞台を降りてゆく。その背を見送りながら、ベルは再び剣にもたれた。

「んなわけァ、ないだろ」

呆《あき》れたように、小さく溜《た》め息を吐いた。


「哀れだな」

舞台を見詰めながら、青年《アドニス》が、ぼそりと呟《つぶや》いた。

ガフが何か言い返そうとするのを遮って、青年がガフに目を向けた。

「誰もが多少は、哀れな面を持ってる。誰もがね。あれは、自分の哀れな面を良く知っている分、面白味があるんだ。別に、あれを可哀相だとは思わんよ。面白いだけさ」

ガフは、この青年が、ガフに対してだけはこうして自分の内面を多少なりとも示すことを知っていた。また、それが決して信頼を意味しないということも。

「面白いな」

青年が舞台を見やって、繰り返した。まさしくその言葉こそが、この青年の行為と動機を司《つかさど》る、全てであった。世界の法たる〈楽《テーマ》〉に従いながらも、同時にそれを斜め後ろからせせら笑って見ているような男だった。その男に、ガフは静かに背を向けた。

「何処に行くんだ？」

「ベルの所へ。傷が心配だ。それに、兄弟子としてはひとこと褒めてやらねばな」

「ふふん。傷が心配……か。それじゃ、いくら褒められたって、喜べやしないな」

「なに……？」

「あんたには、判らんさ」

心なし微《かす》かな嘲《あざけ》りを含ませてそう言うと、ぷいと行ってしまった。

その青年の後ろ姿を、ガフはじっと見詰めた。席を立つ観衆の間に、青年の姿が隠れた。

ガフは目を細めた。辺りがざわめく群衆に混雑し始めていた。さっときびすを返すと、ベルのもとへ急ぎ足で向かった。青年の姿はもう何処にも見られなかった。


控えの小部屋にガフがやって来たとき、ベルはちょうど黄牙《アイボリー》の神官たちに火傷を治療して貰《もら》っているところだった。治療には聖灰を使った。ベルには初めてだった。うっすらと透明な灰色の粉を塗られるだけで、嘘のように痛みが引いた。あまりに急速に痛みが消えてゆくのに驚いて、反射的に両手を引っ込め、それ以上の治療を拒んでしまった。

「どうした？」

ガフが脇に立って怪訝《けげん》そうにベルの顔を覗き込んだ。

「なんでもない。……これだけでいいよ、あとは自分でやるから」

神官の手から包帯をひったくると、自分で巻いた。まだ手は酷《ひど》く痛んでいた。熱の刃で焼き切られたところに血が滲《にじ》み、見るも無惨だった。

「傷跡が残るぞ」

困惑してガフが手ずからベルの手に聖灰を塗り込んだ。さすがにこれは拒めなかった。

(都市《パーク》じゃ、なんだか痛みまで嘘っぽいな)

かろうじてその言葉を飲み込み、ガフが器用に包帯を巻いてくれるのを黙って見守った。

「しばらく、このままにしておけば大丈夫だろう。その間、決して剣を振らないことだ」

「ありがと」

素っ気なく礼を言って、剣を手に立ち上がった。部屋に戻ったら腕を洗ってしまおうかと思ったが、それをしてはガフに申し訳なかった。

「キールを相手によくやったな。俺も誉れ高い」

改めて言われると、悪い気はしない。そのくせ、今はそれを受け入れる余裕がなかった。思わずぞんざいに頷《うなず》いてしまった。なんだか、苛々《いらいら》がつのってきていた。

「試合の後のあれは、気にするな」

「気にしちゃいないよ」

半分嘘だった。呪詛自体は、確かに気にしていない。呪詛を根拠に実際にベルに剣を向ける者などいないだろうし、たとえいたとしても大した相手ではないだろう。ベルの剣はそれほど恐るべきものであったし、なにより〈正義〉の剣士たちはそれほど無法ではない。

ただ、

(これからは、相手の剣を砕くしかない――)

その思いがあった。そちらの方が、下手な呪詛より、よっぽどこたえた。まさしく呪いであった。ベル自身か、ベルの剣か、いずれにせよ〈区別〉を持ってしまったのは確かだ。何が斬れて何が斬れないか、実際に斬ってみるその瞬間まで、決して判らないのだ。呪いの意味など判りようがない。どうして斬れないのか――またそもそも、どうして今まで何でも〈区別〉なく斬れたのか。判らなくなっていた。それが判らない限り、今日のような呪詛を、今後もずっと浴びせ続けられるだろうことは容易に想像できた。

(まるっきり異端だな)

まるで生まれてこのかた呪詛ばかり食らってきたような気になった。忌み、恐れられることから逃れるべく旅を志し、そのため呪いを負い、それゆえこうして殊更に呪詛を浴び、

(いつまでもいつまでも同じことの繰り返しで――)

いつの間にかそれが、逃れられないものになっている。そう思うと、ふいに笑いがこみあげてきた。まただ。おかしくもなんともないのに。変だった。むしろやり場のない怒りがくすぶっているというのに。笑うなんて。変だ。

治療を終えると、すぐさま部屋を出た。

ガフと並んで〈玉座の間〉に戻ると、青い衣の神官ともども、王が二人を待っていた。

「お前を剣楽《ソリスト》の者として迎えよう、小さき者よ」

王の上の顔と下の顔とが、口を揃えて言った。ガフが感慨深げに頷く。

だが、ベルはぷいとそっぽを向いて、

「剣楽やるために、都市《パーク》に来たんじゃないんだけどさ」

素っ気なく言い返した。不思議と誰も、ガフさえも、それを暴言とはとらなかった。

「旅の扉を叩《たた》く者よ、使命を待つがよい」

今度は王の上の顔だけが言った。下の顔はベルの様子に口をへの字に歪《ゆが》めている。

「使命は三つ。〈剣の国〉の紋章に従い、神を宥《なだ》める三つの遊楽を成すのだ。だがそれだけではまだ足りぬ。偶然と出会うがいい、小さき者よ」

「偶然……?」

ベルがきょとんとして王の双貌を見返す。

「そうだ。偶然とはすなわち、己が既に持っているものでありながら、いまだ己の目に映らず、耳に響かずにいるもののことをいうのだ」

「つまり運次第だってこと?」

王は首を振った。どこら辺が首なのか判らないが、少なくともそう見えた。

「自身に課せられた呪いを観よ。呪いのゆえんを観よ。そうすることで、やがてそなたは祝福されよう」

ベルに判ったことは、王の口調が、あるいは言葉が、虚偽を述べ、いたずらにベルをこの国にとどめようとするものではない、ということだけであった。それで十分だった。王の声は、ひどく安心する。だから、こんなことが言えた。

「私はここに、その呪いを持ち込むかもしれないよ。それとも、もう――」

「それは我が責《さい》だ、小さき者よ」

王は口を揃えてそう言い、ベルは穏やかに頷いた。

急に泣きたくなって、ベルは我ながらびっくりした。さっきから妙に動揺しっぱなしだった。腹の底からこみあげてくるものをじっと抑え、ふと、王に対する安心感が、既にどこかで知ったものだという気がした。

(誰……？)

ベルは、王の声の向こうに、陽を背に受けて佇《たたず》む男の姿を垣間見た。まるで影法師のように佇む男。それは去りゆく者の姿だろうか。その手に鋭く光輝く刃を握り――

(どうして……)

「我が責《さい》だ」

王が、繰り返し言った。

神の樹は、依然としてベルを見てはいなかった。

7

「あの少女を、お前の我欲のために犠牲にする気か？」

王が言った。声に、容赦のない痛烈な響きがある。

誰もいない広間に、いんいんとその声が響いた。〈剣と天秤の間《パブリックオブジャスティス》〉の一つ、〈玉座の間〉である。東方にあって青の刻を司る広間だ。その舞台の裾《すそ》で、青い衣に身を包む神官が、一人、王と対向《さしむか》って佇んでいる。王とその神官以外には、誰もいない。

「神へ復讐《ふくしゅう》したいか？　お前をそうして呪縛《じゅばく》する神へ？」

神官は何も答えない。その青い仮面の下に、どんな表情《かお》があるのかも判らない。

「愚かなことを」と上の顔が言った。「柱たる我に理由《ことわり》を問うたところでどうなる？」

「空しきことを」と下の顔が言った。「旅を果たしてしまったお前が、何処へ行く？」

「王族に生まれ」

「神官に生まれ」

まるで詠唱するように、王の声は語《と》うてゆく――

「教示者《エノーラ》となることで、神から逃れ」

「旅の者《ノマド》となることで、国から逃れ」

「育てるべき者とはいったい何だったのだ？」

「旅の果てにいったいお前は何を得たのだ？」

だが神官は沈黙を保っている。

のっぺりとした仮面と王の双貌《そうぼう》と。沈黙の中で、静かに向き合っていた。もはやどうあっても、互いに乗り越えられぬ壁がそこにあるというように。だがむしろその壁においてこそ、彼らは互いの心に接することが出来るかのようだった。

「そうか」とやがて上の顔が呟《つぶや》いた。「ここに戻って来たのは、別れを告げるためか」

「そうか」とやがて下の顔が呟いた。「ここに戻って来たのは、我らを滅ぼすためか」

天を仰ぎ見やり、口を揃えた。

「あの者は遠くへ行くのだな。理由《ことわり》の少女……我の想像もつかぬ遠き彼方へ」

そして神官を見下ろし、重々しく告げた。

「今こそお前をまことに解き放とう。死者として生きるがいい。死んだ者を、誰も追うまい。たとえ神さえも……。お前が旅の者《ノマド》になったとき、そうしておればよかったな……」

鋭い音がした。男の仮面が、真っ二つに割れる音であった。あまりに色を固定された青い仮面が、男の顔から離れ、舞台に落ちて粉々に砕け散った。男はもはや舞台の者ではなかった。舞台において、男は死んでいた。

「遺棄せし我が身……滅ぶべきか。かつて伝説の神々が聖星《アース》を捨て、無窮の彼方に去っていったように……。のう、シアン」

男はじっと黙った。まるで何かに耐えるように、殊更に唇《くち》を閉ざしていた。王の双貌をしばし見詰め、さっときびすを返し、舞台を降りた。ついに、ひとことも口をきかなかった。その男の背に、王の双つの声が別れを告げた。

「さらばだ、弟よ」

男は振り返らなかった。

Lin、と時計石《オクロック》が音告げた。黄から赤へ。時の色相《いろ》の移り変わりを告げる音であった。

赤い時刻——胸の痛くなる色刻《とき》だった。

（どうしてだろう……）

城から部屋に戻るなり、ベルはどっと疲労が押し寄せるのを感じた。軽く身を拭《ぬぐ》っただけで、風呂はよしている。ベッドに横たわって、ぼんやりと腕をさすった。包帯の上から爪で掻《か》くと、微《かす》かな痛みがあった。

その足元で、子供がちょこんと座り込んでいる。いったい何処にいたのか、部屋に戻ると当然のように、いた。ベルもいちいちそれを気にせず、自分の思いの内にひたった。

（滅茶苦茶《めちゃくちゃ》に暴れたい気分だ……）

体はぐったりと疲れている。そのくせ、今日のことを思い返しては、やり場のない激しい感情にとらえられるのだ。ガフも、ベルが自分自身を持て余しているのに気付いているようだった。この聡《さと》いくせに武骨な兄弟子は、こういう肝心なときに、

「寝ろ」

としか言ってくれない。

「剣の相手をしてよ。ちょっとの間でいいから」

そう頼むベルを、

「その手が治るまでは駄目だ。二度と剣を振れなくなってもいいのか」

否応なく脅しつけてベッドに追いやった。ちくしょうめ。内心で罵《ののし》るが、さすがに心から心配してくれている相手に、面と向かってはいえない。せいぜい心の中で毒づくのが精一杯だった。それにしても、

（なんでこんな思いをしなけりゃいけないんだ）

平穏に出来るのならば、それで全く構わないのに。どうしてこうなるのか。

（早く使命が下ればいい。そうすれば……）

そうすれば、今の悶々《もんもん》とした気分を吹き飛ばせるに違いない。それとも、あるいはまた、今日のような思いを繰り返すだけだろうか。傷を掻く指に、自然、力が入った。包帯にうっすらと血が滲《にじ》んだ。その上からさらに掻いた。ずきりとした。

（怪物になるってのも、そう悪い気分じゃない）

ふいにそう思った。一瞬、それが責め苦のような心の痛みから逃れるための最善の考えのように思われた。唇を笑みの形に吊《つ》り上げた。もう少しで本当に笑い出すところだった。

（怪物に……）

突然、その思考を遮るように、激しい音がした。ごん、という鈍い音が。

ベルはびっくりして起き上がり、周囲を見回した。

音の正体は子供だった。なんと壁に思い切り頭を打ちつけている。ベルは啞然《あぜん》として、その気の狂ったような所作を見詰めた。

ふと子供がベルを見て笑った。ぞっとするような笑いだった。ちっとも笑っていなかった。

顔をただ、笑顔の形につくっているだけだ。針金を適当に曲げて、笑っているような顔を作るのに似ていた。そして、また頭を壁に叩《たた》きつけた。自分を痛めつけて笑っていた。

背筋の寒くなるような光景に、思わず剣にすがりついた、そこへ、

(……虚《うつ》ろな笑いは、復讐の苗床だ)

頭の中で、声がした。もう一人の自分、ベルの中の導き手《ガイダンス》の声が。

「やめろよ」

ベルが震える声で言った。

(……いたずらに怒りを醗酵《はっこう》させてはならない)

子供が壁に頭を打ちつけた。つうっと血が額を流れ、顎先《あご》で滴った。それでいて、にたりと笑った。もとが無表情なだけに、ひたすら無惨だった。

「やめろったら、おい」

もうたまらなかった。子供の両肩をつかんで動きを止めさせた。赤い血が一筋、そのミルク色の体毛に滲んだ。ベルの手にずきりと痛みが走った。

(……怒りの美酒はお前を慰め、そして痴《し》れ狂わす)

子供はぴたりと動きを止め、赤い瞳《ひとみ》でベルを静かにとらえた。

(判ってるよ!……いや、判ってたよ、そんなことは!)

心の中で叫んだ。声が出なかった。ただ嗚咽《おえつ》に似た吐息が、切として洩《も》れた。

「ただ……色々、重くて」

やっとそれだけ言えた。だが、果たして、誰に言ったというのか。

子供からそっと手を離し、手の平の包帯で血を拭ってやった。額の傷に口づけ、ちろりと舐《な》めた。鉄の味がした。思わずした行為だったが、子供はいつもの何を考えているのか判らない無表情さに戻っていた。本当にベルを見ているのかどうか、それさえはっきりせず、ただ双の瞳が赤い鏡のようにベルの顔を映し出している。

ベルは急にあわをくったようになって子供から離れ、頭から毛布をひっかぶった。

しばらくしてそろそろと顔を出すと、ほんの僅《わず》かの間に子供の姿は消えていた。

きい……と何かが軋《きし》んだ。一瞬の後、ドアの閉まる音が聞こえた。閉ざされたドアを見やる、と、自然、テーブル《ディール》の上の花に目がいった。

花は、師の残した風聞を苗に、青い花弁を美しく匂わせている。

「案外に、痴《し》れないやつなのかな……あいつ」

花はもはや何も答えてはくれない。言葉の亡骸《なきがら》が、ほとりほとりと音立てて枯れ落ちるのが目に見えた。

口の中で、子供の血の味がした。

8

はからずも、ベルが望んだ機会は早々に訪れた。

キールとの剣闘から僅かに二日経った昼過ぎのことである。そのとき、ベルはちょうど部屋を訪れたガフに、包帯の取れた自分の腕を見せているところだった。

「ね、大丈夫だろ」

「ふむ……確かに、剣を握れなくなるということはないようだな」

怖いことを平然として言う。そして、これまた平然と、とんでもないことを告げた。

「治癒が間にあってよかった。もう〈悪〉の剣士たちが下方東《アンダーイースト》の街を攻める頃合だ」

ベルは、ぽかんとした顔でガフを見詰め返した。

「なんだって……？」

「お前の両親の住む辺りが、ちょうど狙われることになるだろう」

ベルは愕然《がくぜん》となった。何の冗談かとも思ったが、ガフの表情が冗談ではないことを告げている。代わりに、どうして今の今までそのことを教えてくれなかったのかと詰問した。

「教えれば、お前はまず間違いなく〈悪〉の剣士どもをあらかじめ攻撃するだろう」

「当たり前だろう！」

「それは法《テーマ》に反する」

「な……」

「襲撃の計画は、既に神の……王の知るところだった。だが、実際に襲撃されるまで、剣闘は決して行ってはならない。無用に秩序を乱してはならないのだ」

「襲われた後じゃ遅いじゃないか、馬鹿っ！」

思わず面と向かって罵倒《ばとう》してしまった。ガフは表情を変えることなくじっと黙っている。

そのとき、ふいに鐘の音がした。剣士たちの集落に設置された、剣士たちを城に集合させるための鐘の音である。まるで弔鐘だった。

「〈剣と天秤の間《パブリックオブジャスティス》〉で、王により神言が伝えられ、剣士団が選抜される。行くか?」

なんだかとことん馬鹿にされているような気がした。そんなことをしている間にも事態は悪化するに決まっている。法《テーマ》に違反しようがそんなことは構わない。急いで養父母のいる集落に向かわねばならない。

(どうして――)

自分を育てることを諦《あきら》めた養父母たちを、そうまでして救う必要があるのか。そんな疑問が心の底にあった。だがそんなことを考えている場合ではない。理由なんか要らない。守るのだ。養父母たちを、この力で。剣を手に、ベルは立ち上がった。

「選抜を待たないのか?」

ガフが言った。どこかその口調はのんびりしている。はたとベルは気づいた。ガフはこのことを知っていたからこそ、ベルにしつこく養父母に会いにゆけと言っていたのだ。その理由を喋《しゃべ》らなかったのは、法《テーマ》に違反するからというよりも、それがガフの中で公正さに違反していたからだろう。ベルはじっとガフを見詰め、そのガフの中の公正さが今、どのような判断を下しているのかを見極めようとした。

果たして、ガフは言った。

「選抜を待たずして剣闘に赴いた場合、選抜されていたならよし、逆に、選抜されていなかったときは、自分の剣と同じ重さの分だけ財貨《デナーリ》を支払うことが罰則だ」

ベルはちらりと〈唸る剣《ルンディング》〉を見やった。

「そのときは、無一文だな」

その様子を見て、ガフが微笑した。これで確信した。ガフは止めるふりをして、その実、けしかけているのだ。早く行け！　と叫びたいのを必死で堪《こら》えているに違いなかった。

「ありがとう」

ベルは走った。

若草色《ジャスパーグリーン》のレンガを蹴《け》り立てて、ベルは目的の集落《ファーム》目掛けて驀進《ばくしん》した。

思った通り、集落は既に襲撃を受けた後だった。なんとか逃れた者たちが、ベルとは逆の方向へ逃げていった。城の方角である。

進むにつれ、破壊された建物が目についた。なんらかの魔法を用いたのだろう。詳しい種類までは一見しただけでは判らない。だが立ち止まっていちいち調べている暇はない。

斬られてうずくまっている者たちがいた。一瞬、その中に養父の姿を見た気がしてぞっとした。なおベルは勢いをつけて走った。

ミモザ夫妻の家の前まで来た。家の扉が破壊されていた。家自体に損傷はない。周りを見回して、逃げ隠れていた月瞳族《キャッツアイズ》の男を見つけると、ひっつかんで問いつめた。

「ここにいた人たちは？　集落のみんなは？」

「〈外〉のやつらに、つ……連れてかれちまったよう」

「どっち⁉」

よほど激しい襲撃だったのだろう。ベルの姿形に驚く暇もないくらい、大の男がぶるぶる震えている。ベルはその男を放り出すと、男の指差す方角に向けて走った。

すぐに都市《パーク》の門を越えた。門は無事だったが、見張り役が斬られてうんうん唸《うな》っていた。

それにも構わず、ベルは門の外に広がる農場を一目散に駆け抜けた。

見えた。

何匹もの甲檻花《ゴブレット》が一列になって歩いている。檻《おり》の中には集落の者たちが大勢詰め込まれ、その周りを屈強な〈悪〉《アンダードッグ》の剣士《ソリスト》たちが囲んでいる。

（大地の演奏者《ファームズシンフォニア》の奪い合いか……）

走りながら思う。連れ去られる農楽者たち。奪われる楽器と作物。〈外〉ではそれらがあまりに少ないのだ。生きるために奪い、それがまた、生きるために奪い返される。城を間に挟んで、〈正義〉と〈悪〉が繰り返し繰り返し闘い合うのだ。永遠に決着することのない闘いの種子は、刈り取られては、新しく蒔《ま》かれてゆく。

（いったい、何の為に……？）

一瞬、そこに何らかの意志を見た気がした。だが、今はそんな場合ではない。そもそもそんなことを真剣に考えていたのでもない。思考は怒りを燃え上がらせる薪《まき》であった。それは本来的な怒りだ。決して異端である自分を慰めるための怒りではなかった。

そのベルから、一切の疑問が消し飛んだ。列を作って並ぶ剣士たちの一人が持つ楽器が、そうさせた。それは養母の楽器だった。あるいは別物かもしれない。だがそんなことはもはや関係なかった。ベルは獣のように吠《ほ》えた。手に〈唸る剣《ルンディング》〉をしっかりと握っている。

ベルの姿に気づいた剣士たちの表情の方こそ見物《かお》だった。見たこともないような巨大な剣を担ぐようにして猛然と突っ込んでくるのっぺらぼうの少女に、ただただ呆然《ぼうぜん》とした。

——EEERRREEEHHH……！

剣が高らかに唸りを上げた。最後尾《しんがり》の男に向かって、問答無用で剣を振るった。

男が剣を抜き放ちかけたところを、〈唸る剣《ルンディング》〉の超重量が真横から直撃した。ひとたまりもなかった。男の体が冗談のように宙を舞った。抜きかけた剣が鞘《さや》ごと木っ端微塵《みじん》になっていた。たった一撃で、男はぼろ雑巾《ぞうきん》のように地面に叩《たた》きつけられて転がった。

その間にも、ベルは第二撃、第三撃と放っている。剣士たちは、早くも恐慌をきたしていた。〈正義《トップドッグ》〉の追撃が来るにはあまりに早すぎた。相手が何者なのかさっぱり判らない。しかも滅法やたらと強い。真っ向から撃ち合えば剣ごと粉砕される。逆に遠距離から矢を放てば、矢の飛ぶ距離をひとっ跳びで追いすがり、撃退された。

先頭の方からも掩護《えんご》の手が回ったが、たった一人のベルを囲い込むことすら容易ではない。集団で囲んだかと思うと、もう円陣の向こうに軽々と跳んでいた。

そのベルの前に、水角族《ミノタウロス》の男たちが立ちはだかった。数は三人。体格もそれまでの者たちとは段違いに大きい。手に手に巨大な戦斧《せんぷ》を持ち、刃の腹にはオリジナルの刻印《スペル》が施されている。

それだけ見ても、他の剣士たちに比べて実力が数段上なのが判る。

「参る!」

叫ぶや否や、三人同時に動いた。そもそも口上を述べたりするような暇さえなかった。ベルがまさしく獣花《けもの》のごとく剣を振るったからだ。問答無用だった。三人の水角族《ミノタウロス》の斧《おの》を、なんとベルの剣ひとふりで撃ち返した。一度に三つである。水角族《ミノタウロス》の男たちの顔に賛嘆の表情が浮かんだ。これが剣闘であれば洒落《しゃれ》た褒め言葉の一つも言うところだが、その間もなく、さっそく一人がベルの剣に吹っ飛ばされた。一撃を繰り出してから次の一撃に入るまでが、ベルの方が段違いに早い。

これに対して、今度は二人、タイミングをずらして左右から斧を振るった。受け止めるにしろ撃ち返すにしろ、一方がその隙に背後から襲う。普段ならば水角族《ミノタウロス》の彼らがそんな戦法を取るはずはなかった。個体の力が弱い弓瞳族《シープアイズ》ならいざしらず、そんな必要はないのだ。卑怯《ひきょう》でもあった。それがもはやなりふり構っていられなくなるほど、ベルは恐ろしい獣花として彼らの目に映った。獣花相手に、卑怯もくそもなかった。

狙い通り、一方の斧を撃ち返した瞬間に隙が出来た。だが誤算は、三つの斧と互角に撃ち合える剣とたった一つで撃ち合ったということである。斧は粉々に砕け、両腕が異様な角度で折れ曲がった。戦闘不能である。そのときにはもう一方の斧が振り下ろされている。

驚くべきことが起こった。くるりと振り返ったベルの手が、振り下ろされる斧の柄を、無造作に受け止めたのだ。斧を振るった男の顔が呆然となった。急いで振り放そうとするが、いったいどんな恐るべき力が妨げているのか、一向に手が離れない。驚きが恐れに変わった瞬間、真横から片手で振るわれた〈唸る剣《ルンディング》〉の直撃を食らった。手を離したのは男の方であった。空中で体を折り畳むようにして吹っ飛び、立ち上がることも出来ない。

水角族《ミノタウロス》の三人衆をあっという間に打ち倒したベルに、今度は蛍族《ロイテライテ》の老人が向かった。といって武器を持って立ちはだかったのではない。それは老人の指示に従ってベルを取り囲む足長族《フロッギー》どもの役目だった。彼らの跳躍力よりもベルの方が上だったが、数が多い。それぞれの位置取りもうまい。ベルの足がはじめて止まった。同時に、蛍族《ロイテライテ》の老人が襲撃の首謀者であることを悟った。それほど見事な円陣の組ませ方だった。

「とんでもねえガキだな」

ぼそりと老人が言った。いかにも百戦錬磨といった、不敵な雰囲気があった。口にくわえた薄荷煙草を手に取り、その火で素早く空中に印《スペル》を描き始めた。彼の一族に特有の筆記魔法《グラマー》だ。その印《スペル》の正体を見極めようとするが、巧みに足長族《フロッギー》どもがそれを遮った。

「都市《パーク》に鬼っ子が入ったとは聞いてたがよ……ついてねえぜ。ほれ」

老人が煙草を指で弾《はじ》いた。火が光のラインを引いて、ベルの足元に転がった。足長族《フロッギー》どもが一斉に跳んだ。ベルに向かってではない。逆に退《ひ》いた。

はっとなってベルも後ろに跳ぼうとした。刹那《せつな》、煙草の火が猛烈な勢いで膨らんだ。破裂し焔熱《えんねつ》が四方八方に飛び散るその寸前、あえてその場に踏み止《とど》まった。

「断《た》っ！」

魔法の核心を目掛け、猛然と剣を振り下ろした。

轟然《ごうぜん》として地面を抉《えぐ》り、白銀《リリーホワイト》に輝く刃が熱の塊を真っ二つに両断した。焰熱は粉々にされた印《スペル》の火の粉をきらきらとばらまき、霞《かすみ》のように消え去った。

老人が瞠目《どうもく》した。

「剣で炎を意訳しやがった……」

そのときベルは既に天高く跳んでいる。空中で、足長族《フロッギー》と斬り合っていた。〈唸る剣《ルンディング》〉が唸りを帯びて振るわれるたびに、一人また一人と吹っ飛ばされて地に這《は》った。

着地したベルは蛍族《ロイテライテ》の老人を探した。首謀者を叩けば一団は壊滅する。だが叩くまでもなく老人は姿を消していた。辺りを見回すと、何人かの足長族《フロッギー》に担がれて一目散に逃げてゆくのが見えた。あっという間の早さである。

見事な逃げっぷりだった。だが、それにも理由があった。

鬨《とき》の声が上がった。〈悪〉の剣士たちのものではない。ようやく、〈正義〉の剣士たちが到着していた。瞬く間に乱戦になった。といっても、大半は既にベルが倒してしまっている。決着はついたも同然だった。ベルは戦闘にはそれ以上目もくれず、甲檻花《ゴブレット》に向かった。のそのそと歩く巨大な亀の背に飛び乗ると、その生きた檻に向かって剣を振るった。

砕くつもりだった。妙な手応《てごた》えがあった。いや、本来の手応えというべきであろう。なんとも小気味良い音とともに、剣は檻の扉を綺麗《きれい》に叩き斬っていた。

(斬れた……⁉)

わっと農楽者たちが檻から解放された。養父母を確認する前に、他の甲檻花《ゴブレット》に向かった。檻に入れられた養父母は、まず間違いなくベルの闘う姿を見ているはずである。それがかつて自分たちの育てた子供であることは、一目瞭然《りょうぜん》のはずだった。探すのではなくて、養父母の方からこちらを見付けて貰《もら》うのだ。もし、彼らの方から声をかけなかったら、そのときは養父母の安否を確かめた上で、黙って部屋に戻るつもりだった。

最後の甲檻花《ゴブレット》の扉を斬った。果たして、一人の月瞳族《キャッツアイズ》の女性がベルに駆け寄って、有無を言わさず抱き締めた。このときのベルの喜びはまさしく至福であった。一度は拒まれた力で、今、彼らを救ったのだ。その誇りがあった。

「ベル、ベル……!」

養母は感きわまってベルの名をひたすら呼んだ。その手が頬を撫《な》でた。本来は気丈な女《ひと》が、目を潤ませてベルの顔を見詰めた。その脇に、養父が立った。喜びを込めて、ベルの頭を撫でた。ベルに時計石《オクロック》の切り方を教えてくれた、分厚く優しい手だった。

(老《ふ》けたなあ……)

長年会えずにいたこの養父母に対しての、素直な感想だった。

「よく帰ってきてくれた、ベル」

養父がしみじみと言った。ベルは言葉につまった。そのときだった。

「お父さん！　お母さん！」

子供の声が、ベルの耳を強烈に叩いた。まだ尻尾《しっぽ》も取れていないほど幼い、月瞳族《キャッツアイズ》の少女であった。ミモザ夫妻のところまで駆けつけると、少女はベルの目の前でひしと夫妻に抱きついた。夫妻の手がその少女を抱き返すのを見て、こんなことがありうるのかと愕然《がくぜん》とした。それは、ただ夫妻に子供が出来たということではなかった。

（……私は、知ってたんだ）

いつか幼い頃、〈唸る剣《ルンディング》〉とともに牢《ろう》に入れられたとき、ベルは養父母が決して迎えに来ないことを知っていたのだ。何故なら、そのとき既に、養母は子供を身籠《みごも》っていたからだ。知っていた。ただ忘れていただけ。今の今まで、その事実を心の隅に押し込め、自分自身からも隠していたのだ。今こそ判った。どうして養父母のもとに行けなかったか。体中の力が抜けてゆくような感覚があった。呆然となった。

城内民《トップドッグ》にとって、子は至宝に等しい。それほどに子が生まれにくいのだ。その実の子供に比べれば、自分など何の価値があるというのか。夫妻が何かを言おうとしている。聞かなくてはならなかった。だがどうしても聞けなかった。何かを言われれば即座にこの場を逃げ出してしまうに違いなかった。それが夫妻にも伝わったのか、口をつぐんで不安そうにベルを見詰めた。

少女が振り向き、無邪気な笑顔でベルに感謝した。

「剣士さん、ありがとう」

逃げ場はなかった。〈唸る剣《ルンディング》〉とベルを、驚嘆のまなざしで見詰める少女は、ベルの目にも愛らしく利発そうに映った。城から剣士団が来るや、その後について養父母の安否を確かめに来たところを見ると、勇気にも恵まれているようだ。なにより、その手は立派に楽器を奏でることだろう。何の疑いも抑圧もないまま、のびやかに大地を奏でるだろう。やりきれなかった。そのやりきれなさに耐えて、少女の頭を撫でた。少女は照れたように頬を上気させた。

「お嬢ちゃん、名前は？」

少女の前にしゃがみこみ、つとめて平静に訊《き》いた。

「ベルモット」

その名とそれを名づけた両親とを誇るように、少女が元気よく答えた。

衝撃があった。一瞬、それをどうとらえていいのか判らなかった。

ベルの妹《ベルモット》。少女はそう名乗ったのだ。

反射的に養父母を見た。養父母はそっと頷《うなず》いた。

頭の中が痺《しび》れたようになった。急激に何かがこみあげてきた。ベルはひたすらそれを抑え込んだ。もう少しで子供のように泣き出すところだった。

ベルはすっくと立ち上がり、養父母に向き直った。彼らは何かを言おうとしていた。その内容も見当がついた。共に暮らそう。目がそう言っていた。同時にそれはベルに剣を捨てさせることを意味した。旅に出ることを、早々に諦《あきら》めさせることであった。それは出来なかった。ベルにはこれで十分だった。野蛮な異端児《ビースティ》が去りゆくには、十分過ぎた。

「育ててくれたお返しが出来て、良かった」

養父母たちは、ベルの様子を見て、悲しみをたたえ、首を振った。彼らもまた、もう二度と共に暮らすことが出来ないことを悟っているのだ。互いに何かを言おうとしたが、言葉がなかった。言葉自体が、もはや何ほどの力も持たなかった。

「私は、旅の者《ノマド》になります」

それが、別れの言葉になった。


中位東《ミドルイースト》の街に戻って、はじめて、時計石《オクロック》が失くなっていることに気づいた。

反射的に振り返り、走り出そうとして、ふとその足を止めた。恐らく、戦闘の際に鎖が千切れてどこかにいってしまったのだろう。あるいはそこまで走ったときか。空には聖星《アース》が浮かび、星がまたたいている。だがそれだけの明りで、農場全体を探して回ることは不可能に近かった。ベルは歯がみして夜空を仰いだ。時計石《オクロック》はもう決して見つからないだろうという気がしていた。逆にこれで、きっぱり養父母と別れることになると思った。

それにしても――怒りを飲み下し、異端であることを嚙《か》み締め、その毒にやられることなく、その上で寂しさをすすれというのか。そう思うと、聖星《アースシャイン》の光に照らされて一人ぽつんと立つことが無性に腹立たしかった。そこにただ在るというだけで、どうしてこんなにも貪欲《どんよく》であらねばならないのか。

「いいさ」

ぽつりと呟《つぶや》く。その口元に、不敵な笑みが浮かび始めていた。

「そのうちみんな、平らげてやる」

III　演技。剣と天秤《てんびん》。正義と悪

1

〈鬼っ子〉の登場によって、襲撃戦が一転して退却戦になっていた。〈鬼っ子〉とは、ベルのことである。今回の襲撃の指揮者《コンダクター》である蛍族《ロイテライテ》の老人が、

「とんでもねえ鬼っ子だぜ、ありゃあ」

と繰り返すので、みなその名で覚えてしまっているのだった。

「ハギスの野郎め、話半分どころじゃねえ。その倍はおっそろしいぜ」

老人が繰り返しわめいた。その口調には、少なからず賛嘆の響きがある。

その小柄な身を三人の足長族《フロッギー》に担がせ、あらかじめ定めておいた逃走経路をひた走りに走らせていた。他の者も傷ついた仲間を担ぎ、あるいは多少なりとも奪った作物や楽器を携え、それぞれの住む街へと逃げ帰っているはずだった。

その道半ば、ふと老人がすぐ隣を走る足長族《フロッギー》の一人に声をかけた。

「よう、ミスト。何だいそりゃ」

だいぶのんびりとした口調だった。ここまで来るとさすがに追っ手の心配はない。

ミストと呼ばれた方はきらりと光るものを掲げて見せると、

「鬼っ子のよ」

にっこり微笑んで答えた。なんと少女である。彼らのいう〈鬼っ子〉よりは幾分か齢相《としそう》が上だろうか。彼ら一族自慢の健脚を見せ、走りながら受け答えしても息一つ切らさない。

「かっぱらったのか。凄《すげ》えな。俺なんか怖くてしょうがねえのによ」

老人がからからと笑った。

「だって、くやしいじゃない。全然敵《かな》わないんだもん。せめてこれぐらいのことはしてやらないとね。それにこれ……とっても綺麗《きれい》だし」

一瞬少女らしい表情になって時計石《オクロック》を見詰めた。その横顔はなかなかに可憐《かれん》といえた。

「自分で取らないとなー、ミストは」

穏やかな声がミストを我に返らせた。

「なによクラウド、どういう意味よ」

「いやー、早く良い人が見つからんかなって……」

一団に笑いが起こった。声の主は、ミストのすぐ脇を走る、これまた足長族《フロッギー》の青年であった。みなまで言わせぬミストの鉄拳《てっけん》をひらりとかわし、

「なんで怒るんだよー」

不思議そうに言った。その顔立ちはミストとそっくりだ。ただ、雰囲気が違った。ミストが誰の目にも機敏で快活に見えるのに対して、クラウドの方はどこかのんびりとして何を考えて

いるのか判らないところがあった。

その二人のやり取りに、老人がまた笑った。

「おまえら双卵《ふたつみ》だろうが、もちっと仲良く出来ねえのかよ」

「仲良いよ、俺たち」

さも当然のようにクラウドが言う。

「な」

「勿論《もちろん》よ」

同意するなり素早く身を沈めてクラウドの足を払った。今度はよけられない。走る速度の分だけ勢いよく前方に投げ出された。そのまま地面に叩《たた》きつけられるかに見えたが宙で膝《ひざ》を畳むと、くるりと一回転して見事に着地した。ベルに勝るとも劣らない身軽さだった。

「なにすんだよー」

のんびりと文句を言った。そのときは既に一団とかなり差をつけられた後だ。

「しぶといやつ」

遠ざかるクラウドの様子を見て、ミストが舌打ちした。

そのときである。ふいに風が巻いた。木々のざわめきがにわかに一団を取り囲み、何かが彼らの頭上を真っ直《す》ぐ飛び越え、闇の向こう、彼らの行く手に下り立った。

「止まれ」

老人が言った。声に緊張があった。全員がぴたりと足を止めた。街はすぐそこだった。手を伸ばせば届きそうなところに、街の明りが見える。その、街の明りと彼らの間の暗がりに、何かの気配があった。

火が点《とも》った。老人の手の中で火晶石《マッチ》を擦る音がしていた。老人が薄荷煙草を口にくわえ、火をつけたのだ。煙草は蛍族《ロイテライテ》にとっては食事に等しい。と同時に、彼ら特有の武器であった。果たして老人は煙草の火で宙に素早く印《スペル》を描くと、前方に向かって煙草を投げた。

ぱっと燐光《りんこう》が広がり、周囲の闇を払った。視覚的な防御結界である。彼らからは相手が見えるが、相手からは光の膜が邪魔をしてこちらの様子を見ることが出来ない。

老人は無言で指差し、光の円陣にそって足長族《フロッギー》の剣士たちを迅速に配置した。と――

「なんとも見事な手腕。感服した」

結界を越えて、声が届いた。次いで、声の主が、堂々とその姿をさらした。

「争う気はありません。あなたがた〈悪〉《アンダードッグ》の面々に頼みたいことがあるだけです」

美貌《びぼう》といえた。長い耳に赤い瞳《ひとみ》。形の良い兎唇《みつくち》に無邪気な笑みを浮かべている。両手を広げて敵意のないことを示し、一団から離れた所で足を止めた。

「長耳族《うさぎ》か……」

老人が驚いたように言った。

「俺たちに何の用だい」

「その前に、この光をどうにかして貰《もら》えませんかね。眩《まぶ》しくてしようがない」

長耳族《ラビッツテイア》は愛嬌《あいきょう》たっぷりにそう返した。声だけ聞けば子供のようだが、口調はひどく老成している。だがその姿は子供というよりもむしろ小柄な青年といったていで、いちいち齢相《とし》のはっきりしない相手だった。

「駄目だ。そのままで用件を言ってくんな」

「やれやれ、これはまた用心深い。あなたがた、時計石《オクロック》を拾いませんでしたかね」

ミストがはっとして老人を見た。

「知らねえな」

老人が言った。

「本当かな？」

長耳族《ラビッテイア》は首を傾げて問い返した。顔が優しく笑っている。不気味でさえあった。

「時計石《オクロック》なんかどうしようってんだい。長耳族《うさぎ》ったらあれだろ、機械仕掛けの……」

老人が問い返すと、長耳族《ラビッテイア》はやれやれと肩をすくめた。

「ある少女が、それを失っていたく悲しんでいるのだよ。あなたがたの想像以上に」

「俺たちも悲しんでるぜ。なにせ大勢やられたからよ」

「しかし、死んだ者は一人もいないはずだ」

きっぱりとした物言いに、今度は老人の方が肩をすくめた。

「ま、それもそうだな」

ぼそりと呟く。

「ジンバック様っ！」

ミストが鋭く叱った。

「でもよう……」

「あれーこんな所でまた、なにやってんのかと思ったら」

やけに間延びした声が、唐突に二人の間に割って入った。振り返ると、ようやく追いついたクラウドがのほほんと突っ立っている。そのまま老人の側に来ると、のんびり言った。

「ありゃあ、ジンバック様、あいつ見えてんよ」

「どういう意味よっ」

「どういうって……なあ、ジンバック様」

「まあな。見えてっかもな。そういうツラしてるしな」

「そんな……」

老人は長耳族《ラビツテイア》をじっと見詰め、意を決したように声を張り上げて言った。

「なあ、あんた、謝礼ってなどんなもんだい。返事はそれによるぜ」

「これと交換というのはどうかね」

長耳族《ラビツテイア》が言った。金色に光る懐中時計を取り出すと、一団に向かってひょいと放った。

それを、老人の手が、しっかりと受け止めた。

「やっぱ見えてるな、ありゃ」

「だろ。なー」

「あんたは黙ってなさいよっ」

蓋《ふた》を開くと、繊細な歯車の動きが透けて見えた。精巧な、透殻時計《スケルトンクロック》であった。

「おいおい、長耳族《うさぎ》がこういうものを手放すってのは、余程のことだぜ」

「ただの馬鹿よ。それ持って逃げちゃえばいいじゃない」

「いやー、やめた方がいいって」

「そうだな。何人か殺《や》られっかもしれねえな。下手すっと、全員やばいかもな」

かちりと蓋を閉め、ミストに手渡し、言った。

「お前さんが決めな」

憮然《ぶぜん》とした表情《かお》で、ミストが老人を見返す。

「ジンバック様にそこまで言われちゃ、どうしようもないわよっ」

そして、くるりと振り向くと、手にした時計石《オクロック》を勢いよく放った。

空中できらりと光り、長耳族《ラビッテイア》の真っ白い手の中で消えた。

「そいつの代わりに、これは貰っておくからね！　言っておくけど、無理やり奪い返そうとしたら、すぐにこの時計、ぶっ壊してやるから！」

長耳族《ラビッテイア》がにこりと微笑んだ。

「全ては因果の応報のうちに……では、これにて御免」

そう言い残し、道化た仕種《しぐさ》で闇に消えた。激しく風が巻いたかと思うとその気配も消え、あとには、チッチッチッ……と時計の針の音だけが微かに響くばかりであった。

「やあ、初めて男《ひと》から物を貰ったな」

のんびり言うクラウドを、今度こそ本当にぶん殴っていた。

2

Lin、と何かが音告げた。

ベルは思わずはっとなって振り返った。

中位東《ミドルイースト》の街は日が暮れてもどこか賑《にぎ》やかだった。蛍光石《ランプ》も豊富にあるため、夜になってから開く店もある。人通りが絶えるにはまだ早かった。騒がしいほどではないにしろ、様々に立てられる音の群の中で、ベルはその音を聞き間違えたとは思わなかった。

時計石《オクロック》は、生成場所や掘り出されたときの状況、また切り方一つで微妙に音を変える繊細な石だ。たった今聞こえた音が、自分の手で切った音であるのは疑いようがなかった。

(なにやってんだろ、私……)

周囲を慌てて見回し、はたとやめた。

(どうせもう、戻って来たって……)

ようやく、それが勘違いだと思うようになっていた。強いてそう考えようとした。

ところがそこで、奇妙な人物と目が合った。

赤いチョッキに黒いシルクの長ズボン。どこかで見た服だと思ったら、種族まで見覚えがあった。赤い瞳にベルの視線をとらえると、長い耳をぴんと立て、颯爽《さっそう》と近づいてきた。

「今晩は、お嬢さん。何かお探しですか」

丁寧な口調。男が旅の者《ノマド》であることは一目瞭然《りょうぜん》だった。その二つがベルの興味を惹《ひ》いた。

「うん、まあ、そうだけど」

相手の理性に満ちたまなざしに、ベルはなんとはなし口ごもった。

「どうせもう見つかりっこないし……」

「諦《あきら》めるには尚早ですな」

やけにきっぱりとした物言いだった。

「どれ、少し連れて歩いてみませんか。きっと探し出して御覧に入れましょう」

言うが早いか、ベルをうながしてすたすた歩き始めた。

変な奴に会っちゃったな、というのがベルの素直な感想だった。相手の言葉に期待するものなど何もない。それなのに、そのあとについて歩くのは何故だろう。男のやけに確信に満ちた物言いに、つい引き込まれてしまったのか。それほど時計石《オクロック》に未練があるのか。早いところ部屋に戻ってゆっくり休みたかった。だが今はまだ帰りたくない。ここで帰ってしまったら、何もかも諦めなければならなくなる。ではやはり未練か。

ふと、相手が自分と同じくらいの背の高さであることに気づいた。むしろ低いほどだ。その後ろ姿はまるっきり子供である。だがその動作はひどく老成して見えた。その二つが妙にない混ざった結果として、小柄な青年に見えるのである。

（つくづく妙なんだな、長耳族《うさぎ》ってやつァ……）

こんなのについていって、いったい何が見つかるというのか。

そんなことを考えていると、ふいに男が振り返った。

「これは申し遅れました。私、名をキティ＝ザ・オールと申します」

「はあ。私は……」

「存じ上げておりますよ、ラブラック＝ベル」

ベルの足がぴたりと止まった。

「なんで私の名前を？」

声が、自然と警戒の響きを含んでいた。

「あなたの所で、お世話になっている者がいますね。名は、キティ＝ザ・ナッシング」

男もまた足を止め、ベルと向かい合って言った。やんわりとした、穏やかな口調だ。

「あの者は、少なからずあなたに助けられています。私はただ、そのお礼がしたいだけ。〈剣《シュベ》の国《ルトラント》〉の剣士たちに負けず劣らず、長耳族《ラビッテイア》は義理堅いのですよ」

「じゃあ、つまりあんたは、あいつ……あの子供の、兄弟かなんかってこと？」

「〈硬貨の国《デナーリラント》〉では、全ての長耳族《ラビッテイア》は家族です」

ベルは合点したようなしないような気分だった。

「でも、あんたがあいつの兄弟だってんなら、なんであいつは一人なのさ」

「私も一人ですよ」

それだけで全て説明したことになる、とでも言うように、再び歩き始めていた。

「あなたが今探している物は、とても大事な物だ。そう……たとえば、あなたが旅に出るために出会わなければならない、偶然というものの鍵《かぎ》を握るほどにね」

（こいつ、何者なんだ……？）

半信半疑のまま、ベルもまた男のあとについて再び歩いていた。

（それにしても、変な名前……）

〈賢き者《ザ・オール》〉と〈愚か者《ザ・ナッシング》〉だなんて。

そんなことを思っていた。


そこでは全てが生《き》のままでいられた。

都市《パーク》の中央区《キャストラル》――〈正義〉と〈悪〉とを統括し、城を仰ぐ地域に、その店《イン》はあった。

ベルは自分でも全く予期していなかったほど、するりと店の中にいた。キティがそうさせたともいえるし、店自体がベルを受け入れたともいえた。

普段ならば、どんな店に入ろうとしても、先ず入り口でその剣を咎《とが》められた。決闘許可証《ドッグタッグ》を見せても入らせて貰《もら》えないことがしばしばあった。理由はあまりはっきりしない。ただベルのような者を店に入れたくないだけなのかもしれない。

この店でも、なるべくならば剣は店員に預けるよう言われたが、

「こいつがないと駄目なんだ」

それだけで、あっさり通してくれた。ベルの方がずいぶんと戸惑ったほどである。

「〈オン・ザ・ロック亭〉は、どこの国にもあるのですよ」

　キティが言った。

「聞いたこともないよ、そんな名前」

　キティに連れられて、ベルはその店の一階にある酒場を兼ねた食事処《デリカ》にいた。二階は宿屋になっている。治癒者を呼ぶのもたやすいし、必要とあればどんな技能者ともすぐに連絡が取れるとのことである。だがこの店の本当の特色は、もっと別のところにあった。

「こういった店のことをそう呼ぶといった方が正しい。いつの頃からか、旅の者《ノマド》という存在が世界に現れ、その数が増えるとともに、あらゆる国で彼らの集い合う場所が作られました。ここはそのうちの一つ。ある一人の旅の者《ノマド》が、王の許可を得て開いた店です」

「旅の者《ノマド》が……？」

「彼は由縁ある者にこの店を任せ、死にました。最後まで店に名前をつけずにね。旅の者《ノマド》にはよくあることです。彼が死んでも〈オン・ザ・ロック亭〉がありさえすればいい。これからやって来る者たちが、この店を必要とする限り」

　そしてその必要がなくなれば、店はいつでも消える用意がある。

　それが、旅の者《ノマド》の在り方なのだ。

　キティが、あるいは店全体が、そう告げるかのようであった。

「なんだか、寂しいな」

　ぽつりとベルが呟《つぶや》いた。

キティは何も応《こた》えない。ふと財貨《デナーリ》の銅を一枚取り出すと、店員に渡して何ごとか告げた。

円卓《テーブル》の上には既に所狭しと料理が並んでいる。これ以上何を頼むのかとも思ったが、相手の好きにさせた。別に自分が払っているわけではない。全てキティの持ち分である。

何をやってるんだろう。ベルは自問した。どうして今すぐここを出て行かないのか。

それを、ベルは、この店のせいだと思った。

円卓《テーブル》に置かれた氷と花酒と杯と。それらが、この店の全てを表している。

人と売り物と店と。何も加えず、何も差し引かない。そういう奴もいるさと、まるで放り出すようにして、誰もかれもを受け入れている。

いつもなら、どんな店でもぎこちなさがつきまとうものだが、ここでは不思議とそれがなかった。ひどく居心地が好い。こんなことはおよそ初めてのことだ。つまりは、いつもでないこの場所に、他ならぬベル自身が、いつまでもい続けたがっていたのだった。

そのベルのくつろいだ様子を察したように、キティがにっこりと微笑《わら》った。

「今、歌を一曲、頼みました」

「歌……？」

ベルは、何を言われたのか飲み込めないでいた。

「あそこに、燕《つば》尾《め》族の女がいます」

それは、ベルが初めて見る種族だった。そのしなやかな外見はこれまでに見たいかなる者とも違い、鳥に似ていた。事実、女の背から腕にかけて生えるものは折りたたまれた翼といえた。

鮮やかな黄の唇を杯に当て、湿らせるように喉《のど》を潤している。その腕に抱かれた金弦楽器もまた、弦の数からその形まで、見たこともない代物であった。

「彼女は、歌を生業《なりわい》に旅をする、吟遊詩人《トゥルバドール》でしてね」

聞いたこともない職種だった。

「歌って……そんな、農場じゃあるまいし。建物だってこんなにしっかりしてるよ。農楽も建楽も、必要ないじゃないか」

「ええ、確かに、必要はないのかもしれません」

「え……？」

燕尾族《スワロウテイル》の女のすぐ脇に、店員が立って、ベルたちを差し示した。

女が、ベルを振り向いた。目が合った。どきりとするほど透明な瞳《ひとみ》だった。黄の硬唇《くちばし》に静かな微笑みを浮かべ、その指が楽器に触れた。弾《はじ》いた。

Lone……と弦が震えた。

店が静かになった。

誰もが女を振り返った。誰の目にも、何かしらの期待があった。

女が、〈剣の国〉の言葉で、それを唄い始めた。

　ああ、目覚めましょう
もう魔法は使わずに

夢の中
目覚めたときに忘れてしまう
世界の秘密《アルカナ》　謎かけ《リドゥル》　物語《イストワール》
いつか聞いた幻の言葉で唄いましょう

ひとときの楽園《パラディ》
鏡を見るの。どこにもない国を築こうとして
通りましょう透き通る回廊《パサージュ》　迷宮《ラビリンス》
まるで名前も居場所もない、幻の少女《アリス》

鍵を奏でるの。割れた鏡に引き裂かれながら
探し続けていたものは
帰る道だと判っていたから
生まれたばかりの眩《まぶ》しさに
目を細め
そのときは小さき者さえ真実《ほんとう》の
安らぎの在処《ありか》を生きられるように

ああ、目覚めましょう
もう魔法は使わずに

いんいんと響く何かを残して、最後に一つ、弦が震えた。

拍手が起こった。静かな拍手だった。キティの言葉通り、女の歌は何も生み出してはいない。それなのに、いったい何に対して拍手するというのか。

まさしく名演といえた。冴《さ》ざやくような清《さや》けき歌声だった。ベルは痺《しび》れたようになって、ひっそりと手を叩《たた》いた。涙がにじむほど感動していた。立ち上がって賞賛したいくらいなのに。

それなのに何も生み出されてはいなかった。それが、どうしても解らなかった。

女が杯を手に立ち上がった。物静かな動作で、そのままベルのいる円卓《テーブル》まで来た。

杯を掲げた燕尾族《スワロウテイル》の女を前にして、ベルはさんざん口ごもった揚げ句、

「ありがとう」

ただそれだけを言った。なんとも間の抜けた返事だと、頭をかいた。

だがそれで十分だったらしい。女はベルを祝福するかのように杯を掲げ、一気にそれを干すと、静謐《せいひつ》な微笑みを残して立ち去った。ついにひとことも口をきかなかった。まるで喋《しゃべ》れないかのようだった。たった今、唄ったばかりだというのに。

「旅立とうとする者の呪いが、やがて祝福にならんことを……ということでしょう」

キティが言った。そして、ベルの内心を察したようにつけ加えた。

「彼女は、歌を唄うとき以外は、喋れないのですよ。噂では、耳も聞こえないとか」

それが彼女の、旅の者《ノマド》としての呪いなのだという。

「本当に何も生み出さないんだろうか、あんなに綺麗《きれい》な声なのに……」

「さて……ある者には類《たぐ》い希なる素質の無駄遣いに見えるでしょうね。彼女は神に祈ることさえしませんから。しかし本当に、彼女は何も生み出してはいないのでしょうか」

「判らないよ、そんなの。でも私、忘れないよ。きっとあの女《ひと》の歌、覚えているよ」

キティがにこりと笑った。

「探し物は、見つかりましたかな」

ベルはきょとんとして相手を見返した。

「さきほどの歌は、旅立つ者を唄った歌の一つで、〈剣の国〉では割と有名でしてね。たとえばあなたのご両親も、どこかで聞いたことがあるかもしれません」

はたと気がいった。歌詞の中にある小さき者とは、文字通りベルの名の意味だった。

「あるいは、それが歌だとは知らずに、言葉だけを知っていたのかもしれませんがね。いずれにせよ、その名に込めた思いは、同じでしょう」

その通りだとベルは思った。両親はいつかベルが自分たちのいる場所から離れて行ってしまうことを知っていたのだ。それは、ベルを我が子とした時から悟っていたことに違いなかった。

それでも、両親は惜しみなく愛情を注いで育ててくれた。

ただ、その別れがあまりに突然で、今の今まで、ちゃんと別れていなかったから、お互いに確かめ合うことさえ出来ず、うらみばかりがベルの中で積み重なっていったのだ。

その考えは間違ってはいなかった。あるいはそれは正しさを問うものではなく、ただ信じるべきものだった。それを幻想だと片づけてしまえるほど、自分の心は乾いていない。

「忘れてしまうことと、失うことを、同じと考える必要はありません」

キティがきっぱりとして言った。

ふいに涙が零《こぼ》れた。慌てて両手で顔を覆った。かっと頬が火照るのが判った。さきほどからこの男には動揺させられっぱなしだった。だがそれ以上、泣きはしなかった。

無性に照れ臭かった。わざと素っ気なく顔を背け、キティから目をそらした。

そこでベルの目が丸くなった。突然、見覚えのある男が視界に飛び込んで来たからだ。なんという威風堂々とした体躯《たいく》だろう。見違えようがなかった。

ガフである。すぐにベルの姿を見つけたようだ。ほっとした顔で笑って、近づいてきた。

「探したぞ。この辺りでお前を見掛けた者がいてな。だがまさかここにいるとは……」

「私も、こんな所があるなんて知らなかったよ」

「そのうち教えるつもりだった。まだ早いと思っていたのでな」

「遅すぎるくらいさ」

ガフは笑った。

「自分一人で見つけ、そう判断したのであれば、なによりだ」

「別に一人じゃ……」

言いかけて、呆然《ぼうぜん》とした。

たった今まで対向《さしむか》って座っていたはずのキティの姿がなかった。

(まったく……長耳族《うさぎ》ってやつァ……)

苦笑するベルを、ガフが怪訝《けげん》そうにのぞき込んだ。

「誰か一緒にいたのか？　そういえば杯が二つあるが」

「長耳族《うさぎ》がね、いたんだ」

それだけで、ガフは納得したようだった。無論、ガフの念頭にあったのは、〈賢き者《ザ・オール》〉の方ではなく、〈愚か者《ザ・ナッシング》〉の方であろう。それがまたおかしくて、ベルはくすくす笑った。

席を立とうとすると、ふいにガフが言った。

「忘れ物だぞ」

ガフの指差す先に、特別な宝石が置き去りにされたようにして、ぽつんと置かれていた。にわかには信じ難かった。それから、なんとなく、納得がいった。

「……ああ、そうだ」

自分は、もう少しで本当にそれを捨て去ってしまうところだったのだ。

それに手を伸ばし、しっかりと握った。

「私のだよ」

そして店内を見回し、小さくささやいた。

「見つけたよ、探し物」

Lin、と澄んだ音がひとつ、手の中で鳴った。

3

城にいた。

ガフと並んで、〈剣と天秤の間〉《パブリックオブジャスティス》に向かっていた。今回の戦闘の報償を得るためである。

つまり、ベルは選抜されていたのである。ガフはどうやらそれを知っていたらしい。これが、ベルにとっての最初の使命であったということも。

「両親には、会ったのか」

さり気なく、ガフが尋ねてきた。

「うん。……でも、もう会うこともないかな」

そう答えるベルの表情《かお》を、ガフは感心したようにまじまじと見詰めた。

「良い顔をしているな」

「そうかな？……まあ、色々とあって、それがみんなすっきりしたから」

「そうか」

「うん」

首に飾った時計石《オクロック》にそっと手を触れた。

広間に出た。舞台や観覧席には誰もいない。ベルが遅れてきた旨をガフが述べると、青い衣の神官たちが舞台に現れ、神の樹から王が姿を現した。

「小さき者《ベル》よ、そなたを称《たた》えよう」

王の双貌《そうぼう》が言った。

（どうしてだろう……）

王が自分の姿をみとめるたび、神の樹が自分を見てはいないことを感じさせるのだ。

「そなたの剣を天秤《てんびん》にかけよ。剣の語《と》いし戦《おこな》いにより、枯れぬ鉄を授けよう」

枯れない鉄とは、財貨《デナーリ》のことだ。王の言葉とともに、神の樹からきりきりと音が響き出した。歯車が軋《きし》むのに似た、また別の何かが新たに出現する音であった。

ぬっと王の胸元を貫いて、それが生え出た。さながら神の樹に実った鋼鉄の果実だった。果実はベルの頭上で二つに分かれ、たわむようにして鋼の樹の枝に吊《つる》された。

（これが、天秤……）

二つに分かれた果実には、それぞれ精緻《せいち》な意匠が凝らされており、

右の秤《はかり》には、神を表す、GODの刻印《スペル》が、

左の秤には、民を表す、DOGの刻印《スペル》が、

厳かにも刻み込まれている。

その右の秤に、あらかじめ幾分かの財貨《デナーリ》が積まれており、

その左の秤に、剣士たちの剣を載せるらしかった。

ベルはガフにうながされて、剣を神官たちに手渡した。途端、いつもの浮遊感が襲った。

「早く返してよ。このままじゃ落ち着かないよ」

ベルの言葉にも全く無言のまま、神官たちは数人がかりで〈唸る剣《ルンディング》〉を秤に載せた。

――ＥＥＥ……

剣が唸《うな》りを帯びた。まるで剣の樹と対話するかのようだった。

鋼同士の風聞とともに秤が傾くと、神官たちが用意された階段をのぼって、傾いた分だけ右の秤に財貨《デナーリ》を足した。

天秤はそれ自体が秤動《バランス》を取るようにして揺れ、やがて静止した。

剣が下ろされた。袋詰めにされた財貨《デナーリ》よりも先に、ベルは剣を受け取った。ついで財貨《デナーリ》を手にしたベルに、王の双貌が厳かに告げた。

「枯れぬ鉄はそなたに糧を恵み、より多くの者に糧を恵むだろう」

それが〈剣の国〉の流通だった。剣士たちが戦いで得た財貨《デナーリ》は、糧を恵むものとして都市《パーク》に行き渡り、それが国全体に広がるとともに税収として城に還《かえ》され、また新たに発行されるのだ。

この国は、〈正義〉と〈悪〉が互いに闘うことで潤い、支えられていた。

枯れない鉄。不思議な材質だった。〈剣の国〉では決して生産されないものだ。そのため、偽造されることも滅多にない。ガフによると、財貨《デナーリ》は〈硬貨の国〉で生産されているのだという。ではいかにしてそれを手に入れているのか、ということになると、さっぱり判らない。

つくづく神は、ベルにとって、不可解で不可触、かつ不可避なものであった。

（そのくせ、私を見ようともしない……）

ベルは王の双貌を通して、目に見えざる神の横顔を見据えた。

「使命はあと二つだ。いつでも言ってよ」

あまりに馴々《なれなれ》しいベルの言葉を、不思議と誰も咎《とが》めようとはしなかった。

「神言を待つがよい、小さき者《ベル》よ。今宵《こよい》はゆるりと休まれよ」

言われなくとも、そうするつもりだった。


「凄《すご》いな。最高階級《トップヒエラルキア》の剣士でも一度にそうは稼がん」

広間をあとにするなり、ガフが感心して言った。

「へへへ、運も良かったしね。これでしばらく食うには困らないや」

そう答えて、ふと、首を傾げた。

「最高階級《トップヒエラルキア》って、あの四剣士ってやつだろ」

「うむ」

それがどうした、とでも言わんばかりに片眉《まゆ》を上げてベルを見やった。

「あんたとキールで二人だろ。残りの二人はどんなやつなんだい」

「気になるのか？」

「興味あるね。面白そうだよ」

さらりと返すベルの様子を、ガフがしげしげと見詰めた。

ベルが他人に興味を示すことは滅多にない。それが、会ったこともなければ何の用もない相手となると尚更である。それだけ、自分自身に対して余裕がないともいえた。

「他者に興味を持つことは大切なことだ」

そう前置きしておいて、この男のいつもの癖として、注意深く言葉を選ぶように言った。

「一人は、名をティツィアーノという。水憂い者《オンデユーン》だ。しかし今は消息が不明でな」

「なんでさ」

「理由は判らん。あるとき突然、姿を消した。男でいるのか女でいるのかも判らん」

水憂い者《オンデユーン》の中でも、特に水族《マーメイド》は、必要に応じて男性になったり女性になったりすることを言っているのだった。性別に合わせて外見や身にまとう雰囲気も変わってくるから、もし性を変えて身を潜めているとしたら、自分から名乗り出ない限りまず見つからない。

ベルは肝心なことを訊《き》いた。

「強いの」

「ああ」

ガフの答えは端的だ。相手の剣質も何も、知りようがない。

「もう一人は、都市《パーク》にいるんだろ」

「うむ。……これも少々、わけありでな。剣士たちからは、剣盗人《ぬすっと》として知られている」

言いにくそうに眉をひそめるが、ベルは興味津々で目を輝かせ、続きを促した。

「そいつは戦場で死んだ者の剣を拾ったり、剣を捨てた者から買い取ったりして、自分の物にしてしまうのだ。それが原因で、争いになることもしばしばでな」

いかにも手に余っている、といったていである。

「そいつも、強いんだろ」

ガフが頷《うなず》いた。

「変なやつだなあ。なんでそんな面倒臭いことをするのさ」

「他者には言えない事情が、あるのだろう」

余計な詮索《せんさく》は、ガフの好むところではなかった。

「名前は？」

「アドニス」

4

その青年は常に無抵抗だった。

相手に殴りたいだけ殴らせておいて、せせら笑っていた。殴られる自分さえも哀れむように笑い、また殴られる。いつでも一方的だった。一方的に殴らせ、一方的に嗤《わら》った。

銀がかった真っ白い体毛。碧《あお》い瞳《ひとみ》。ひときわ赤い頭巾《バンダナ》を額に巻いて耳と眉とを隠し、相手に内心を見せず、じっとこちらを窺《うかが》っている。そんな男だ。

ベルが初めてその男を見掛けたのは、中位東《ミドルイースト》の街、剣士たちの集落《ファーム》でのことだった。

その光景を見たとき、ベルの手が、反射的に剣の柄《つか》を握った。

ひょっとすると、一人の若い月瞳族《キャッツアイズ》を、四、五人が囲み、激しく問答しているかに見える。だが実際は言葉の受け答えなどないに等しい。輪をつくって逃げ場を奪い、鞘《さや》に収めたままの剣で青年を殴った。青年は剣を帯びていない。丸腰である。殴り倒されるたびにゆっくりと立ち上がり、相手を押し退けて輪から出ようとするが、再び輪の中央に押し戻され、罵声《ばせい》とともに殴られた。青年は呻《うめ》き声一つ上げない。ただ黙って殴られている。

その光景にいきりたつベルを、ガフが厳しく抑えた。

「お前は構うな」

ベルが出ると、余計に騒ぎが大きくなると思ったのだろう。確かに、最高階級《トップヒエラルキア》のガフがひとこと言えば、この程度の騒ぎならばすぐに治まるはずだった。

だがそう簡単にはいかなかった。青年を取り囲む誰もが、ガフを前にしてさえ一歩も退かない。下手をすると青年を庇《かば》うガフにまで剣を向けそうな勢いだった。

そもそも剣士たちの集落《ファーム》では剣闘など日常の行いである。たとえば賭《か》け試合だったり、揉《も》め事を解消するためだったりと、理由はさまざまだが、決して無法ではなかった。怨恨《えんこん》も滅多にない。もしあっても些細《ささい》なことだ。たいがいが、からっと始まり、からっと終わる。一方が剣を引けば片方も引くし、剣を引いたところを騙《だま》し討ちにする者もいない。その必要などないからだ。なにより、法の下にあるからこその決闘許可証《ドッグタッグ》だった。

集団で囲むこと自体がおかしかった。しかも相手は丸腰である。その上、鞘に収めたままの剣で殴るなど、よほど頭にきたのは判るが、そうまでせねばならない理由とは何か。

全く非常識だった。これでは剣闘とは呼べない。ではいったい何なのか。

遠巻きに眺めていると、うずくまっていた青年と目が合った。それだけベルの方も、この異常事態の中心人物である青年に注目していた。

青年は、口元に薄く笑みを浮かべていた。何に対して、というのでもない。ただ笑っている。それが、ベルと目が合った途端、すうっと消えた。まるで水が乾いた地面に吸い込まれるように、赤い頭巾《バンダナ》の下であとかたもなく無表情になった。まるで仮面の表情である。

素っ気なく顔を背ける青年に、ベルはふと、城の神官たちの仮面の姿を重ねていた。

ベルは、その青年の手が、硬い革の手袋で覆われているのに気づいた。まるで仮面をつけぬ代わりに、それで両手を隠しているかのようだった。その考えはあまりに突拍子もなかったが、不思議と合点するものがあった。

「俺は、こんなやつを剣士とは決してみとめぬぞ！」

集団の一人が、ガフに詰め寄った。

「では、王に対して選抜の異議を質《ただ》すのだな」

ガフの方は、至って冷静である。

「無論、それは神に対し異議を唱えることにもなろう」

それで、集団が一気に引いた。下手をすれば、剣士の証《あかし》である決闘許可証《ドッグタッグ》を懸けた訴えになる。誰も、そこまでするつもりはないのだ。青年に鋭い一瞥《いちべつ》をくれ、渋々立ち去った。その様子を見る限り、再び青年が狙われることは明らかだった。だが、ガフは何もしない。

「……世話をかけるな」

青年が立ち上がり、顔をしかめて言った。喋《しゃべ》ると痛むのだろう。そのくせ、集団の立ち去った方を見て、皮肉そうに唇を吊《つ》り上げた。

「あいつらも、あんたの言葉は、よく聞くな」

顔が痣《あざ》だらけだった。血が滲《にじ》み、腫《は》れ上がって、もとがなかなかに整った顔立ちであるだけに、いっそう無惨だった。それが、ともすると不敵な笑みを浮かべている。相手を軽蔑《けいべつ》しているのではない。哀れんでいるようなのだ。

ガフは何も言わず、その青年の様子をじっと見詰めた。何かひとこと苦言を呈してやらねばならないが、言ったところで聞く相手ではない。そう思っているようだった。

やって来たベルをちらりと見やって、青年は、よろよろと立ち去っていった。

「……剣を持ってなかったね、あいつ」

「ああ」

「どうしてこんな騒ぎになったのさ」

「剣だ」

ガフは太い腕を組んで、溜《た》め息まじりに答えた。

「先の戦闘で死んだ剣士の剣を、あの男が拾ったのだ。遺族がそれを返して欲しがったが、あいつは、死者の剣はもはや誰のものでもないと言ってつっぱねたのだ。その押し問答の揚げ句が、あの騒ぎというわけだ」

　確かに、青年の言い分は正しい。死んだ者に振るう剣などありはしない。だが、死者を思う気持ちから、生前振るっていた剣を欲しがる気持ちはよく判る。むしろ、それを否定してまで死者の剣を手にしたがる青年の方が、ベルには判らない。

「あんたから、ひとこと言ってやればいいのにさ」

「言って聞くような男ではない」

「なんでさ。最高階級《トップヒエラルキア》のあんたが……」

「あいつも同じ階級だ」

　ベルは眉《まゆ》を跳ね上げて驚いた。

「じゃあ、あいつが……？」

「アドニスだ」

　ガフが苦い顔で答えた。

「あいつ、なんで自分で剣を育てないんだろう……」

　青年の去った方を見やって、ベルが訊くともなく訊いた。

　ガフが首を振った。さっぱり判らない、といったていである。

「もしかして、育てられないんじゃないかな」

「なに……？」

「だからさ、剣を、育てられないいんじゃないかな、自分じゃ」

青年の手を覆う、硬い、革の手袋を思い出しながら、ベルは呟《つぶや》くように言った。

「剣を育てることが出来ない……だと？」

ガフも、今初めてその可能性に気づいたようだった。

「致命的だな」

それほど、剣士であることと、剣を育てることとは、同義と考えられているのだ。

逆に、剣を育てられない剣士など、いったいいかなる事情があれば成り立つのか——

なんにせよそれが事実ならば、青年は間違いなく決闘許可証《ドッグタッグ》を剝奪《はくだつ》されることになる。

「何も判らんうちは、余計な想像や口外は無用だぞ」

ガフに釘《くぎ》をさされるまでもなく、ベルはそういう性格をしてはいない。

ただ、青年の硬い手袋のことが、いつまでも心に残っていた。


退屈な日々が、しばらく続いた。

使命がなかなか下りないのだ。招集の鐘が鳴るたびに城に向かったが、選抜されることはなかった。すべきことが決まると、それ以外のときは至ってひまになる。旅に出るための、ぽっかり空いた時間だった。

ひま潰《つぶ》しに戦闘に参加して、そのあとで剣の重さの分だけ罰金を払うという手もあったが、もとい、遊びで剣を振るう気はなかった。誰もが生活をかけて剣を振るっているときに、冗談半分で戦闘に出ても恰好《かっこう》がつかないし、余計な怪我をしてもつまらない。

キティも、一度現れただけで、それ以後は影を見せようともしない。もしかすると既に旅に出てしまったのかもしれなかった。いるのは、話し相手にもならぬ方のキティだけだ。

しかもこのキティ、夜になると決まって何処かに行ってしまう。ベルは一人だ。

自然と、部屋を出てぶらぶらすることが多くなった。目的もなく街をぶらつき、時には都市《パーク》を離れ、獣花《けもの》を狩って食費を浮かせた。することがないならないで、気楽に時間を過ごそうと腹に決めていた。

そんなとき、自分の住む宿舎の庭の一角で、綿猫《ポップス》の子供を見つけた。

全部で三匹である。手の平ほどの大きさで、その名の通り綿《ポー》のようにふわふわしている。

恐らく誰かが飼っていたものが死んでここらに埋めたところ、その死骸《しがい》を苗に芽が生え、新たな花を生み出したのだろう。少し探すと、思った通りベルの背丈ほどの綿《ポー》の木が、宿舎の裏庭に目立たぬようにして生えていた。

三匹とも、互いに身を寄せ合いながら、ガラス玉みたいな目を丸く見開いて、巨大な世界を見上げている。

(まるで生まれてしまったことに、驚いてるみたい……)

その様子に触れて、ベルは一発で気に入ってしまった。

果乳の残りを皿に入れて持って来てやると、Meee……と鳴いてこちらを眺めるが、一向に近づいて来ない。そのまま皿を置いて行くと、次の日には綺麗《きれい》になくなっていた。

それを繰り返すうちに、すっかりなつかれてしまったが、最後まで部屋に上げようとは思わなかった。飼う、という気がなかったからだ。彼らの短い生命の時間をほんの少し分けて貰《もら》えればそれでよかった。だから名前もつけなかった。

それでも、綿猫《ポップス》たちと付き合う時間はだんだんと長くなっていった。ときには傍らでキティ＝〈愚者《ザ・ナッシング》〉が座り込んで、ベルや綿猫《ポップス》たちに負けず、ぼんやりしていることもあった。

そんなあるとき、ふいに鐘が鳴った。剣士たちを招集する鐘の音である。ベルは綿猫《ポップス》たちの餌を入れた袋を手に、はて、どうしたものかと立ち止まった。

鐘にはあまり期待していなかった。どうせまた選抜外だろう。万が一選抜されていたとしても、多少遅れていったとして、特に不都合はない。

城には向かわず、ベルは宿舎の裏庭に回った。キティはいなかった。その代わり、鋭い声が聞こえてきた。数人が何ごとか争っている声である。

ベルが反射的に剣に手をかけ行って見ると、なんと見覚えのある青年がいた。

「アドニス……」

話したこともない相手なのに、ついその名を呼んでいた。

赤い頭巾《バンダナ》の青年がベルを振り返った。といっても、地面に倒れたまま顔を動かしただけである。その顔はまたもや痣だらけだった。そればかりか、全身をこっぴどく叩《たた》きのめされているらしい。ベルが近づいても、起き上がろうという気配だけで、実際には立つことも出来ないようだった。

青年のすぐそばに、見たこともない男たちが立っていた。みな一様に、やってきたベルに注目している。一人が鞘《さや》に収めたままの剣を肩に担ぐようにしているのを見て、ベルはすぐさま事情を察した。またもや「騒ぎ」があったらしい。

「ちょっとやり過ぎなんじゃないか。たった一人をよってたかってさあ」

ベルが呆《あき》れて言った。

「いったいどうしたってのさ」

男たちはやや怯《ひる》んだようになって互いに顔を見合わせた。みなベルのことを知っているのだ。当然といえた。キールとの勝負しかり、先の襲撃戦しかり。その尋常ならざる剣力と、相手の剣を砕くやり方は、いまや〈正義〉の剣士たちの間で知らぬ者はいないといってよかった。

だが当のベルにとってそんな事情など知ったことではない。ついでにいえば誰が誰と揉《も》めようがそれも知ったことではなかった。ただ、行き掛かり上、尋ねただけのことだ。

ところがそれが、ベルを爆発させることになった。

男たちの話では、つまりこういう次第であった。

彼らはみな、剣士である。剣士の剣とは、いったいいかなる剣を鋭いというのか、彼らの間で議論になった。やはり、柔らかいものと硬いもの、そのどちらも切れるのが、本当に鋭い剣であろう、というのが結論である。

そこまでは、ベルも多少は興味深げに聞いていた。その後がいけなかった。

結論が出たら、あとは実践だ。実際に誰の剣が一番鋭いか試してみよう。では先《ま》ず、柔らかいものといったら何か。そうだ、と一人が提案した。最近、綿猫《ポップス》をこの辺りで見掛けた。あれは、斬ったと思ったらふわりと宙に舞ってどうにも手応《てごた》えがない。まさしく柔らかいものの代名詞である。それを斬れるか試してみようじゃないか。そういう話だった。

「斬ったのか？」

ベルが恐ろしく低い声で訊《き》いた。

「いや」

と剣士たちの一人が答えた。

「三匹のうち、二匹まではな。だが最後の一匹がなかなかつかまらないのだ。他の二匹がなんの警戒もせぬ間抜けだったということもあるが……」

ベルの手から、どさりと袋が落ちた。実際はそれほどの荷物ではなかったが、それが落ちる音はその場にいる全員の耳をいやというほど打った。袋から僅《わず》かな量の食べ物が零《こぼ》れていた。

誰の目にも、それが何のために持って来られたか明らかだった。

沈黙が降りるかに見えた。だが男たちの方がそれに耐えられなかった。

「な、なに、綿猫《ポップス》などそこら中にいるではないか。その一匹や二匹……」

「飼っていたというわけではないのだろう？　あんなものすぐに枯れてしまうし……」

強いてこれがそう大したことではないと振る舞うほどに泥沼にはまってゆく。しまいには自分たちの罪悪感をごまかすために、言わんでもよいことまで口走っていた。

「獣花の餌付《えづ》けなどあまり良い趣味とはいえんな。この男のように、誰も相手にしてくれぬ者がすることだ。こいつめ、綿猫《ポップス》ごときにいきりたちおって、我らにかかってはこのざまよ。おっと鐘が鳴ってからだいぶ刻《とき》が過ぎているではないか。早く行かなければ……」

だらだらと喋りまくった揚げ句、逃げ出そうとする男たちの前に、ベルが無言で立ちはだかった。

「なんだ貴様」

男たちの声が剣呑《けんのん》な響きを含んでいた。男たちにしてみれば、ついそうなってしまっただけなのだが、これにはベルの外見に対する侮りもあった。

その男たちに向かって、ベルがゆっくりと〈唸る剣《ルンディング》〉をかざした。

男たちの目がひん剝《む》かれるようにして丸くなった。

あまりに巨大だった。間近で見るとこうも迫力が違うものなのか。試合を観覧している限りではこれほどとは……

「あんたらの鋭い剣とやらを、見せてみろよ」

ベルが言った。声が怒りで震えていた。今にも泣き出しそうなのを必死で堪《こら》えているようにも見えた。

男たちも、そうまで言われてはもはや後には退《ひ》けない。

剣を鞘ごと肩に担いでいた男が、素早く剣を抜き放った。

次の瞬間、男の体が宙に浮いていた。ベルに向かって、跳躍したのだ。ところが、地面を蹴《け》ったところでベルの剣撃をまともに受け、真横にすっとんでいった。

男の体が奇妙にねじれながら、庭の囲いの向こうに消えた。僅かな間を置いて、ばらばらと男の剣の残骸が降ってきた。

「全員でこい！」

ベルが怒鳴った。全身から殺気が立ち上っている。

男たちをいきり立たせるというよりも、自棄《やけ》っぱちにさせるに足る迫力であった。

叫びを上げて手に手に剣を掲げ、男たちがベルに殺到した。その男たちの叫びを、巨大な剣の唸《うな》りが、一息にかき消した。

あっという間だった。相手の剣を折るなどという生易しいものではない。相手の体ごと木っ端微塵《みじん》に撃ち砕いた。即死した者がいないのが不思議なほどだった。

剣を背に収め、完全に気を失った男たちを、ベルは片っ端からふんづかまえて塀の向こうに放り出した。これ以上この男たちを見ていると本当に殺してしまいそうだった。

「なんて馬鹿力だ」

振り返ると、アドニスが宿舎の壁によりかかって、上半身だけどうにか立たせてこちらを見ていた。

「何もそんな、斬るなんて……ひどいじゃないか」

思わずアドニスに詰め寄った。相手が違うのは判っていたが、どうしようもなかった。

アドニスは痣《あざ》だらけの顔でそのベルの様子を眺め、ぼそりと言った。

「遅れるぞ」

「え……？」

「招集の鐘はとっくに鳴り終わってる」

「いいんだ、どうせ選ばれてやしないもの……」

そう言って、ベルはアドニスに手を差し伸べた。

「ほら」

その手を、アドニスはじっと表情を消して見詰めた。

「こんなざまを見られるのは、これで二度目だな」

素っ気なくそっぽを向いて、ベルの手を取った。硬い革の手袋をした手だった。

「部屋は?」

アドニスに肩を貸してやって、ベルが尋ねた。だが、歩くことも出来ないだろうに、アドニスはなかなか答えなかった。

「放り出された方が気が楽なら、そうするよ」

ベルが言うと、ようやくアドニスが口を開いた。

「下方西《アンダーウエスト》の棟の三階の端だ」

用心深いのかな、とベルはアドニスの重みを肩に感じながら思った。まるで最初のあの綿猫《ポップス》たちみたいに。そのときふいに、木の茂みからその綿猫《ポップス》の生き残りがこちらを見詰めているのに気づいた。その目はベルを慕っているようにも、懐っこくなったことで兄弟を失ったことを恨んでいるようにも見えた。

「ごめんな」

ベルが綿猫《ポップス》に声をかけた。アドニスもつられて木を見上げた。

綿猫《ポップス》はしばらくの間じっとそこにい続け、やがてくるりと体を反転させると、茂みの中に消えた。その姿をベルが見ることはもう二度となかった。

「……あれは、ひと昔前の、訓練用の花なんだ」

辛《つら》そうに歩きながら、まるでひとりごとのように、アドニスが言った。

「今では他にもっと役に立つ花があるからな。あそこにあった綿の木《ポー》は、もともと訓練用に綿《ポッ》猫《プス》を飼育するためのものだ。柔らかいものも硬いものも、両方切れるのが、鋭い剣」

他人ごとのようなアドニスの口調に、ベルは思わずきっとなった。

「酷《ひど》いじゃないか、そんなのって」

「何も斬らずに、剣士は育たん」

「だからあんな弱い生き物を斬るのか？　そんな弱いやつが剣士になんかなるな！」

アドニスがくすくす笑った。

「同感だ」

そんな顔も出来るのかと思うほど、あくのない微笑みだった。痛々しそうな姿とあわせて、奇妙にも心かきたてられるものがあった。

「そう思ってるんだったら早く言えよ。あいつらと同じだと思うじゃないか」

わけもなくかっと頬が火照った。

「さあな。それほど違わないさ。もっと下種《げす》かもしれん」

「だったら、肩なんか貸してないよ」

アドニスは微《かす》かに苦笑した。

「なんでお前、俺の名を知っていた……？」

「ガフに聞いた」

「聞いたのは名だけか」

ベルはちょっと考えてから、首を振った。

「剣盗人って呼ばれてるって。それだけだよ。別に悪いことは言ってない」

「ガフらしいな」

そう言ってまたちょっとだけ笑った。ずいぶんと受け答えに屈託がなくなっていた。

「俺も、お前のことは、ガフから聞いている。名は、確か、ラブラック＝ベルだ」

「当たり。他には聞いた？」

「ああ」

「なんて言ってた」

アドニスから、すうっと表情が消えた。

「理由《ことわり》の少女と、そう呼んでいた」

5

ひどく印象的な部屋だった。

がらん、としている。日当たりも悪い。せいぜい西日が差す程度である。

「凄《すご》い部屋だなあ」

使い古したベッドにアドニスを横たえるなり、ベルが遠慮なく呆《あき》れ声を上げた。

ベッドには枕がなかった。円卓《テーブル》の上に食器が逆さに置かれ、その上にうっすらと埃《ほこり》が積もっている。どこにも、椅子というものがない。色褪《あ》せた敷布《カーペット》が敷かれているだけだ。

日に焼けてくすんだカーテンが、開けっ放しの窓から吹き込む風にわびしく揺れた。

（死告鳥《からす》の花だ……）

カーテンが元に戻るとともに、机の上の黒い花が目に映った。

訃報《ふほう》を告げる鳥の花が、枯れ落ちる言葉の亡骸《なきがら》に囲まれて、ひっそりと咲いていたのだ。

部屋を見回すと、風に煽《あお》られて部屋中に零《こぼ》れたのだろう、死告鳥《レイヴン》の濡《ぬ》れたような漆黒の花弁が、所々に散らばっていた。その一つ一つの花弁のくすみ具合が、ベルにひどく時間差を感じさせた。何人もの死が、時をおいて一人また一人と告げられ、そのたびに部屋が薄暗く、埃っぽく、空っぽになっていった——そんな感想を抱かせるのだ。

「……掃除、してやろっか？」

なんと言っていいか判らず、思わずそんなことを言っていた。

「それとも、礼拝堂《ゴーグ》に行くか？　そのざまじゃ、動けやしないだろ」

礼拝堂《ゴーグ》は〈玉座の間〉と直結しており、聖灰の管理所でもあった。病や傷を負った者はみなそこに赴いて、神の樹への祈りとともに聖灰を受け渡されるのだ。

だがアドニスはちらりとベルを見やると、別のことを言った。

「遅れるぞ」

「もう遅れてるって。アドニスはどうすんのさ」

「行くさ」

「その体で?」

アドニスの目が、じっとベルを見据えた。

まるで何かを推し量るような視線に、ベルも思わず口をつぐんだ。

「送ろう。お前なら、バンブーも気に入るだろう」

やがて、ぽつりとそう言った。

ベルにはなんのことやらわけが判らない。

いったい何を言っているのかと口を開きかけたところを、アドニスの声が遮った。

「バンブー!」

それは何かを呼ぶ声であった。

気配がした。ぱっと埃が立った。円卓《テーブル》の上だ。ベルが唖然《あぜん》とするのを余所《よそ》に、音もなくそれが現れていた。

見たこともない獣花《けもの》だった。琥珀《こはく》色の体毛をふさふさと風に揺らし、大きな目は左右で別の方向を見ていた。ぬっと突き出た鼻の形に沿って牙《きば》が並び、やけに長い舌がもう一つの尾のようにだらりと垂れている。それがこの獣花の全てだった。頭と尾と四本の脚しかない。他の、当然あるべき身体が、どこにもないのだ。

(使い魔だ――)

ベルが、というよりも、ベルの中で知識を司る導き手《ガイダンス》が、心の中で呟《つぶや》いた。

(犬狼花《ウォルヴス》の一種だ。契約者と命を結び、契約者が死ぬまで決して枯れることなく――)

アドニスがぱちりと指を鳴らすと、そいつがぴょんとベッドに跳び乗った。

「こいつは、俺の殻なんだ。いつもは自分で自分を食ってるから、どこにもいない」

またわけの判らないことを言った。

(飲食魔法《レスト・ラント》だ――)

もう一人のベルが心の中で囁《ささや》くとともに、そのわけが判った。ぞろりと並んだバンブーの牙の一つ一つに、精妙な刻印《スペル》が入れ墨のように刻み入れられているのが判ったからだ。

「……他の誰かを入れるのは、初めてだ」

アドニスが、思い出したように呟いた。

その言葉とともに、バンブーの大顎がかっと開かれた。

まさしく顎《あぎと》しかない生き物であった。その顎の奥、牙の扉が開かれた向こうに、茫漠《ぼうばく》とした無限の闇が広がっていた。そこに、ベルはまたたく間に飲み込まれた。

食われた。その感覚があった。

一瞬の暗転ののち、風景が一変した。

「なんつーまあ……」

溜《た》め息が零れた。それきり、絶句してしまった。

恐ろしく豪華な部屋であった。なるほどこれが最高階級者《トップヒエラルキア》の生活かと思った。あらゆる調度品が揃えられており、どれもこれもが最高の材質と装いであった。絨毯《じゅうたん》一つとっても精緻《せいち》をきわめる模様が美しく織り込まれ、しかも雲の上を歩くとはこれかと思わせる心地好さなのだ。とても、先ほどまでの部屋と同じ者が住む場所とは思えなかった。

ベルはふと周りを見渡した。埃一つなくきちんと整えられた部屋に、肝心の主がいない。

それどころか、四方を囲む壁には、窓もなければ扉一つなかった。入り口も出口もない。天井を見ると、数珠つなぎになった蛍光石《ランプ》が高価なガラス細工とともに部屋を明るく照らしており、無論、出入りするようなところは一つもなかった。

(閉じ込められた……?)

愕然《がくぜん》としかけたときである。背後で、きい……と何かが軋《きし》んだ。

振り返るとそこにドアが開いており、上半身裸のアドニスが現れていた。

ベルは唐突に現れたドアよりもむしろその裸身の方にどきりとした。綺麗《きれい》だった。銀がかった体毛にうっすらと包まれ、ぎゅっと引き締まった筋肉がしなうように動いた。

「すまんが、勝手にくつろいでくれ。体がひどくてな……」

そう言うと、自分は辛《つら》そうにベッドに腰かけた。その手に瓶が握られている。うっすらと透き通る粉が、小さな瓶いっぱいに詰められていた。聖灰であった。

アドニスが手袋を外し、聖灰を水に溶かして傷に塗った。驚くほど白く艶やかな指だった。常に手袋をしているせいというには、あまりに妖美《ようび》といえた。

その指先が、無意識の動作のように、するりと赤い頭巾《バンダナ》を取った。

意外に長い銀の髪が、さらさらとその額にかかる。

そうしてみると、なんとも好い貌《かお》であった。単に顔立ちが整っているというのではない。下手に顔立ちが整っているだけの者にありがちな、薄っぺらさや脆《もろ》さが微塵《みじん》もないのだ。艶《つや》やかでもありまた靭《しな》やかでもある、磨き抜かれた若い鋼の果実のような印象があった。傷の痛みにときどき顔をしかめるのが、どこか悩ましげでさえある。

なんとなくぼうっとしてしまったベルに、アドニスが不思議そうに目を向けた。

「どうしたんだ。座れよ」

ぶっきらぼうなアドニスの声に、ベルは戸惑うように頬を掻《か》いた。

「う、うん……」

どこか自分の声を意識するような、わけもなくぎくしゃくとした感じだった。決して不快なのではなかった。こんなことは初めてだった。ぎこちなく座ろうとして、ふと傍らを見ると、いつの間にかそこに、剣立てが現れていた。気がつけば、壁に開かれていたドアはもうどこにもない。

頑丈な剣立てに〈唸る剣《ルンディング》〉を預け、ソファに座った。クッションが沈み込みそうなほど柔らかいのに驚いていると、かたり、という音とともに茶器が現れていた。

ベルはだんだんそれに慣れてきた。遠慮なくティーカップを手に取った。紅茶の芳香に目を細めていると、今度は皿に載った菓子がテーブルに現れた。

「バンブーも、お前のことが気に入ったらしい」

ベルはくすりと笑った。なんだかわけもなく照れくさかった。

要するに、この部屋には精霊のように目に見えない執事がいるのだ。そしてその執事の意志は、今や好意に満ちてベルを供応していた。

アドニスの方も治療を終えたらしく、上着を羽織ってティーカップを手にしていた。

「どんなに殴られても、これ一つで何もかも治っちまう。ざまあないな。どんなに俺を殴っても、現実に今の俺は何の痛みも感じちゃいない。所詮《しょせん》は幻みたいなもんだ」

「その聖灰……なんでそんなに持ってるんだ？」

アドニスの言葉に、ベルはたった今、それに気づいていた。聖灰は神官たちによって厳しく管理されているはずのものだ。未来の傷に対して、あらかじめ聖灰を施してくれることなどあるはずもない。全て、実際に傷病を負ってからだ。

「賄賂《わいろ》。今度やってみな」

冗談とも本気ともつかない口調だった。その手を、厚い革の手袋が再び覆っていた。

「なあ……ちょっと、訊《き》いていいかな」

「答えられることとならな」

「理由《ことわり》の少女って、なんなんだ」

先ほどから、気になっていたことだった。

途端、アドニスの顔からまた表情が消え、厳しい顔で天井を見た。何かまずいことを訊いたかと不安になったが、どうやら単に考えごとをするときの癖らしかった。

すぐに表情を緩めると、きっぱり言った。

「判らん」

「何だよそれ」

ベルが呆《あき》れて肩を落とした。

「ガフにもよく判っていないようだった。その師……お前の師でもある男が、お前のことをそう言っていたと……それだけを聞いた。特別な運命にある者だと」

「そんなに大したもんじゃないよ私。ただ……帰り道が判らないだけ」

「帰り道？」

「どこに行けば、同じ種族に会えるのかってこと」

「そうか……」

判って貰《もら》おうとは思ってもいなかった。だがアドニスは意外なくらいあっさり頷《うなず》いた。

「他に、質問は？」

別に、と言いかけて思い直した。

「どうして他人から剣を取るの？　剣盗人だなんて呼ばれてまでさ」

アドニスもある程度予期していたのだろう。肩をすくめ、考え込むように口を閉ざした。

「言いたくないんなら、別に、いいけど……」

そう訂正しながらも、不思議と確信していた。

(こいつ、自分じゃ剣を育てられないんだ……)

ベルは、そうした直感力が並外れて鋭い。時には読心術のごとく相手の考えていることを読んだ。幼い頃から異端者扱いされてきたことから、他者の微妙な感情の動きを読むことに常に敏感であり続けてきたことが、そうさせたのだろうか。

いずれにせよ、ベルが相手から読み取った事柄は大きくそして重かった。

どんな事情があるにせよ、剣を育てられないということは、剣士としてはあってはならないことだった。ベルは、最高階級者《トップヒエラルキア》の大スキャンダルを確信して、不思議と、ひどく歯がゆい気持ちになった。

だが、そうしたことを一切否定するかのように、アドニスが言った。

「俺はただ、この都市《パーク》に問い掛けているだけだ」

「問う……?」

アドニスが頷いた。

同時に、かたり、と音がした。

壁に、いつの間にか剣がひとふりかけられている。

かたん、という金属音が、続いて部屋中に満ちた。四方を囲む壁に、次々と剣が現れてゆくのだ。剣質も鋼の齢相《とし》も、大きさも形質もなにもかもが違う剣の群であった。いったい幾つあるのか——その数はまさに数十数百あるかに見えた。

「まだこれだけじゃない。ここにはない剣も、バンブーの別の部屋《はら》の中にある」

「どうして……」

まさかこれほどの量とは思ってもみなかった。ただ剣が育てられないだけならば、こんなに集める必要はないはずだ。それとも、剣を育てられないということが、アドニスを異常なまでの剣数への執着に駆らせるのだろうか。呆気《あっけ》にとられて、ベルはアドニスを見た。

アドニスが、壁の剣をひとふり手に取った。

「これが、俺の刻印《スペル》だ」

そう言って示すのは、ベルの見たこともない文字であった。どう読むのかも判らない。

——？

と、その剣本来の刻印《スペル》の下に、新たに刻み込まれているのである。

「〈疑う者《クエステイオン》〉を意味する、神代の言葉だ。あらゆる剣質を俺に合わせる効果がある。俺の決闘《ドッグ》許可証《タッグ》にも、同じものが刻まれていて、俺の、もう一つの名だ」

「……いったい、なんのために」

「疑う者《クエステイオン》……どうしてこの剣とその握り手は闘わなければならなかった？　そもそも剣士とは何だ？〈剣の国〉とはいったい何なのだ？　王とは、神とは何者なのだ？」

アドニスはそれらの激しい言葉を、むしろ淡々として語った。

（こいつ、気づいているのか……？）

その目は、まるであの綿猫《ポップス》たちのものだった。どうして生まれて来たのか。どうしてここにいるのか。何も判らない。ただそこにいるということに、猛烈な不安と恐れと驚きを感じている目だ。どうして生きなければならないのか。どうして傷つけられねばならないのか。疑問、疑問、疑問。それらが答えられることが、果たしてあるのか。

「遺族の人たちには、それを説明したの？」

「説明したところで、結果は同じだ」

「黙ったまま問われたって、誰も判ってくれやしないよ」

アドニスは、それこそ無言で頷いた。

同じだとベルは思った。ベルが〈玉座の間〉で、どうして旅の者《ノマド》になるのかと問われたときと同じなのだ。それを答えたところで、本当の気持ちを理解する者などいるはずがない。ただ、本当にそれを望んでいるということさえ判って貰えれば……

「理解してくれとは言わん。ただ俺にはこうするしかないんだ。それに、一度疑う者《クエステイオン》を打たれたらもう誰の手にも負えん。剣の刻印《スペル》が全く意志を変えてしまったのだからな」

アドニスのその言葉にも、ベルの確信は不思議と揺らがなかった。アドニスは自分では剣を育てられない。そしてその原因とそれに対するうらみは、ベルが理解出来るようなところにはなかった。それは恐ろしく深いところにあって、暗闇に包まれている。バンブーのように、その狼の牙《きば》で自分で自分を食らって、誰の手も届かないところにあるのだ。

そのバンブーの中に、初めて迎え入れられた他者である自分にも、届かないのだろうか。

そう思うと、無性に歯がゆくなる。それはベルが初めて抱く感情だった。あるいはガフやキティがベルに対して抱く感情もこれに似たものだろうか。微《かす》かな直感だった。いずれにせよその感情は、まだ出会って間もないということとはあまり関係ないものだった。

「どうやら、間に合ったようだな」

ふいに、アドニスが言った。

その指差す先に、いつの間にか、窓が現れている。

「バンブーが見聞しているものを、ここに届けて貰っているんだ」

窓の向こうに、〈玉座の間〉の光景が広がっていた。恐らくバンブーは天井近くにしがみついているのだろう。観覧席さえ見下ろす高さだった。

長い祈りの言葉はとっくに終わり、王が神託を告げ、今回の剣闘について説いているところであった。そのあまりの長さに、ベルは思わず首を傾げた。こんなに長々と説明しなければならないようなことがあるのだろうか。

「ティツィアーノか……」

アドニスが王の難解な神言に耳を傾けながら呟《つぶや》いた。

どこかで聞いた名だと思ったら、最高階級《トップヒエラルキア》にある四剣士の一人だった。

それがどうしたのかと尋ねると、

「とうとう〈悪〉に堕《お》ちた」

無造作な答えが返ってきた。

思わず目を丸くしたが、決してありえないことではない。その逆、つまり〈悪〉から〈正義〉に昇ることに比べると、〈正義〉から〈悪〉に堕とされるのはままあることだった。だが、まさか最高階級者《トップヒエラルキア》が〈悪〉に堕ちるなど、いったい何があったのか。

「剣を砕かれ、〈正義〉を試された結果がこれか……俺とは逆だな」

ひとりごとだった。それを、アドニスは問われもせずに判りやすく言い直してくれた。

「ティツィアーノには、のべつまくなし、男女問わず愛人をつくっちゃあ自分を賞品にして互いに闘わせる癖があってな。男にも女にもなれる水族《マーメイド》ってのがくせもので、まるで神様気取りさ。それをみかねたガフが、とうとうティツィアーノと闘って、その剣を砕いたってわけだ。まあ当然だな。あの堅物にまで手を出そうとしたあいつの計算違いさ。それ以来、行方が知れなかったんだが、とうとう自分から〈悪〉に堕ちたらしい。〈悪〉をけしかけて、〈正義〉に復讐《ふくしゅう》すると宣言したんだそうだ」

「〈正義〉を試されるって……どういうこと？」

「砕かれた剣を元に戻す方法が、一つだけあってな」

ベルは驚愕《きょうがく》して目を見開いた。

「最高階級者《トップヒエラルキア》しか知らん事実だ。詳しいことは喋《しゃべ》れん。だが一つ言えるのは、そのとき、剣が握り手を試すということだ」

「剣が、試す……？」

アドニスは、さあな、とでもいうように肩をすくめた。

「じゃあ、その……俺とは逆って、どういうことさ。まさか……」

ベルの顔を真っ直《す》ぐ見ながら、アドニスはゆっくりと頷《うなず》いた。

「俺はもともと、〈外〉なんだ」

それ以上のことは何も言えないという顔で、また窓の方を見やった。

ベルはその横顔を見詰めていたが、ふいに自分の名が呼ばれたのに慌てて振り返った。

王の双貌《そうぼう》の声であった。

なんと選抜されていたのである。

ついで、アドニスの名も呼ばれた。

だがアドニスはじっと他の剣士の名が呼ばれるのに聞き入ったままぴくりとも動かない。ベルも、すぐさま異常に気づいた。選抜者の数が、尋常ではないのだ。いつまでたっても王の言葉は終わる気配を見せない。それどころか、剣士以外の者さえ選抜された。そもそも、こんなに長い時間をかけて選抜するなど、ベルには初めてだった。

「お祭り騒ぎの舞台演劇《ロールプレイング》が始まる……」

アドニスが、ぼそりと言った。恐ろしいほどの深刻さだった。

「覚悟しておけ。最悪の選抜だ」

挑むようなまなざしで、窓越しに神の樹を睨《にら》みつけている。

ベルが神の樹に自分の存在を問うときの目に、それはよく似ていた。

6

(何だこれは⁉)

ベルは悲鳴を上げるように心の中で叫んだ。

演習のまっただ中にあった。今回の戦闘の、いわば訓練である。それも、集団戦闘のための訓練であった。

「剣楽隊《バンド》を組んで、闘うんだ」

とアドニスは言った。

その同じ剣楽隊《バンド》にアドニスがいるはずだったが、今はその姿が見えなかった。

代わりに、指揮棒をふりかざす振付け師《コーレグラファー》と、ベルとともに戦陣を組む〈正義〉の剣士たちがベルを囲むようにして演習に励んでいる。その居心地の悪さといったら、ひどいものだった。

まったく要領が判らないのである。

「そこ！　勝手な動きをするな、そんなに仲間に迷惑をかけたいか！」

叱咤の声が飛んだ。

ベルはうんざりして振付け師《コーレグラファー》を見返した。

この月瞳族《キャッツアイズ》の男は、なにかあるとすぐに叱責するのだ。それもほとんどベルに集中していた。

それだけベルが注目され、また多分にやっかまれてもいるということの証拠であったが、当人のベルにはさっぱりわけが判らない。自分では精一杯、周りの動きについていっているつもりだし、事実、すぐさま戦陣の意味を見抜いて一歩も二歩も先んじて動いているのだが、かえってそれが振付け師《コーレグラファー》の癪《しゃく》に障った。

ベルとともにいる剣士たちも振付け師《コーレグラファー》の気持ちに煽《あお》られてか、ベルに冷たい視線を送っている。彼らにしてみれば、どこの山から降りてきたか知らないが、いきなり都市《パーク》に現れたかと思うとすぐさま剣士として破格の扱いを受け、この剣楽隊《バンド》においても最大戦力として登場していた。面白いはずがなかった。せいぜいガフの恩恵だろうとこぞって陰口を叩《たた》き、キールとの一戦を挙げては、そもそも剣楽者《ソリスト》としての資質に疑いがある、あれでは獣の業ではないか、そんなものにやられたキールもたかが知れているなどとあげつらった。そのくせ、「恐怖が四方《パシュ》から迫る《フル》」の呪詛《じゅそ》を浴びせた当人である彼らが、実際にベルに剣闘をふっかけることなどなかった。その剣の凄《すさ》まじいまでの威力は既に広く知られ、それがまたいらぬ中傷の種になるのだ。

そんなことは、ベルの知ったことではない。だが無関係でいられるわけでもない。

何せこれが二つ目の使命となるのだ。せいぜい、余計な争いを起こさず平穏につとめるに限った。

(剣を持ったことあるのか、こいつ?)

毒をこめてねちねちと言葉を弄《ろう》する振付け師《コーレグラファー》を見ながらそう思った。その途端、相手が滑稽《こっけい》に見えてきた。それほど相手に対して呆《あき》れていた。それが突然怒りに変わった。

「そもそもなんだね、その間抜けな手法は。剣の握り方も知らないのかね」

確かにベルの剣の握り方は独特である。正当な手法からは逸脱していた。だがそれは、〈唸《ルン》る剣《ディング》〉という恐ろしく規格外の剣を振るうためのものであり、何よりそれをベルに教えてくれたのは、記憶の彼方にあって既に見知らぬ、かけがえのない男だった。

「それは、私の師を侮《あなど》っていると、そう受け取ってよろしいか」

相手を遮って、ベルが言った。まさしく鉄塊の重みを持つ反論であった。口調も自然と外向けの、つまりガフの言う都市《パーク》向けの言葉遣いになっている。それがかえってベルの怒りのほどを端的に表していた。

振付け師《コーレグラファー》の男はにわかに色を失った。ベルの剣を握る手が、彼にぴたりと照準を当てていることにすぐさま気づいたからだ。まるでその間の抜けた手法をあんた自身に試してやろうかと言っているようなものだった。冗談ではなかった。

「いや、そ、そういうわけではない……」

ようやく男の方も、ベルの師が、あの名高い教示者《エノーラ》ラブラック＝シアンであることに思い当たったようだった。どもりどもり弁明した。その様子を見ていると、ベルの中から怒りがすうっと消え、代わってなんとも馬鹿馬鹿しい気持ちで一杯になった。

「いったん、休憩を取る。黄の刻《マチネ》には所定の位置に集合するように。解散！」

悲鳴を上げるように振付け師《コーレグラファー》が言うと、他の剣士たちも、ほっとしたようになって急いでその場を離れた。

その赤い瞳《ひとみ》には、何もかもが透明に、そのまま映し出されていた。何の解釈もなく、何の同情もなかった。拡大も縮小もされず、その双眸《そうぼう》を覗《のぞ》き込む者は、等しく己自身をそこに見出《みいだ》す。そういう目だった。

キティ＝〈愚者《ザ・ナッシング》〉は、小高い丘の上から演習の様子に目を向けていた。視線の先にベルがいる。といって、誰を見ているという風でもない。それどころか本当に演習を見ているのか、それさえ怪しかった。本当は何も見てはおらず、ただたまたま目をそちらに向けているだけであるのかもしれない。そう思わせるほどに、人形じみた無表情さであった。

その顔が、ふと動いた。振り向いた先に、一人の男が立っていた。だが男に振り向いたというよりも、振り向いた先にたまたま男がいたという感じだった。

「天秤《てんびん》が動く」

男が言った。

赤い瞳が、応《こた》えることもなく、男の顔を映し出した。男は月瞳族《キャッツアイズ》だった。その瞳が昼の光を受け、針のように細くなっている。壮齢も過ぎてなお全身気魄《きはく》に富み、腰に吊《つる》した剣は、鞘《さや》の上からでもそれが苛烈《かれつ》に育て上げられた逸品であることが見て取れた。

「機械仕掛けの神《デウス・エキス・マキナ》による予定調和だ。〈正義〉の楽隊に、勝ち目はない。〈悪〉もまた、いわれのない闘いに身を投じようとしている。それを問う理由《ことわり》は、いまだ未熟でいる」

口にパイプをくわえ、ぷかりと煙で輪をつくる。が、すぐにそれが消えた。幻なのだ。

「〈硬貨の国《デナーリラント》〉の流浪王子どのよ、今宵《こよい》、我が名を風聞されたい」

男はキティの赤い鏡のごとき双眸を見据え、やがてするりとその脇を通り抜けた。

たまたま道端で出会い、見知らぬ者同士挨拶《あいさつ》をした。そんな風であった。

数歩進んで、思い出したように男が振り返ったとき、キティの姿はどこにもなかった。

男の頬に、満足そうな笑みが浮かんだ。


一人、取り残されたベルは、言いようのない後味の悪さを噛《か》み締めながらその場に佇《たたず》んだ。

周りを見ると、他の演習者たちがこちらを見やってひそひそと互いに囁《ささや》き合っている。まるで演習場の者たちがこぞってベルを孤立させているかのようだった。

(慰みに怒りを醗酵《はっこう》させてはならない……)

「そんなこたァ判ってるよ」

内なる導き手《ガイダンス》の声に、苛立《いらだ》ったように言い捨てた。

そのベルの背を、ぽんと叩く者がいた。

「よう、のっぺらぼう。やってるな」

振り返ると、アドニスの微笑があった。ベルは我ながら情けないほど、ほっとした。

「あんたの言う通り、さっそく嫌な目にあったよ」

アドニスがおかしそうに笑った。

「その倍は、嫌な目にあわせてやったんじゃないのか」

「見てたのか」

苦い笑いが浮かんだ。

「ががた震えて、目も耳も転げ落ちそうになってたぞ、あいつ。それこそのっぺらぼうになりそうなくらいにな」

「ちぇ、のっぺらぼうってのは勘弁してよ」

だが、実のところアドニスにそう呼ばれるのが嫌ではなかった。むしろ、自分の姿形のことで下手に同情されるよりはよっぽど気が楽だし、嬉《うれ》しくさえあった。

「あいさ、ラブラック」

「ベルでいいよ」

「小さき者《ベル》よ。そなたを最早《もはや》のっぺらぼうとは呼ぶまい」

王の口調を真似してアドニスが言った。どうやってか、声を二重に響かせているところがそっくりだった。意外にもひょうきんな面を見せられて、ベルも屈託なく笑った。

話しながら、二人並んで演習場を横切り、天幕《テント》の一つに入った。

はたから見れば、つまはじきにされた者同士が互いに慰めあっているように見えるだろう。

だが実際は、その二人こそが、彼らの剣楽隊《バンド》の最大戦力なのだった。

「本当、とんでもなく矛盾してるな、ここって……」

ベンチに腰を下ろしながら、ベルがぽつりと呟《つぶや》いた。

「入り組んでいるのさ。ごちゃごちゃし過ぎて、誰の目にも見失われてしまってるんだ」

「なにが？」

「神の樹だ。あれが、俺たちの全てを握って放そうとしないのさ。神とは何だ？　どうして俺たちはあの樹に、いや……王の神言とやらに従っている？」

聞いているベルさえ、思わずひやりとするほどの暴言だった。神官たちに聞かれれば、剣士としての資格を疑われかねない。事実、演習には〈剣闘の間〉を司《つかさど》る神官たちが、戦闘における伴奏者《ピアニスツス》の役として、そこら中で鮮やかな黄牙《アイボリー》の衣を誇示している。

だがベルも実のところ同感だったし、アドニスとはまた違った疑いを抱いていた。神の樹が何もかもを支配しているこの国で、旅の者《ノマド》になることはその神の手から逃れることを意味する。それを、果たして神は許すのか。いつかの、ハギスの言葉が思い出された。神様が許しはしない。ではその神とはいったい何者なのか。王の背後にあるそれは、ベルの存在を本当にみとめてはいないのか。

答えようのない問いであった。

何とはなしに、二人の間に沈黙が訪れていた。決して不快ではない、いつどちらから話し出しても、それがどんなに下らない話題でも、許される沈黙だった。あるいはこのままどちらも黙り切ってしまっても、それはそれでよいと思わせる雰囲気があった。

周囲の遠いざわめきが心地好かった。ベルは、このまま相手の肩に頭を乗せて眠り込んでしまっても、なんの不思議もないような気持ちにとらえられていた。誰もそのまま二人に声をかけなかったら、もう少しでそうしかねないところだった。

二人の上に、大きな影がかかった。それほど、堂々たる体軀《たいく》の持ち主であった。

「ふむ……もう、互いを紹介するまでもなさそうだな」

　そう言うと、並んで座る二人の前に椅子を持って来て座り込んだ。

「ガフはいつも一歩遅いんだよ」

〈オン・ザ・ロック亭〉のときもそうだ。あるいはわざと、ベル自身が実際にそれに触れてはじめて、ガフが補うかのように現れているような気がした。

「自分一人で出会えたのであれば、なによりだ」

　まるでベルの内心を肯定するかのように、ガフが言った。

「なあ、ガフ。今回の楽隊の編成者《エディター》は、もっぱらあんたなんだって？」

　アドニスが言った。不満を訴えるような口調である。

　ガフは、言いたいことは判っている、というように頷《うなず》いた。

「どうにかならなかったのか」

「選抜者自体の相性が、なんとも悪い。お前たちがどうこうというわけではなく、全体的にそうなのだ。俺はその中で、最善の編成を行ったつもりだ」

　アドニスは肩をすくめた。

「文句なら、王と神に言えってことか」

「そうだ」

　きっぱりとガフは言った。そして、

「くれぐれも無茶はするなよ。お前たち第一楽隊のあとで、キールのいる第二楽隊、俺のいる最終楽隊が控えている。お前たちがそのままティツィアーノを倒す必要はないのだ」

珍しく消極的なことを言った。聞きようによっては手抜きをしろと言う風にも取れる。

だが、ガフはきわめて真剣だった。

「無茶はするなよ」

しつこいくらいに繰り返した。

「それを言うならこの戦闘自体が無茶だろうに」

アドニスが揶揄《やゆ》するように言った。その表情は、いつもの、冷ややかに相手の内心を読もうとする顔になっている。

「どういうことさ。……ガフ？　アドニス？」

「いいか、ベル。闘いの舞台になるのは、カタコームの洞窟《どうくつ》だ。都市《パーク》の西、つまり〈悪〉にとっては絶好の位置にあるんだ。その時点で、〈正義〉には分が悪い。入り口を確保するだけで猛戦闘になるぞ。しかも〈正義〉は一つしか入り口を知らないのに対して〈悪〉では無数に入り口を持ってる。内部構造まで正確に知っているはずだ。そんな所にのこのこと入っていったら、あっという間に退路を塞《ふさ》がれて全滅だ」

アドニスから言われるまでもなく、ベルも既に振付け師《コーレグラファー》からそうした説明は受けている。

そのための複数にわたる楽隊編成だし、こうして本陣で演習が行われている間にも、先陣楽隊によって、入り口を確保するための激しい闘いが繰り広げられているはずだった。

だがアドニスは更に続けた。

「カタコームは〈外〉にとっての——城外民《アンダードッグ》にとっての聖域だ。〈正義〉にとっての城みたいなものなんだ。あそこには地下湖が幾つもあって、貴重な貯水池になってるし、その水は〈外〉にとっての聖灰みたいなもので、治癒者にはなくてはならないものだ。〈悪〉は死ぬ気で抵抗するぜ。そのことを、〈正義〉のやつらは判ってるのか？」

　ベルはふいにアドニスがもとは〈外〉であることを思い出していた。そのアドニスが、言葉の半ばからガフを厳しく見据えている。まるで今回の闘いが既に敗北に終わり、その責めをガフに糾《ただ》しているかのようだ。

「お前を第一楽隊に入れた理由が、それだ」

　ガフはあくまでも冷静に応じた。

「〈正義〉の不和を、お前が補ってやって欲しい。お前ならあそこは……」

　アドニスが手を振ってガフを遮った。

「やつらが俺の言葉を信用すると思ってるのか」

「信用させねば、お前の言うとおり敗北を喫するだろう。お前の命にも、関わる」

　苛立ったようにアドニスが地面を蹴《け》った。そんなことは判っている。しかしどうしろというのか。そういう焦りが目に見えるようだった。出会ってから間もないとはいえ、アドニスがこれほど感情を表に出すのは珍しかった。だがベルには、それだけ今回の戦闘は困難をきわめるのだということが実感されただけだった。

　間もなく、演習を再開する時間になった。アドニスとベルは揃って立ち上がり、天幕を出ていった。ガフはその二人の背をじっと見詰め、ぼそりと呟いた。

「天秤《てんびん》が、大きく傾くな……」

城を見上げた。それは、神の坐《いま》す、絶対なる箱庭であった。


太陽は静かに落ちていった。

演習場の面々は、しばらくして日が暮れたことを悟った。暗がりが辺りを覆うに従って、次々と剣士たちが帰路を辿《たど》った。決戦は明後日である。誰もが真剣な顔になっていた。

人影の絶えた演習場に、いったいどこから現れたのか、ぽつんと白い影があった。

「やれやれ、流浪王子とは言われたものだ」

うーん、と呻《うめ》いて背を伸ばし、皮肉そうに呟いた。キティ＝〈賢者《ザ・オール》〉である。険しい顔で金の懐中時計を探して、もはやそれがないことに気づき、照れたように頭を掻《か》いた。

「因果の糸が再び手繰り寄せるまでの辛抱か。時計石《オクロック》ではいかにも趣味が違うなあ」

途端に子供っぽい顔つきになって、困ったように長い耳を引っ張った。

そのとき、もう一人の人影が、キティの背後から歩み寄ってきた。足音を隠そうとしないところを見ると、とくに不意をついてどうこうしようというのではないらしい。あるいは、その足音が幻術なのかもしれなかった。キティは振り返らずに、背で気配を探った。

「風聞、恐れ入る」

そう声をかけられて、はじめてキティは振り返った。

昼間、〈愚者《ザ・ナッシング》〉の前に現れた、月瞳族《キャッツアイズ》の男である。

声をかけたまま、かなりの距離を空けて、キティと向き合っている。

「ほう、さすが……」

キティが感嘆した。男がそれ以上歩を進まないことに、である。ちょうど結界の一歩手前で立ち止まっていた。〈式《フォーミュラ》〉はまだその演算さえ見せていない。恐るべき鋭さである。それが偶然ではない証拠に、男の足が、結界の形にそって線を引いた。

「敵意はないよ、流浪王子どの。俺は、理由《ことわり》を育てし者として、理由《ことわり》を連れ出さんとする者に、その意志を尋ねに来ただけだ」

男が言った。飄々《ひょうひょう》としているようで、いちいち隙が無い。にくいほどの手練《てだ》れだった。

「意志とはいかに？　〈剣の国《シュベルトラント》〉の流浪王子どの」

キティが返すと、男はにやりと笑った。不敵な笑みであった。

「もはや流浪すべき当てはないのだ。残念なことに」

そう言って城を見上げ、幻の煙をふうっと吐いた。

「この国に終《つい》えるべきと？　世界の謎々《エニグマ》を求め、執念の一語で我が国に辿り着いた御仁の言葉とは思われぬ。逆に流浪とはそこから始まることを言うのではないのか？」

「ふふん。相変わらず、希望を唱えるのがうまい。そのせいか、約定通りに理由《ことわり》を連れ出しに来たのは、王子どのだけだ」

「今のところはね。だが、一歩この国を出ればどうなるか、私にも判らぬよ」

「それ以前に、この国を出ねばなるまい。それは、この国に理由《ことわり》を問うことでもある」

「やはり、機械仕掛けの神《デウス・エキス・マキナ》……」

男が頷いた。

「私は本来、理由《ことわり》を見定めるべく遣わされた者……連れ出すのはそののちのこと」

キティが言った。声のトーンが低くなっていた。

「見定めるとは？」

「手に負えぬ邪悪ならば、その存在を知る者もろとも殺す」

淡々として言った。一切の感情の消え去った、機械のような声音であった。

「ふん……。むしろそちらの方が、〈賢者《ザ・オール》〉としては都合がよろしいか？」

「そうでもないのですがね」

にこりと笑った。つい今しがたの冷酷さが嘘のようだ。腰に手を当て、城を見やった。

「鉄と血の神楽《カグラ》……神々の抵抗と、そう思ってよろしいのかな」

「そうだ。そして神は、理由《ことわり》を遠ざけんがために様々な手を打つだろう」

「手、とは？」

「さあて……我が故国《ゆえ》の神ながら、その思考は兄王にしか判らず……あるいは、兄王にさえ、実は判っていないのかもしれん。ただ判っていることは、次の戦闘は恐ろしく危険なものになるということだ。それこそ、理由《ことわり》の芽を潰《つぶ》すことになりうるほどに」

「そうはさせぬよ。そのことを、私に頼みに来たのでありましょう？」

男が、はじめて目をキティに戻し、頷《うなず》いた。

「一つ聞きたいのだが、どうして、御仁が自分で行かれない？」

キティの双眸《そうぼう》が、じっと男を見据えた。その瞳《ひとみ》は〈愚者〉の時とは一転して、そこに映る者の思考の全てを読み、魂さえ飲み込んで食い尽くしそうな危険な輝きを帯びていた。

だが男は赤い瞳にその姿が映るに任せ、見事に動じない。ただ静かに佇《たたず》むばかりである。

「呪いか……」

納得したようにキティが呟《つぶや》いた。

「あい判った。だが御仁を見定めるべく、もう一つ聞いておきたい。御仁にとってあの少女はいかなる存在か？」

男の目が、すうっと細められた。遥《はる》か彼方を見詰める目になっていた。

「あいつはいわば、舞台において死んだ俺の屍《しかばね》に咲く、死告鳥《からす》の花だ。俺の手の決して届かぬ高みに、俺の言葉の亡骸《なきがら》を風聞する存在――」

半ばキティに背を向け、幻の煙を細く吐き、呟くように答えた。

「俺の希望だ」

7

盛大なファンファーレが、戦場に赴く第一楽隊を送り出した。その花道を、剣士たちや農楽者たち、城内民《トップドッグ》の面々が、紙吹雪、リボン、色とりどりの旗、武運を祈る楽の音など、長く左右を飾って、まことにお祭り騒ぎの様子でずらりと並んでいる。剣士たちの行進を邪魔しないよう、別の剣士たちが警備に動員されるありさまだった。

楽隊の先頭を巨大な乗り物がのし歩き、その威容がひときわ目を引いた。

甲輿花《ステムグラス》である。巨大な甲羅に品種改良を加えられ、生ける御輿《みこし》として豪華に飾られた大亀の花が、楽隊の中心戦力を披露しながら、のっしのっしとゆっくり戦場に向かうのだ。

ベルは特別にその甲羅の上に乗せられながら、つとめて平静に観衆を見下ろした。他の者たち同様、背筋をぴんと伸ばして観衆の声援を無言の微笑みのうちに受け入れる様はなかなか堂に入っているといえた。また、そうするよう、指示があったのだった。

実をいえば、ひたすらむず痒《がゆ》かった。とかく場慣れしていない分、戸惑いも大きい。かろうじて昂揚感《こうようかん》が勝っているのは、すぐ傍らにアドニスの存在があるからだ。アドニスがいなければ、今頃は逃げ出したくてしょうがなかったはずである。

制服を着ていた。衣裳師《デザイナー》がこの戦闘のために特別にあつらえたものである。楽隊ごとに基本色が違い、ベルたち第一楽隊はみな紅色《カメリア》を基調にしていた。真紅に映える制服衣装《グラスウェア》はどれも一見して無防備な印象を受けるが、要所に軽くて強靭《きょうじん》な水鋼《みずがね》の糸を織り込んでおり、下手に無骨な鎧《よろい》を着るよりもよほど身の守りに優れている。実用的であり、かつ着る者を鮮やかに引き立てる優れたデザインで、動きやすく体にぴったり馴染《なじ》んだ。

だがこれがいけなかった。ベルにしてみれば稚《おさな》い胸の膨らみをいやに強調されているような感じがして、恐ろしく気恥ずかしい。腰回りも脚も、まるで見世物にでもされたかのようにやたらと視線を感じていた。

事実、両性具有である水族《マーメイド》の衣装師《デザイナー》は、相手の老若男女を問わずとことんその魅力を引き出すべく、最大限の技術と感性を費やしていた。また、それが衣裳師《デザイナー》の仕事だった。

「衣裳《いしょう》の方がお前を着てるみたいだ」

出発の直前、同じく真紅に飾り立てられたアドニスが、ベルをひと目見るなり呆然《ぼうぜん》として言ったものである。

さすがにかちんときたが、

「いやいや、それだけ似合ってるってことを言いたかったんだが……」

この男にしては珍しく、慌てて言い直した。つくづく褒め下手なやつだなと思う。

だがつまりは、それほどベルは映えていた。まるで衣裳師《デザイナー》がベルだけ特別によりをかけて飾ったかのようだった。何の種族的特徴も持たぬ無形の容貌《ようぼう》ゆえに、かえって何にも邪魔されず、衣裳と一体となることが出来る、そう思わせるものがあった。

その傍らに立つアドニスも、見事なまでに逞《たくま》しい姿である。決して筋骨隆々というのではなく、弾力豊かな、しなうような強靭さがあった。押せば押すほど曲がるが決して折れることはなく、手を放せば即座にぴしりと跳ね返ってくる。そういう手強《てごわ》さを感じさせる容貌である。

赤い頭巾《バンダナ》も、紅色《カメリア》の衣服とその銀がかった体毛によく似合った。

「とんでもない大舞台だな」

ベルが、すぐ隣に佇むアドニスにひそひそと話しかけた。花道を通り過ぎる間、私語は禁じられていた。

「すぐに、そうも言っていられなくなるさ」

観衆に醒《さ》めた目を向けながら、アドニスがぼそりと応《こた》える。

それを横目に、ベルはふと〈八つ手《ネグローニ》〉と闘ったとき、衆人の目を気にせず衣服を脱ぎ捨てたことを思い出して、なんとなく気恥ずかしさを感じた。

(もう、あんなことは出来ないなあ)

それがちょっぴり残念でもあるような気になった。

気がつけば、制服衣裳《グラスウエア》にもすっかり慣れてしまっている。制服、と聞いた当初は、いかにも楽隊を無理やり同じ色に染め上げようとしているようで反発を感じたものだが、実際に衣裳師《デザイナー》が一人一人に合わせて丹念に作り上げ、それでいて全体の基調を崩さないよう細心の注意を払っているのに触れ、正直なところ、自分から着てみたくなっていたのだ。

(制服か衣裳か……。気の持ち方一つで、業の意味も違ってくるもんなんだな)

ふと、観衆の中から、ベルを呼ぶ声が聞こえた。

見やれば農楽者たちがこぞってベルに向かって手を振っている。ベル自身びっくりしたが、考えてみれば〈悪〉の襲撃の際に最も彼らの印象に焼きついたのは、真っ先に飛び込んできては滅多やたらと敵を倒しまくったベルと、それが握る〈唸る剣《ルンディング》〉である。しかも、幼い頃は彼らとともに集落《ファーム》に住んでいた身だ。彼らが特に手を振るのも判る。

ベルははにかんで、ほんの少しだけ手を振り返した。

（剣楽も、そう悪いもんじゃないな……）

そんな風に思っていた。

剣楽も、ときにはベルに充実感を味わわせてくれた。ときには、である。

特に、相手によっては雲泥の差のあることを、ベルがさっそく悟ったのは、花道も半ば通り過ぎてからであった。

甲輿花《ステムグラス》の上には、ベルを入れて八名が乗っていた。楽隊指揮者《バンドコンダクター》、演出者《エディター》、脚本者《リブレット》、伴奏者《ピアニスツ》そして四人の剣士《ソリスト》たちである。これよりのち、アドニスを除くこれら六名の楽隊中心要員の実に全員が、ことごとくベルを怒らせ、呆《あき》れ返らせ、あるいはあまりの馬鹿馬鹿しさにむしろ哀れみを催させることになるのだった。

その先陣を切ったのは、一人の剣士《ソリスト》である。

男だ。筋骨隆々の水角族《ミノタウロス》で、名を、ゴードンといった。

「大した剣だな」

ゴードンはそう言ってベルに近づいた。言葉づらは相手を褒めこそすれ、内実がそれとは逆の蔑《さげす》みに満ちていることに、ベルは持ち前の敏感さで気づいている。それこそ眉《まゆ》を跳ね上げ、もう少しで嫌悪の表情を浮かべかけて、それに、耐えた。花道のときの良い気分を下手に壊したくなかったし、同じ剣楽隊員ということで敢えて我慢したのだ。

だがゴードンはふんと鼻を鳴らすと、

「ここにいるのは、その剣のお蔭《かげ》だな」

いきなり決めつけた。そうしておいて、自分の目の確かさを誇るように、頷いた。

甲輿花《ステムグラス》に乗るということは、それだけ熟練し、困難を経てきたことの現れであった。新参者であるベルに、そういう目が向けられるのは当然といえた。だが当のベルは無論、そんな理屈は知ったことではない。ひたすらむかっ腹が立った。しかしまだ耐えていた。

「見せてみな」

横柄な言い種《ぐさ》にもどうにか心宥《なだ》め、〈唸る剣《ルンディング》〉を剣袋から外して見せた。

途端に、ゴードンがごつい顔をしかめた。汚い剣だなあ。顔がそう言っていた。確かに、平常の〈唸る剣《ルンディング》〉は、老鋼の肌をしている。だがそれは所詮《しょせん》、殻にすぎない。いったんその内在する力を解き放てば、鉄より堅固な甲檻花《ゴブレット》の甲羅を両断することもたやすいのだ。

「貸せ」

頼みではなく命令だった。ベルの返事も待たず、剣の柄《つか》に手を触れた。

烈火のごとき怒りがベルの腹の底でのたうったが、なお耐えた。すぐにゴードンの顔色が変わったのも、怒りを冷やすのに一役かった。

あまりの重さに、ゴードンの目が真ん丸に見開かれていた。それでも意地を張って右腕だけで持ち上げようとする。力自慢の水角族《ミノタウロス》としては、こんな形で面目を潰《つぶ》されるなど考えられることではない。いつしか顔が真っ赤になって歯を軋《きし》らせ、その様子に甲羅に乗る全員の視線が集中した。

くうっ……。ゴードンが呻《うめ》いた。とともに、剣が高々と持ち上げられた。だがそれが限界のようだった。放るようにして剣を置いた。ほとんど投げ出すのに近かった。がらん、と鈍い音がした。とんでもない剣の扱い方だった。およそ剣士としての礼儀に欠けた。

ベルは〈唸る剣《ルンディング》〉を急いで取り戻し、心の中でひたすら詫《わ》びた。

（ちくしょう、ごめんな、あんなやつに触られて気持ち悪かったろう）

そして、肩で息をつくゴードンから顔を背けるようにして剣を背負った。

そのゴードンの面子《メンツ》を、女の声が救った。

「さすがだわ。手法も教えられずに、それだけ持ち上げるなんて」

〈唸る剣《ルンディング》〉を持ち上げるには、特殊な技術がある。それを知らずにはどんな力をもってしても持ち上げることはできないはずだ。言外に、そう言っていた。明らかにゴードンの立場を助け、ベルを侮るものだった。

「あなたの教示者《エノーラ》が、いかに優れていたかが窺《うかが》えるわ」

女は演出者《ディレクター》だった。ベネディクティンという名の、見目麗しい水族《マーメイド》である。

颯爽《さっそう》と立った三枚耳《ドライツエン》、つややかな薄紫色《ライラック》の髪と瞳《ひとみ》、両肘《ひじ》から伸びる銀の鱗骨《りんこつ》が陽射しを受けてきらきら光っている。一見して冷徹な美貌と艶《あで》やかな姿態の持ち主であったが、一族特有の偏見と差別がこの女に至って見事に大成されたかのような性格をしており、なんとも嫌あな目でベルを見た。

ゴードンが女のくびれた腰に手を回した。どうやらそういう仲らしい。嫌なカップルだった。

「まったくだ。いったいどんな習練だったのか、暇潰しに話して貰おうじゃないか」

良い考えだわ、と真っ先にベネディクティンが賛同した。

「そんな……」

ベルは呆れ返った。本気で言ってるのかと疑った。教示者《エノーラ》が高名であればあるだけ、その習練の様子は秘儀となる。それが、ベルの記憶から師がすっかり立ち去った理由の一つでもあるほどだ。弟子自体が覚えていなければ、秘儀は漏れようがない。それほど、教示者《エノーラ》の習練は特殊で門外不出だし、門弟にしてみれば、それは師との貴い思い出である。それを暇潰しに、とは何という言い種か。怒りを通り越して、呆然としてしまった。

「あら、つまらない娘《こ》ね。名にし負う教示者《エノーラ》を、自分一人のものだと思ってるの？」

とことんベルを侮っていた。剣を褒め、師を褒め、ベル自身をひたすら中傷する。こざかしいの一語に尽きた。

（そろそろ抑えようがなくなってきたぞ……）

ベルの内心を読んだかのように、唐突に割って入った者がいた。

「皆さん、いよいよ洞窟《どうくつ》が近づいてきました。語らいはやめ、注目を」

ぱん、と手を叩《たた》いて言ったのは、壮齢の月歯族《マウティー》であった。名をカンパリといい、この一団の指揮者《コンダクター》である。もともと振付け師《コーレグラファー》であったのが指揮に転向したため、剣については何も知らないといってよかった。むしろ元振付け師《コーレグラファー》らしい巧みな戦陣さばきの方を期待されて、この任に就いたのだ。

ひと通り陣形の再確認を行っていると、

「ラブラック、面倒は御免ですよ」

いきなりベルに向かってたしなめるように言った。

突然のことにベルはぽかんとして、はあ、と気のない返事をした。

「あなたは楽隊全体を考えるということを知らない。無用な行動は厳しく禁じますからな。よろしいか。陣形を破るようなことがあったら即刻楽隊から放り出しますよ」

なんとも一方的だが、これにも実はわけがあった。カンパリは、〈悪〉による襲撃戦の際の第一指揮者《コンダクター》だったが、ベルが単独で先駆け、しかも滅多やたらと撃退してしまったので、結果として面目を潰された形になったのだ。ベルには剣士団のことなど全く念頭になかったのだが、カンパリにしてみれば思い上がりもはなはだしいことである。その目には、ひたすら功を焦って突進する愚かな若者にしか見えていない。

「はあ……気をつけます」

ぼんやり答えるベルをじろりと睨《にら》んで、すぐにまた陣形の説明に入った。

長々とした説明の最中に、また別の者が小声でベルに話し掛けてきた。

「ねえ、気にすることはないよ。ほんと、ひどいこと言われて、大変だね」

月瞳族《キャッツアイズ》の青年であった。ペリエと名乗り、剣士《ソリスト》として参列していた。

一見してひ弱そうな姿態とは裏腹に、大きな剣を担ぐようにして掲げている。よほど自慢の品に違いなかった。鞘《さや》の上からでも、その威容が目につくほどだ。

「気にしちゃいないよ」

　ベルは青年の大剣に目をやりながら言った。

「ふうん。そう。でもひどいやつらだよね。いつもああなんだ。可哀相なやつを見つけちゃあ、ああしていびろうとするんだもん。卑怯《ひきょう》だよね」

（可哀相だって……？）

　それだけで、ペリエと名乗る青年がどういう風に自分を見ているのか、理解できた。

「あいつら、他人を差別して自分を慰めてるだけなんだよね。君だって頑張ってるのにね。たくさん努力して、ようやく人並みになれるのに。誰も判ってくれないんだよね」

　唖然《あぜん》とするベルを前に、しかしペリエは恐ろしいまでの無頓着《むとんじゃく》さで続けた。

（判っていないのはお前だ！）

　危うく叫びそうになった。

（人のことをまるで不具みたいに好き勝手言いやがって……）

　そもそも不具に対して今の言葉を吐くなど言語道断である。それこそ単に他者に同情して自分を慰めているにすぎない。しかも当人はきわめて善良な心持ちだと信じ切っている。腹が立つと同時に、やるせない気持ちになった。

　ペリエは実にべらべらと喋《しゃべ》りまくった。要するに、自分だけはベルのことを普通に扱っているのだと主張したいらしい。普通とはなんだ普通とは。だんだんむかむかしてきた。

　ああそうだとも、私は確かに異形で野蛮だよ、あんたら普通の者のようには振る舞えないさ、馬鹿野郎。内心で毒づいた。

ベルがむっつりとして視線も合わせなくなったのを、ペリエは不思議そうな目で見た。

「色々と、辛《つら》いことがあるよね」

ふっと納得したように、持って回った言い方で、きざったらしく言った。鳥肌が立った。甲輿《ステム》から蹴《け》り落としてやりたかった。はっきりとは理解出来ていないが、相手のベルに対する恋慕の情にも似た気持ちを敏感に感じ取っていた。事実、心なしすり寄って来るようなのだ。なんという自己欺瞞《ぎまん》か。鏡とキスしてろ、そう罵倒《ばとう》してやりたかった。

「なんだそれは、それでこの俺を納得させられるか！」

ふいにゴードンがごろごろ言う声でわめき散らした。

「すいません、希望を伺う余裕がなくて……ええ、じゃあ、どのように……」

弱々しそうに肩をすくめるのは、弓瞳族《シープアイズ》の青年だった。ギネスという、脚本者《リブレット》だ。金の巻き毛からのぞく巻き角もまだ若々しいくせに、どんよりと疲れた顔をしている。

「寝ぼけたことを。言わんでも判るだろう。この俺を後ろに置くかよ。うっかり前のやつらを叩っ斬っちまうぜ。前に出せってんだよ前に。なあ、ペリエ、お前もそう思うだろ」

どうやら、作戦立案でもめているらしい。

いきなりふられたペリエは、わけも判らずに、その通りですねと勿体《もったい》ぶって答えた。

「はい、ではそのように調整して……ええと、前面を先に……と」

洞窟に着く直前で書き直しを迫られたギネスは、眉間《みけん》に皺《しわ》を寄せ、焦ってペンを走らせた。

おどおどした顔で他の者にも聞いて回り、

「私は別に、なにも……」

ベルがあっさり返答すると、ギネスの顔があからさまにほっと緩んだ。

土壇場で書き直された立案は、一部の主張によるごてごてした修正で、いったい誰が書いたのか判らないようなひどくぎくしゃくしたものになっていた。それでも短時間で前後矛盾なくまとめ上げたところを見ると、なかなかの腕なのだろう。だが、疲れたような顔で空を見上げているところは、毎日ひとの顔色ばかり窺っているような、貧すれば鈍すといった、いかにも貧しい心持ちをしているように思われた。

「あいつも可哀相だよね」

ペリエが、ギネスをちらりと見やって言った。

いい加減、ベルはそれにうんざりして言い返した。

「いいのかい、あれで。今ならまだ注文出来るんじゃないか」

変更された脚本のことを言っているのだ。精一杯、揶揄《やゆ》したつもりだった。

ペリエはゴードンと同じく前面に配置されており、しかもゴードンより一歩後方に置かれることになった。これでは手柄はほとんどゴードンの一人じめである。そればかりか、左翼のベルと右翼のアドニスを差し置いて、指揮者《コンダクター》をも前方に突出させるような、敵の力をなめきった脚本修正だった。それを補佐するのかと思うと、正直、気が萎《な》える。

「いいんだ、僕は。あいつと違って、これがあるから」

ペリエは、その身に似合わぬ大きな剣を掲げてみせた。それだけの動作で、どうも、その握り手の方が、むしろ剣に振り回されている様子に気づいた。

それもそのはず、

「もともと父の剣なんだ」

ペリエのそのひとことで、ベルには何もかも判ってしまった。

きわめて優秀な実績を誇る剣士の剣は、それだけで天秤《てんびん》に語《と》うものがある。つまり、その剣だけ持っていれば、たとえ大した働きをせずとも、一定料の財貨《デナーリ》を保証されるのだ。

聞くと、ペリエだけではなく、今回甲輿花《ステムグラス》に乗れなかった剣士たちや補助楽隊《コーラスバレット》の面々の多くが、そうした「家系」を誇る長生の剣を持って戦闘に赴いているのだという。

彼らにしてみれば、それがむしろ当然なのだ。既に立派な剣を持っているのに、敢えて自分で育てるいわれはない。更に驚いたことに、

「僕はもともと剣士になりたくてなったわけじゃないしね」

ペリエは平然とそう言ってのけたのである。全て家柄ゆえなのだ。それに従っている限り、財貨《デナーリ》は保証され、個人としての立場も普通の剣士たちよりは格段に上だ。いくらでも良い目は見られる。それこそ、どんなに無能でも。

そういう意味では、アドニスの剣盗人たる由縁も判らないでもない。剣を奪われることは、一部の者にとって、結果的に財貨《デナーリ》そのものを奪われているようなものなのだ。

だがベルはつくづくうんざりして、もはや口もききたくなくなった。

ゆっくりと洞窟《どうくつ》の入り口が見えてきた。早く着いてくれと一心に祈った。それほどこの場に嫌気がさしていた。実際に戦闘が始まれば、少しはましだろう。そう思った。

しかし、そこに追い討ちをかける者があった。

「なんとも無計画なざまだな。いったい今まで何をしていたのだ」

一瞬、ベルには誰が喋ったのか判らなかった。そのひとことで誰もが黙ってしまったので、余計に判らない。

「勲名を揚げるなど、これでは到底無理な話だ。せいぜい職務を全うすることさえ心掛けておれば、私も余計な報告をせずに済むのだがな」

報告というひとことで判った。声の主は、伴奏者《ピアニスツ》の男だった。神官である。黄牙《アイボリー》の仮面を被《かぶ》っているため、まさか喋り出すとは思ってもいなかった。

名をカシスといい、その職務は、楽隊の戦闘の成果を逐一王に報告することであった。

またそのため、指揮者《コンダクター》よりも更に後方でじっと戦闘の様子を眺めるだけで、決して自分から闘ったりはしない。その剣は、むしろ戦線から逃げ出そうとする味方に対してこそ振るわれるのだ。嫌な役職だった。しかしだからといって、無闇に憎まれ役をかって出るのもどうかとベルは思う。果たしてカシスの手痛い忠言はとどまるところを知らなかった。

「よいか、臨機応変さというものは万全の態勢を整えてはじめて出来ることだぞ。それを方便にするようでは勝てるものも勝てぬではないか。思考の放棄は罪悪だ」

云々《うんぬん》。

いちいちもっともなのだが、しかし、それがどうしたというのだろう。意味もなく、楽隊の士気をいたずらに下げているだけ、のようにも思われるのだ。

(自分が闘うわけでもなし……ただ喋りたいだけなんじゃないか、こいつ?)

楽隊の面々も、実際、それを感じているらしい。たった一人をやりだまに挙げて、適当に賛同しつつそれが自分に及ぶことを巧みに避けようとしている。この場合、避けようがなかったのが脚本者《リブレット》のギネスだった。一人やりだまに挙げられっぱなしで、はあ、はあ、とカシスの言うことにいちいち頷《うなず》きながら、ひたすら疲れたような顔をしている。

(なんだかなあ……)

ベルは心の中で深く溜《た》め息をついた。

アドニスはというと、難しい顔でじっと彼方を見詰めている。そういえばさっきから黙りっぱなしだった。ゴードンとベネディクティンの嫌味なカップルがいくら刺激しても、一向に乗ってこず、ほとんど無視してひたすら何ごとか思案しているようだった。

「アドニス……?」

ベルが呼ぶと、アドニスがふっと息を吐いて皮肉そうに唇を吊《つ》り上げた。

「お手上げだ」

自分の懸念について言っているのだとすぐに判った。

これがどれほど困難な闘いになるか、この場でアドニスほど理解している者はいない。伴奏者《ピアニスト》の神官カシスのように傍観を決め込んで毒舌を弄《ろう》していればいいというのでもない。具体的な策を幾つも考えているはずだった。

だが、それを伝えることが出来ない。実際に口に出しても、この状況では到底受け入れられないだろうことは、火を見るより明らかだ。やっかみや欺瞞がぐつぐつ煮立っているところを、下手をすればそれが原因で、楽隊を四分五裂する争いにまで沸騰しかねない。

「困ったな」

ベルが苦い笑いで返した。正直なところ、むしろその方が良いのではないかとさえ思っていた。ぎすぎすとした関係のまま闘いに突入するよりは、いっそのこと爆発させてしまえばいい。その方がよっぽどすっきりする。そのことを告げようとしたとき、

「やれやれ、到着だ」

いまいましそうにアドニスが言った。

第一楽隊は、そうして無事なにごともなく、戦端に着いたのであった。

まるで要塞《ようさい》だった。洞窟の入り口付近は大勢の剣士たちががっちりと囲み、櫓《やぐら》を立て、砦《とりで》を築き、大勢の筆記魔法《グラマー》専門の術士たちによる執筆でそこら中を印《スペル》で埋め尽くさんばかりだ。まさしく鉄壁の結界である。

(街が一つ出来そうなくらいだなあ……)

甲輿花《ステムグラス》から降りると、ベルは改めてしみじみと周囲に見入った。

ふと、この砦を築いた先陣楽隊の剣士たちと、目が合った。にこりと笑んで、彼らの業を褒

めようと口を開きかけ、にわかに愕然《がくぜん》とした。

じっとベルたちを見詰める彼らの目が、みな異様にぎらぎらとした輝きに満ちている。まるで自分たちの宿敵が目の前に現れたかのようだった。〈唸る剣《ルンディング》〉が微《かす》かに唸《うな》りを帯びたほど、とにかく殺気立っていた。

それが、この洞窟の入り口を確保するための闘いによるものであるのは明らかだった。戦闘に次ぐ戦闘の苛烈《かれつ》な日々が、彼らの気持ちを荒れに荒れさせていたのである。

(それなのに、なんでこんなにもここは綺麗《きれい》なんだ?)

闘いの気配というものがまるでないのだ。事実、指揮者《コンダクター》であるカンパリが、洞窟に入る前の一時休息を告げたほどである。のんびりとさえしていた。

(いや、違う……)

ベルは辺りの臭気を鋭く感じとっていた。猛烈な、血の臭いである。それは、臭いそのものとしてよりも、むしろ空気の底に澱《よど》み、気配としてどうしようもなく残留する、激しい闘いの跡であった。目に見えぬ亡骸《なきがら》といっていい。

(洗ってるんだ。洗い隠してるんだ……)

おそらく、城からそういう指示が出ているのだ。どれだけの戦死者が出たのか、想像もつかぬほどの激戦だったに違いない。それなのに、そこは異様なまでに清潔だった。

剣士たちの顔に、またもやベルは愕然とした。剣士以外にも、この要塞にいる者全てが周囲に集まってきて、じっとベルたちを見据えていた。どの顔も舞台裏の苦難に満ち、ペリエのように正統なる家柄を持たぬ下級の者たちの、虐げられているとさえ言っていい乾いた憎悪があった。だがベルは、そこに含まれる微かな憐憫《れんびん》の情を、鋭敏に読み取っていた。

その憐《あわ》れみこそが、真にベルを愕然とさせるものだったのだ。

(こんなことってあるか！)

ベルは悲鳴を上げた。実際は、ひゅっと掠れた吐息が漏れただけであった。

(ここにいるってだけで、なんで私がこんな目で見られなきゃいけないんだ!?)

急に、紅色《カメリア》の衣裳《いしよう》が呪われたもののように思われてきた。

剣士たちの憐れみのゆえんは明らかである。

これだけの戦闘を繰り広げてなお、勝ち目はないのだ。彼らがこうしてここに清潔きわまりない舞台を築き上げたのは、更にその上に死者を迎えるためでしかないのだ。

舞台を設置するための、彼らの仕事は終わった。どれだけ傷つき、仲間を失おうとも、彼らはまだ生きていた。生きて、そして彼らをそんな目に遭わせることになった理由《ことわり》である楽隊の面々が、壊滅するために舞台に乗るのを、じっと見詰めているのだ。

ベルはほとんど一瞬のうちにそれらのことを直感していた。〈唸る剣《ルンディング》〉がその直感力をいや増しにしているとはいえ、それこそ読心術のごとき鋭さである。

楽隊の面々は、誰一人としてそれらのことに気づいてさえいない。いや、

(アドニス……)

ただ一人、その男だけが頼りだった。

「大丈夫か、顔色が悪いぞ」

現に、いち早くベルの様子に気づいて声をかけてくれた。これが、例の性悪なカップルであれば、やれ臆《おく》しただの、見当違いもはなはだしいことを言うに違いなかった。

ベルは思わずアドニスの手を握った。硬い革の手袋をした手だった。

「冗談じゃないよ、こんな……ひどいなんて……気が滅入ってしょうがないよ」

それだけで、アドニスは全てを察してくれた。

「いいや、たちの悪い冗談さ。神のもたらした、笑えない冗談だ」

そして、例のごとく皮肉そうに唇を吊り上げると、

「こうなったら、せいぜい笑い倒してやればいい。生き残って、笑ってやるんだ」

そう言って、ベルの手をしっかりと握り返した。

8

剣楽が始まった。

手に手に剣、鉄を打ち、足を踏み鳴らし、高らかな詠唱《チャント》、盾を掲げ、勇敢に歌う。

前面にゴードンが立ち、ペリエとその他の中級剣士たちを率い、カンパリの指揮のもと洞窟へと入っていった。続いて両翼の楽隊が入り、陣営を整えた。

火晶石《マッチ》を投げ、浮遊する炎を上げて操り、補助楽隊《コーラスパレット》が結界を築く。彼らの剣楽の歌は援護魔《リサイタ》

法《ル》となって炎の盾を宙に保ち、さながら闇に炎の牙《きば》を突き立てるかのようだ。

演出者《ディレクター》であるベネディクティンの指示のもと、炎の合間に視覚的な防御結界が張られ、照明役による光の手綱とともに、更に闇を圧倒した。

歌はなお高く高く、洞窟《どうくつ》中にこだまする。

足元を薄く水が走り、これはベネディクティンが自ら操って、炎と光と水の三重奏が出来上がる。結界は楽隊の進むごとに自在に変形し、それを指示する腕はなかなかのものだ。

だがそれが実に偏っていることに、ベルは早速気づいている。

両翼をほとんど無視した、前面突出の形なのである。つまりは、ひたすらゴードンを掩護《えんご》しているのだ。あとは、楽隊の中核を成す指揮者《コンダクター》と演出者《エディター》自身、そしてついでにという感じで脚本者《リフレット》を守護していた。後方を守る補助楽隊《コーラスバレット》など見てもいない。

（大丈夫かなあ……）

結界の形ゆえに、どんどん奥へ進んでゆくのだ。そのうち補助楽隊《コーラスバレット》が縦に伸び切って、洞窟の外との連絡が取れにくくなるのではないかという危惧《きぐ》があった。

カンパリはというと、指揮のための丈の短い剣を振って、たゆまぬ前進を指示している。

闘うための剣ではなく、天秤《てんびん》に載せるためだけの方便のような剣が、光を反射してきらりきらりと光る。それが、ベルの目にはいかにもちゃちで頼りなく見えてしまう。

楽隊の足がふと止まりかけた。

どうやら前面がその身をもってトラップを発見したらしい。負傷者はいないようだが、とにかくゴードンのうるさくわめくこと、補助楽隊《コーラスバレット》の歌とあいまって実にかしましい。

それが、いきなり切迫した声に変わった。カンパリがすぐさま前面を掩護する形に左右両翼を展開させた。なかなかの手際の良さである。ベルも何人かの中級剣士たちとともに左側から回って、それを見た。

一匹の、巨大な虫媒花《むし》であった。迷宮といっていいこの洞窟を象徴するかのような脚の多さである。全身毛むくじゃらで、きりきりと牙を鳴らして威嚇《いかく》し、その牙さえ繊毛に覆われていた。

ゴードンがわめいた。自慢の戦斧《せんぷ》を振りかざし、牙剝《む》く虫に迫った。

（やめろ……！）

ベルが叫ぼうとした。間に合わなかった。どうして気がつかないのか。それとも知らないのか。虫の腹があんなに異様に膨らんでいる。巣を張ってもいないのに虫が動かないのは既に根を張っているからだ。花が咲く。獰猛《どうもう》なつぼみが一斉に花開く。まずい。ベルは咄嗟《とっさ》に〈唸る剣《ルンディング》〉を真横に振って、左翼の前進をおしとどめた。出来ることならそのまま後退したかったが、指揮がそれを許さなかった。全てが水の中のように緩慢に過ぎた。

ぐしゃり。ゴードンの斧《おの》が虫の頭部を砕いた。ばらばらと牙が四方に砕け飛ぶ一撃であった。虫は即死だった。それがなおまずかった。

会心の笑みを浮かべて虫の死骸《しがい》に足をかけると、ゴードンは更に前進を提案した。

「馬鹿野郎っ、退《ひ》けっ！」

思わず叫んでいた。そのベルの声にいち早く反応したのはアドニスだ。ゴードンはというと、馬鹿よばわりされたことで憤激し、ついでさあっと蒼白《そうはく》になった。

無数の子蜘蛛《ぐも》であった。母花《ははばな》の死とともに、その種子が一斉に孵《かえ》ったのだ。母蜘蛛の腹を食い破り、真っ黒い牙の群がめくれるようにして溢《あふ》れ出た。生まれたばかりのそれらは信じがたいほどの飢えを見せ、母蜘蛛もろとも周囲にあるあらゆる生命を片っ端から食い尽くそうとする。

これこそ罠《わな》だった。最初にひっかかったのはめくらましだ。そしてなおまずいのは、これさえもがめくらましに違いないということだった。

(どうにかしなきゃ……)

敵の狙いは、ひたすら後方の連絡を断ち切り、楽隊を孤立させることにある。カンパリもそれに気づいてはいるのだろうが、縦に伸びた前進の形では指揮が届き切らない。

なにしろ前面はあまりのことに一瞬で崩れ、ゴードンなど、綿猫《ポップス》ほどもある子虫に全身をたかられ、半狂乱になって暴れ回っている。明らかに、誰もこの虫《む》媒《し》花を知らないのだ。

その上、止まらなかった。楽隊はなおも前進していたのだ。結界が前面に集中している分、くさびのように抜けない。後に退けない。くさびと化した楽隊は、かえって闇に飲み込まれるようにして深く深く暗がりに突き刺さってゆく。

ベルはとっくに結界に頼るのをやめている。逆に、虫もろとも結界の犠牲になって丸焼きにされる者さえいた。ベルは歯を食いしばり、思い切って虫の蠢《うごめ》く向こう、洞窟の更なる奥の暗がりへと走り込むと、ようやく立ち止まることが出来た。

そもそも虫ごとき、手助けしてやるまでもない。冷静になれば何ほどのこともないのだ。容易に立て直せるはずだ。ベルはそう思った。だがその思いを、恐慌という名の鉄槌《てっつい》が粉々に打ち砕いていた。まだ十分に立て直せるはずなのに。

光が消える。後方で、楽隊の張った光の結界に一つまた一つと穴が開いてゆくのが見える。照明役が次々と殺されているのだ。やはり敵は後方を集中的に衝《つ》いてきている。最前線に立ったベルのもとに、ただの一人も敵が現れないのがその証拠だった。

光が消える。暗がりの中で、これほどの恐怖はない。歌が悲鳴に変わっていた。剣撃の音が遠くの方から聞こえてくるようだった。ぞっとした。敵のあまりの的確さに、である。

後衛に向かって走った。だが何も出来なかった。いたずらに指揮に振り回され、楽隊の結界の巻き添えを食らわずにいるので精一杯だった。なんなんだろう、これは。なんなんだろう。こんなにも無残なことがあっていいのか。まともに剣を振らせても貰《もら》えないのか。

(こんなに呆気《あっけ》ないなんて……)

光が消える。このまま他人の恐慌に巻き込まれて、自分の剣握る手の由縁さえ失ってしまっていいのか。

だが、光は消えなかった。

後方を塞《ふさ》がれた剣士たちが、いちかばちかで前方に向かったのだ。それこそ敵の思うつぼだったが、それがあまりに激しい前進だったせいで、かえって潰走《ついそう》をまぬがれていた。

今度こそ前面・両翼・主陣・後衛と一体となり、敵の刃もろとも暗がりを払ったのだ。

だが――

敵が退却の様子を見せた途端、ベルは〈唸る剣《ルンディング》〉が奇妙な唸《うな》りを帯びるのを感じた。

(何だ……?)

剣の唸りを通して、ベルは何者かの視線を察知していた。ぞくり。背筋に冷たいものが走る。

それほど、冷たく悪意に満ちた視線だった。

(ティツィアーノか……?)

だがそれらしい者は見えない。敵の剣撃を逆に打ち砕いて返しながら、ベルは全身でその気配を探った。剣が更に唸りを帯びる。危険が迫っているに違いなかった。しかし、その正体が全く摑《つか》めない。徐々に楽隊が勢いを盛り返す中、じわりとベルの胸に焦りがわいた。

ふと足首に冷たいものが触れているのに気づいた。咄嗟に足元を見たとき、幾つかのことが同時に起こった。

「何なのよ、これ⁉」

結界の三重奏を華麗に操っていたはずのベネディクティンが叫び、

――怨《おお》～っ!

ゴードンが断末魔にも似た雄叫《おたけ》びを上げたかと思うと、

「水だ! 足元に気をつけろ!」

アドニスが鋭く見抜いて右翼の陣営を強引に退け、ベルもほとんど同時にそれに倣った。

危険の正体は水だった。足元にじわじわと溜《た》まり、気がつけばくるぶしまであった。それを今の今までベネディクティンの奏でる結界だと思っていたのだが、一瞬で様子を一変させていた。当のベネディクティンさえ、それに驚愕《きょうがく》した。

ゴードンの腕が地面から生えていた。水から這《は》い上がろうとして激しくもがき、沈んだ。飲み込まれた。指一本分の深さもない水に、前面の剣士たちが次々と飲み込まれた。

「結界じゃない！　飲食魔法《レスト・ラント》だ！　退け、退けーっ！」

誰かが叫んだ。恐らくアドニスであろう。

その叫びに呼応するかのようにして、ぬっと水から突き出た何かを、ベルは見た。

ひと振りの、奇妙に歪《ゆが》み、ねじくれ、のこぎりのような刃を持った、剣——

暗がりで妖《あや》しく映えるその剣に、ベルは心底ぞっとした。〈唸る剣《ルンディング》〉の唸りは、正しくこの剣の危険を示していたのだ。剣は姿を現すと同時にとてつもない迅速さで動きだし、またたく間に楽隊の中央に迫った。楽隊の中核めがけて疾走するその剣に誰も気づかず、あるいは気づいたときには真下からばっさりやられ、水面の中に沈んでいった。

ベルが叫んだ。その声がまた別の騒音にかき消された。敵が混乱をついて再び雪崩れ込んできたのだ。あたかも闇が一筋の光をするりと飲み込んでゆくようであった。

カンパリが狂ったように怒鳴った。もはや言葉にもならぬ金切り声になっている。その怒声が、突然ぷつんと糸が切れたように途絶えた。カンパリの腕が激しく震え、実際に敵を斬ったことのないつるんとした指揮剣が闇の中で声なき悲鳴のようにきらきらと光った。傍らにいたギネスが、絶叫を上げた。

カンパリの背に、妖しくねじくれた剣先が生えていた。一瞬であった。串刺《くし》しにされたまま、ほんの水溜まりほどの深みに、呆気なく沈んだ。

恐慌が訪れた。

9

ベル一人だった。

どこをどう走ったのやら、潰走する楽隊の面々が一人また一人と闇に消えてゆくのに歯がみしながらも不断に剣を振るい続け、ようやく周囲から敵の姿が消えたかと思うと、同時に味方が一人もいなくなっていた。

おぼろな燐光《りんこう》が滲《にじ》む通路だった。蛍光石の原石が星明りのように壁にまたたいている。その壁に背をもたれ、深く息をついた。両手はしっかりと剣を握ったままだ。紅色《カメリア》の制服が青白い燐光に照らされ、ベルの身に、闇と光が相半ばするかのようだった。このまま闇に引き込まれるか、光ある場所に立ち戻れるかの、まさしく瀬戸際の色であった。

(なんだか口中が苦い……)

もっとどうにかならなかったのか。そう考えれば考えるほど、かえって敵の鮮やかさばかりが思い返された。二重三重の罠が全て後衛を狙うためだったとすれば、後衛を狙うのは、中核を潰《つぶ》す布石だったのだ。結局、カンパリの指揮は、敵の思惑にいちいち振り回されるだけのものだった。全ての楽隊の面々が、一様に操られ、振り回されていた。

まるで大人と子供の喧嘩《けんか》である。遊ばれているようなものだ。

ベルはきっとなって周囲の暗がりを見回した。

(ティツィアーノか……)

あのねじくれた妖しい剣の姿が、脳裏にまざまざと浮かび上がった。その剣の握り手こそが〈悪〉の剣士たちを率い、自ら最後の仕上げをやってのけたのだとベルは信じている。

ティツィアーノの指揮者《コンダクター》としての腕が本物ならば、散り散りになったところを一人残らず叩《たた》き潰してゆくに違いなかった。次に来る楽隊に、自分の手のうちを明かさせないためである。そしてそれ以上に、苛烈《かれつ》なまでの〈正義〉に対する復讐《ふくしゅう》の念を、ベルは剣の唸りを通じて感じとっている。まだ、闘いは決して終わってはいないのだ。

口の中の苦いものを、ゆっくりと飲み込んだ。

剣は早くも白銀《リリーホワイト》の輝きを現し、闇を両断するに足る威容を見せようとしている。

「あんたなら、なんだか斬ることが出来そうだよ……」

ベルは無造作に壁から背を離すと、見当もつかない暗がりの路《みち》を、静かに歩き始めた。

(嫌なやつに会っちゃったなあ)

出会い頭に、ベルは思ったことをもう少しで口にするところだった。

ベネディクティンである。演出者《ディレクター》として楽隊にいた、水族《マーメイド》の女だ。

凄《すさ》まじい形相である。ベルは相手の満面に恐怖と怒りとが激しくないまざっているのを悟った。

恐怖が僅《わず》かでも怒りに勝れば敵に背を向けての逃走となり、この場合は自ら死を招き入れることになる。恐怖に耐え、闘争をもって死を弾《はじ》き返すには、無理やりにでも自分を怒りで満たさねばならない。正しく、ベネディクティンは怒りと殺意とで、自らを限界にまで鋭く研ぎ澄ませていた。あたかも氷の刃を八方に向けるかのようである。

(酷《ひど》いなあ……)

しかも脆《もろ》い。相手の心情が判らないでもないが、ついそう思う。同性である分、嫌悪も増していたのかもしれない。これが男なら、多少なりとも安心させてやっただろうか。

「なあ、おい」

出会うなり、ぶっきらぼうに、そう声をかけていたのだった。

瞬間、ベネディクティンが弓を弾いていた。出会いざまである。相手を確かめるという気が全くなかった。せめて名を呼んでやればいいところを、ベルの方にも非があった。

弓弦《ゆみづる》としては強烈無比の水鋼《みずがね》の弦《いと》が、死を奏でた。

ベネディクティンの弓は、矢の代わりに弾丸を放つ。弾丸は掌に収まるほどの水晶球だ。水晶球は、相手の身体を穿《うが》つと同時に、砕け、その内に封じていたものを撒《ま》き散らす。それがただの水であっても、水族《マーメイド》特有の攻撃魔法の媒質として、更に相手を殺傷するのだ。

まさしく必殺の一撃である。それを、ベルは真っ向から弾き返した。剣で両断したのだ。水晶球が空中で木っ端微塵《みじん》になり霧散した。これで、相手の体を外した場合に、結界の媒質にするという手も、同時に叩き潰されたことになる。

ベネディクティンのすぐ目の前に、剣があった。剣先が届くまでにはなお距離があったが、その威容は物理的な距離を越えて、直接相手の心に届き戦慄《せんりつ》させるに足りた。しかも放たれた弾丸に勝る速度で剣を振り下ろし、両断するなど、聞いたこともない業である。

「化け物……！」

ベネディクティンが、すくみながらも憤激し、吐き捨てたのも、無理はなかった。

「……なあ、やめようよ。味方じゃないか」

ベルがあっさり剣を引いた。

「なんなのよあなた！　あんな風に声をかけるなんて、殺されても文句は言えないわ」

こちらも弓を肩にかけながら、言った。その嫌味ったらしい態度といったら、一瞬、本当にぶった斬ってやろうかと思ったほどである。

「どうしてこんな目に私が遭わなければいけないのよ。あなた、何をやってたの？　ゴードンを助けられもせずに。あなたに出来ることは味方の足を引っ張ることだけ？」

支離滅裂だった。なんでもいいから怒鳴り散らしていないと落ち着かないのだ。

聞く方はたまったものではない。ベルは口中にまた苦みが広がるのを覚えた。

通路を進みながらも、いったいどちらに進んでいるのか見当もつかない。どれだけの味方が生き残っているのか、生き残っていたとしてどこに行けば会えるのか。ベネディクティンがいちいち文句を言った。その声だけで、自ら敵をおびき寄せかねなかった。

いい加減、黙らせてやろうと振り向いたとき、〈唸る剣《ルンディング》〉が激しく唸《うな》りを帯びた。

「ゴードン！」

ベネディクティンが叫んだ。うって変わった、甘えるような声音である。

ベルは立ち止まって眉間《みけん》に皺《しわ》を寄せた。確かに、通路の向こうからやってくるゴードンの姿が、薄暗がりの中でぼんやりと見えた。だが何かが変だった。ゴードンが近づくに従って、剣の唸りがますますはっきりと危険を予感させた。

ベルを置き去りにして走り寄っていったベネディクティンの足が、ふと止まった。

「ゴードン……？」

不安そうな声が、尻《しり》すぼみになって闇に消えた。

今やベルにも、それがはっきりと見えている。

ゴードンの肩口から胸元にかけて、ばっさりと断ち切られた傷があった。あった、というのは、その傷が他の何かで埋まっているからである。その何かは、明滅する燐光を帯びて、傷からゴードンの全身に侵入するかのようであった。何かに寄生されたのだろうか。

まるで剣の刻印《スペル》の明滅だ。あの神の樹のように――ベルがそう思った途端、

（……水憂い者《オンデユーン》は、総じて、決して逃れられれぬ宿業を背負っている――）

まったく唐突に、ベルの導き手《ガイダンス》が、心の中で声をあげた。

（……中でも水族《マーメイド》の心は、純白の氷のようだ。凍る水が何を容《い》れたかによってひどく濁り、脆く尖《とが》る……ときにはそのせいで、自ら狂わずにはいられないほどに——）

わけが判らなかった。導き手《ガイダンス》は常にベルが知らねばならないことを否応なく告げ知らせるのだが、今回ばかりはいったい何を意図しているのかさっぱり理解出来なかった。

戸惑うベルを叱咤《しった》するように、剣が更に激しく唸りを帯びた。

そのときである。ベネディクティンが呆然《ぼうぜん》と立ち尽くす前で、ゴードンの両手が高々と戦斧《せんぷ》を掲げた。そのまま、ベネディクティン目掛けて一気に振り下ろす。

ベルの足が思い切り地面を蹴《け》った。反射的だった。跳びながら剣を振るった。

鈍く重い音を通路中に響かせて、〈唸る剣《ルンディング》〉がゴードンの斧《おの》を弾き返した。

危ないところだった。何でこんなやつ助けたんだろう。両方同時に思いながら、続けて第二撃を相手の脇腹に叩き込んだ。ゴードンの巨体がふっとび、したたかに壁に打ちつけられ、地に伏した。

だが驚いたことに、むっくり起き上がると、ベルに向かって猛然と斧を振るった。

殺意に満ちた一撃だった。先のものよりも数段速く、そして重い。受け切れず、ぐらりとベルの体が傾いだほどである。なんとそのベルをベネディクティンが掩護《えんご》していた。

ゴードンは終始無言だった。目だけが異様にぎらぎらと輝いている。ベネディクティンの放った弾丸を顔面に受けても呻《うめ》き声一つ上げなかった。絶叫を上げたのはベネディクティンの方である。ゴードンの顔面が半壊していた。

なおも斧を振り上げるゴードンを、ベルが再度、叩き飛ばした。

「あんなに血が澱《よど》んで……死んでるのよ、あいつ……とっくに死んで、操られてる……」

ベネディクティンが相手の傷を一見するなり真っ青になって断定した。さすがはあらゆる水媒を操る水族《マーメイド》である。だが今度は、ベネディクティンの方の様子がおかしくなった。

「消さなきゃ、あいつを消さなきゃ……」

呟《つぶや》きながら、緩慢な動作でなおも起き上がろうとするゴードンに向かって、立て続けに弾丸を放った。それこそ、原形をとどめぬまでに粉砕する必要があるかのようだった。

（……水族《マーメイド》の心は鏡のように相手を映し、その虚像において自らを成り立たす――）

「だんだん……、判って来たぞ」

導き手《ガイダンス》が意識の底から、言葉にならぬ微妙なイメージをも含めて伝えるに至って、ベルはようやく事態が飲み込めてきた。

水族《マーメイド》に限らず、水憂い者《オンデューン》と総称される様々な種族たちは、生来、情が酷薄なのと、男女問わずひたすら不特定多数の恋愛に走るのと、一見矛盾した性質を合わせ持っている。

それは、彼らの極端な心の在り方ゆえだ。彼らは他者の心の在り方を己自身の心に映し、それを基に自らの人格的存在を築き上げるのである。精神における寄生者といえた。

そのためあまりに情深く相手を受け入れてしまっては、心のバランスがそちらに傾くことになる。下手をすれば、相手が万一死んでしまった場合、他のものを映すことの出来なくなった心の鏡はやがて錆《さ》び果てるとともに砕け始め、心の崩壊をきたしてしまう。崩壊を防ぐためには、ひたすら情浅く、多くの者と男女問わず通じていなければならない。

　つまりベネディクティンのあの性格は、もっぱらゴードンから来ており、恐らく二人の間で相乗効果を呈していたのだ。それだけ、ゴードンに心が同化していた証拠だった。

　突然ベネディクティンががっくりと膝《ひざ》を折った。肩を上下させて息をつき、悲壮な顔でゴードンを見据えた。全身をぐずぐずにされたゴードンがゆっくりと起き上がるに至ってその悪夢は極限に達した。もはや鏡に実体を討つ力がなければ、映し出される虚像とともに、実体に砕かれるより他、すべはなかった。ベネディクティンは肉塊と化したゴードンに向かって両手を差し伸べ、その斧を甘んじて受け入れた。

　いや、その寸前、ベルが〈唸る剣《ルンディング》〉を振るっていた。ゴードンの斧が、哀れな水族《マーメイド》の頭上で砕け散った。ベネディクティンは報いを受け、それを背負ってこれから生きてゆかねばならなかった。報いとは、たった一人の者に心が同化してゆく自分を防げなかったことに対してである。それは結果的に両方の心を澱ませた。それを贖《あがな》うすべはない。

　ベルの脳裏には、ベネディクティンの他に、もう一人の水族《マーメイド》の存在があった。いまだ正しくその姿を見たことのない、妖《あや》しく歪《ゆが》んだ刃を振るう者——ティツィアーノである。

　それこそ導き手《ガイダンス》の示すものだ。ゴードンを殺して操り、〈正義〉の者全体を、いまや到底果たせぬ贖いの生け贄《いにえ》として貪《むさぼ》ろうとしているのだ。その理由など知るよしもないが、それがまさしく狂乱の行いであることだけは確かだった。

　ベルは、ゴードンを斧ごと打ち砕いた瞬間、それだけの確信を摑《つか》んでいた。

その確信が、一瞬、ベルの心を占めた。それが、愚かにもゴードンを倒したという錯覚に結びついた。粉砕された斧を手に、ゴードンが更に立ち上がったとき、ベルは背を向けていた。ベネディクティンに手を差し伸べていたのである。剣が恐ろしい激しさで唸りを帯びた。振り向いたときには既に残った斧の柄が槍《やり》のように突き込まれていた。

――EEERRREEEHHHWWW……！

かっと目を見開き、剣の唸りとともに、自らも叫んだ。戦慄があった。倒しても倒しても、そのたびに異様な姿で立ち上がって来る。そしていつかは……

不思議なことが起こった。ゴードンの斧の柄が、ベルに触れる寸前にへし折れ、なんと燃え上がったのである。火はまたたくまにゴードンの両腕に走り、衣服と頭髪を焼いた。

ゴードンが破壊された顔を天井に向け、嘆くようにひゅうっと息を漏らした。それが最初で最後の、動く死者と化したゴードンの上げた悲鳴であった。白銀《リリーホワイト》に輝く刃が、その肩口を斜めに叩《たた》き斬り、ついでその身を両断した。無我夢中だった。

（斬れた……⁉）

どさり。ゴードンの上半身が火だるまになって落ちた。もはや指一本動かない。その足はなおも地面に立ち、燃え盛る松明《たいまつ》と化して洞窟《どうくつ》を照らしている。

その炎にあぶられるようにして、ベルは見た。ゴードンの足元を、魔法陣が取り巻いており、それはなんとも見事な演算であった。

「いやはや、危ないところでした」

聞き覚えのある声が、ゴードンの背後、炎の向こうから聞こえてきた。

「キティ……」

ベルは、その小柄な白い影に向かって、呟くように言った。

10

たまらない異臭が通路にたちこめていた。

「もうこれ以上、ここにいたくないのよ！」

燃え上がるゴードンの屍《しかばね》を指差しながら、ベネディクティンが言った。指差しながらも、目ははっきりと背けている。

「あなたとも、一緒にいたくないの！」

断固とした口調だった。ベルが言葉に困って、キティを振り返ったほどである。

「賢明ではありませんね。今は一人でも戦力が欲しい、そうではないですか？　あるいは一人きりになって、あの水角族《ミノタウロス》の男と同じ目に遭いたいと？」

ベネディクティンが激しくかぶりを振った。むしろ、その方が楽になると考える自分を、否定するような動作であった。

「なんなのよあなた！　いきなり現れて、私に命令しないでよ！」

まるで幼い少女の口調である。それだけ、この水族《マーメイド》は心の泥沼に陥っていた。

「命令ねえ……」

肩をすくめるキティをきっと睨《にら》んで、そのまま一人で行ってしまおうとするベネディクティンを、ベルが手を摑んでとどめた。

その途端、どこの馬の骨とも判らぬ女の汚い手が触れた、そういう顔をされた。同時に、猛烈な殺意が襲った。なんとも脆《もろ》く危うい意識が〈唸る剣《ルンディング》〉を通してベルに伝わっていた。

（この水族《マーメイド》ってやつだけは、どうにも理解できないなあ……）

そう思いながら、ベネディクティンが剣をすっぱ抜くのを見詰めた。

ひょいと後ろに跳んでかわすと、立て続けに容赦のない斬撃《ざんげき》がきた。

レーピア、あるいは〈撓《しな》う剣〉とも呼ばれる、水族《マーメイド》特有の剣だった。異様に細い刀身は水鋼《みずがね》を鍛えたものであり、恐るべき鋭さと弾力性を持ち、折るのは至難の技とされる。

まさかベルにも、それが折れるとは思っていなかった。その気もなかった。剣をその手から弾《はじ》き落とす程度で済ませよう。そういう考えを、他ならぬベネディクティンが許さなかった。

まるでキールが望んだ居合いさながらの激しさに、つい引き込まれた。

いったんは打ち返した剣が、名の通り激しく撓《しな》うようにして跳ね返ってきた。恐るべき速さと鋭さである。それを、〈唸る剣《ルンディング》〉が白銀に輝き、真っ向から叩き折った。いや、斬っていた。

相手の剣を上回る、どんな硬さや弾力性をも両断する鋭さであった。

きいん。切り飛ばされた剣先が天井に当たり、そのまま突き刺さった。

ベネディクティンが物凄《ものすご》い形相で真ん中からすっぱり断ち切られた剣を見詰めた。

ぶるぶると剣を握る手が震えているのは、ベルの剣撃を受けたせいではなく、その激情ゆえであろう。剣ごと相手の腕を砕くベルの剣も、このときばかりは水を斬るように相手の剣だけ破壊していた。

「剣を折るつもりじゃあ……」

言い訳がましく剣を引いたベルの手を、いきなりベネディクティンが摑んだ。すがるようだった。からん。音を立てて〈撓う剣《レーピア》〉の半身が落ちた。ずるずると倒れ、その拍子にベルの方もぺたんと座り込んでしまった。

（参ったなあ……）

泣いていた。いかにも妖艶《ようえん》という感じだったベネディクティンが、子供のようにベルにしがみつき、しみじみと泣いた。はかなげでさえあった。可憐《かれん》ともいえるその姿に正直、うんざりした。これまた同性ゆえであろうか。斬りかかられたあとで泣きつかれてもなあ、と思う。申し訳程度に背を撫《な》でてやったら、更にしがみついてきた。

「これはもう使い物になりませんねえ」

ひたすら冷静にキティが言った。ベネディクティンのことではなく、その剣の方である。あとは朽ちてゆくだけの剣を靴先で蹴《け》ると、ベルに向かって肩をすくめた。これからどうしようか、というのである。ベルにも判るわけがなかった。

取り敢えず移動するしかない。そう提案しようとしたとき、また別の通路から声が聞こえてきた。切羽詰まった響きがあった。だがいったいどこから響いてきているのか、にわかには判断がつかない。それほど、蜘蛛《くも》の巣のように枝分かれの激しい通路だった。

やってきたのは同じ楽隊にいた二人だった。脚本者《リブレット》のギネスと、伴奏者《ピアニスツ》のカシスである。

声を上げていたのはギネスの方で、

「化け物っ、化け物だーっ！」

しきりにわめき散らし、ベルたちに出会うなり、更に大声で叫びまくった。

「黙れよ、うるさいから」

辟易《へきえき》してベルが言った。

「な、なんとあそこで燃えてるのは、ゴ……ゴードンなのかあれは。まさかお主が？」

一歩遅れてやってきた仮面神官のカシスに向かって、ベルは神妙に頷《うなず》いて見せた。

「まさかやつも狂って？　お主らは大丈夫なのか？」

どうやら彼らも、ベルと同じような目にあったらしい。

「ご安心を。私どもは狂ってはおりませんよ」

キティが道化て言った。自己紹介を兼ねてである。ギネスとカシスがぎょっとするのに先手を打って、問われもせずに名乗り、事情を説明した。

「旅の長耳族《ラビッツテイア》が、何故こんなところに……？」

「助力を頼まれましてね。ラブラック＝ベルに親しい者から、とでも申しましょうか」

ベルに親しく、長耳族《ラビッツテイア》にものを頼める者など、彼らの間では一人しかいない。〈正義〉の筆頭剣士シャンディ＝ガフである。事実、ベル自身も、ガフの差し金だろうということで納得していたのだった。

そのキティが、どこかいたずらげな口調で、おもむろに尋ねた。

「ところであなたがた、いったい何をそんなに急いでいたのです？」

ギネスがはっとして通路を振り返った。指差す先に、ちかちかと光を反射する刃の姿が見えた。それも一つや二つではない。まさに通路を埋め尽くさんばかりの軍勢が、闇の向こうからこちらへと真っ直《す》ぐやって来る。さすがのベルも慄《ぞ》っとした。

「ひとまずは退散といったところですな。どなたか道の判る方はおりませんか？」

「ぼ……僕が」

ギネスが遠慮がちに手を上げた。

「地図によれば、この先に身を隠せる部屋があります」

「ほう、地図とは。現在位置はお判りですか？」

「は、はい。風を嗅《か》げばすぐに判りますが……」

むしろ判らない方がおかしいのでは、というようにおどおどと面々を見回した。

弓瞳族《シープアイズ》の方向感覚の鋭さは、群を抜いている。ベルはすぐさまギネスを信用した。キティも同じらしく、ベルに向かって頷いて見せた。カシスはそもそも剣士たちの後についてゆくだけの存在で、具体的なことに異議を挟むつもりはなさそうだった。

残るはベネディクティンである。といって、ここで反対するようならひっぱたいて引きずって行くつもりだった。ところが、呆《あき》れたことに当のベネディクティンはすっかり泣き疲れ、べルの胸ですやすやと眠っている。

「なんつー……」

さすがは、自分の心の在り方のみ最大の関心ごととする水族《マーメイド》だった。マイペースなことこの上ない。なんとひっぱたいても目覚めないのだ。ベルは絶句しながらも、剣を片手にさっさと立ち上がり、ぐっすり眠り込んだベネディクティンを肩に担いだ。

後衛《しんがり》はキティが率先して務めた。

文字通り荷物を背負ったベルは、カシスを護衛するようにして走った。

ベルの目がちらりとカシスの剣を向くと、カシスがそれに気づいたように言った。

「私を戦力とは考えぬことだな。私には、自分の意志でこれを振るうことは出来ない」

淡々とした声だった。仮面の下で、どのような表情をしているのかは判らない。だが、ベルとベルの剣は、相手の口惜しさに満ちた唸《うな》りを鋭敏に感じ取っていた。

カシスはその剣を、〈錠す剣《チェーンド》〉と呼んだ。鍔元《つばもと》に鍵穴《かぎ》のない鍵鎖《チェーン》が幾重にも巻かれており、その名の通り常に刃を放つことを錠《とざ》されているのだ。

「神の樹から削り出されたこの鍵鎖《チェーン》と仮面がある限り、私は剣士であって剣士ではない。神の分身として、戦闘を見詰め、王に伝え上げるだけだ」

だから、実際に闘っている者を毒を込めて批判することで自分を慰めているのか。うっかりそう口にするところだった。

カシスが鎖を解かれるのは、神の樹が味方を斬るよう命令するときか、あるいは楽隊が全滅してたった一人生き残った場合のみである。

その苦渋たるや、ベルの想像を絶するはずだった。

——が、

「剣が縛られてるせいで、あんた自身も動けないってのかい」

冷たくベルは言い放った。欺瞞《ぎまん》だ。そう言外に罵《ののし》っていた。

「そうだ」

カシスは、見事なまでに心を殺した声で、答えた。

「その通りなのだ……」

それきり、沈黙した。

背後では、キティが〈式《フォーミュラ》〉を繰り出し、地面と言わず壁と言わず、四方八方から炎を演算し、軍勢を牽制《けんせい》するとともにギネスを急《せ》かしている。

先頭を走るギネスは必死の形相である。一つ道を間違えればすぐさま袋小路に陥る。相手の待ち伏せを敏感に察しては、別の道を瞬時に判断し、決して間違いは許されない。

ベルとしては、カシスと並んで喋《しゃべ》れるほど、ギネスとキティが信用できるのに驚いていた。ついさきほどまでの楽隊における心持ちとはえらい違いである。

「ここです！」

ギネスが叫んだ。壁の一部としか見えないような扉を、この臆病《おくびょう》なくらいに敏感な弓瞳族《シープアイズ》の青年は見事に嗅ぎつけていた。真っ先にギネスが入り、ついでカシス、ベネディクティンを担いだベル、キティの順で入り口をくぐった。

ベルが扉の覗《のぞ》き窓から素早く通路の様子を窺《うかが》うと、なんとキティがえっちらおっちら軍勢を煽《あお》るようにして走っている。

「幻術ですよ。相手が視覚的に我々をとらえているのかは判りませんがね、念のため」

キティが飄々《ひょうひょう》と言った。さすがに声を落としている。

「ここは……」

ベルはベネディクティンを床に横たえ、油断なく辺りを見回した。

「その昔、カタコームの管理者が使っていた部屋のようです」

ギネスが言った。確かに、使い古して打ち捨てられた家具を見る限り、四、五人は同時に生活できそうな部屋であった。

「もともと信仰の場なんです、この洞窟《どうくつ》。あちこちに墓地があって、そこでは〈正義〉も〈悪〉も区別なく葬られてるって話です。ほら、床のあちこちに死告鳥《からす》の花が散らばってるでしょう。ここの管理者が神官の役もやってたことの証拠ですよ」

ギネスはそう言うと、確信に満ちた仕種《しぐさ》でがらくたを一つ一つそっとひっくり返し、使い古した手提げの蛍光石《ランプ》を見つけ出した。

「この部屋から地下湖の一つに直接行けるはずなんですが、その先が不明で……水と空気の流れに沿って出口を探すしかないと思います」

「ほう。手前は風水の類《たぐ》いに疎いのですが、あなた判りますかな」

「なんとか、気道を探る程度には……」

「それは結構。うむ、では残りの面々を探すにはどうしたらよいと思いますかな」

「意図的に探したり集めたりすれば、敵と味方の区別がつかなくなります。むしろいつどこで味方に会ってもいいようにこちらの陣形を整えておけば……」

（案外に痴《し》れないいんだなあ……）

蛍光石《ランプ》の青白い光にぼんやり照らし出されながら、ベルはギネスとキティの会話に感心していた。特にギネスなど、周囲にうるさいのがいなくなった途端、才気溢《あふ》れる青年としてベルの目に映るのだ。巻き角というには実際まだ伸びが足りぬ両角も、若さという点では頼もしく見えた。案外にほっそりとしたおもてや、理性溢れる金色の瞳《ひとみ》、瞳と同じ色の巻き毛が、おぼろな蛍光石の光に照らされているところなど、実に好い貌《かお》だった。

思えば、ベネディクティンだとて並の腕前ではない。ゴードンにしてもそうだ。剣士としてはさすが上級と思わせるだけのものがあった。それでいてあの無惨な潰走《ついそう》である。どう説明したらよいのか。

「相性かなあ……」

そもそも選抜が悪い。そう考えるしかないではないか。では、何故、王はわざと負けるような選抜を行ったのか。ふと、その一連の思考が自分らしくないと思った。導き手《ガイダンス》がどうというのではない。自分よりも似つかわしいのがいるということだ。

（アドニス……）

まさか、やられてはいまい。あれだけしたたかなやつも珍しい。だがにわかに不安になるのを抑えられはしなかった。ベルはわけもなくきょろきょろと辺りを見回した。

そのときである。

うーん、と間延びした声が全員をぎょっとさせ、ついで呆れさせた。

「あら、随分と顔が増えたわね」

ベネディクティンである。さきほどまでの取り乱しようはどこへやら、なんとものんびりした様子だった。

「大丈夫かい」

揶揄《やゆ》するようにベルが言った。そのひとことで、誰がここまでベネディクティンを担いで来たか、相手にも伝わったらしい。

「私たちは、ああなると、嗜眠《レタルギア》に陥っちゃうんだもの。しょうがないじゃない。でも、多少自閉できたお蔭《かげ》で、すっきりしたわ」

最後のひとことで、ありがとうと言わないところがベネディクティンらしい。仲間を助けるなど、当然ではないか。そう言っているのである。可愛くないといえば可愛くないが、必死で照れを隠しているのが判る分、ベルはにたりと笑ってやった。

「それならよかった。いやあ大変だったよ……」

いきなり斬りかかるわ、泣き出すわでさあ。この場にいる全員にそう言おうとするのをベネディクティンが慌てて遮る。ギネスとカシス両名としては、ベネディクティンの少女のような屈託のない様子の方が驚きである。これがあの……と思わせるものがあった。

「だって、しょうがないじゃない！」

相手が何度も繰り返すたびに、ベルが意地悪くにやりと笑った。それでいてお互い不快というのでもない。思えば同性の友達など、幼い頃両親と別れて以来、持ったことがなかった。といって、この水族《マーメイド》を友達と思うわけでもない。こんなやつどうして助けたんだろうといまだに思っている。これもまた可愛げがない。可愛げなど薬にしたくもなかった。

「待って、何か聞こえるわ……」

ふいにベネディクティンが言った。

またそんなことで話をそらして……とベルが言い掛けてやめた。水族《マーメイド》の耳は、単によく聴こえるという程度のものではない。目を閉じたまま弓で標的を射貫くなど、超能力的なものがあった。それが、じっと瞼《まぶた》を閉ざして気配を探っている。全員がぴたりと黙った。

水族《マーメイド》特有の三枚耳《ドライツエン》がせわしなく動き、

「誰かが話してる……」

呟《つぶや》きざま、ベネディクティンが立ち上がって部屋の壁を探った。ついでギネスも足音を立てぬように注意しながら部屋を巡った。やがてほとんど二人同時にそれを探り当てていた。

ギネスがベネディクティンに目を向け、ベネディクティンが無言で頷いた。

その途端、壁にドアが現れていた。それがドアだと判るまで全く気づかなかったせいで、いきなり出現したように見えたのだった。

扉を開くと、深い暗がりが現れた。どうやらずっと奥の方に続いているらしかった。

「水の気配《かおり》がしますね」

ギネスが言い、ベネディクティンがそれを肯定した。

地下湖への通路に違いなかった。今や全員が立ち上がり、先頭をベネディクティンが、次いでベルとギネスが左右に並び、キティとカシスが後ろに付いた。誰が指示したのでもなく、自然とそういう形になっていた。また、それが的確な配置でもあった。

「血の臭いだ……」

蛍光石《ランプ》を持つギネスが、ベネディクティンの耳を邪魔しないようにひそひそと言った。嫌な臭いだった。今やベルもそれに気づいている。ぼそぼそとした話し声も微《かす》かに聞こえてきた。

曲がり角があった。ギネスが素早く蛍光石《ランプ》の刻印《スペル》を操作して光を消した。通路の向こうからも、光が漏れていたからだ。するりとベネディクティンが動き、弓を構えて角に立った。ベルとギネスが両脇からいつでも飛び出せるように位置し、それを更に掩護《えんご》すべくキティが〈式《フォーミユラ》〉を展開し始めた。――そのときであった。

「おい、何人生き残っている？」

通路の向こうから、声がかけられた。聞き覚えのある声だった。ベルは不覚にも胸がかっと熱くなるのを覚え、通路を飛び出した。

慌てて残りの面々がベルの掩護に走ったが、相手を確かめるなりほっと武器を下ろした。

「アドニス、よかった無事で……」

ベルが言った。

だが当のアドニスはむっつりと頷《うなず》いただけだった。ぼろぼろの木椅子に腰掛け、薄荷煙草を口にくわえている。蛍族《ロイテライテ》がよく使用するもので、空中に光の刻印《スペル》が浮かんでいた。その光に照らされて、何かが横たわっているのにふと気づいた。

「ひっ……」

ギネスが近づこうとして鋭く悲鳴を上げた。

「ついさっき、死んだよ」

無造作にアドニスが言った。

その言葉とともに、猛烈な血の臭いが鼻をついた。ベルは愕然《がくぜん》として、アドニスの足元に転がる青年を見詰めた。ペリエだった。別に剣士になりたくてなったわけじゃない。そう平然とうそぶいた、月瞳族《キャッツアイズ》の青年だった。若かった。猛烈な苦みが、ベルの口中に激しく広がった。

ベルはそれを吐き出さず、ゆっくりと耐え、飲み込んだ。

「こいつの剣は、今から俺が貰《もら》うが……？」

アドニスが立ち上がって周囲を見回した。他に誰か欲しいやつはいるか、とでもいうようだった。

「剣盗人が……」

カシスが嘲《あざけ》るように呟いた。その仮面が、アドニスをぴたりと見据えている。

アドニスは涼しげにそれを無視し、煙草を投げ捨てた。

「では、俺が貰うぞ」

そう言って、ペリエと並んで横たわる一品を手に取った。

「バンブー」

小声で呼ぶなり、手にした剣が虚空に消えた。バンブーがその腹に収めたらしい。剣が消える一瞬前、刻印《スペル》を刻まれた牙《きば》が宙に並ぶのが見えていた。

「せめてもの手向けに、あいつの脳髄にぶち込んでやるさ」

低く淡々とした声音でアドニスが言った。あいつとは無論ティツィアーノのことだ。

ベルはふと、アドニスの様子がおかしいのに気づいた。つい先ほど見た、水族《マーメイド》の誰かさんとよく似た気配なのである。恐怖と怒りがないまざり、渦巻く中心から、まるで結晶化するようにして殺意が生まれてくるのだ。ただベネディクティンと違うところは、その殺意の向かう相手が、ただ一人、ティツィアーノであるという点だった。

だがそれにしても尋常ではない殺意である。赤い頭巾《バンダナ》のすぐ下で、恐ろしく憔悴《しょうすい》したかのような顔が、虚空を睨《にら》みつけている。ペリエが目の前で死んだ、ということ以上に、怒り恐れるべき事態が生じたに違いなかった。だがそれが何であるにせよ、いつものようにアドニスの思いは自ら自分自身を食らい尽くし、決して現実に現れようとしなかった。

「新顔を入れて、生き残ったのは今のところ六人か……」

アドニスが言った。キティは既に抜け目なく自己紹介を済ませている。

ふとベルは、アドニスがちらりと自分を見た目に、ひどく激しい求憐《きゅうれん》の情があるのを感じた。思わずなりふり構わず相手を慰めてやりたくなるような目であった。この点でも、ベネディクティンの場合とは違った。

（何があったんだ……？）

間違いないのは、それがティツィアーノゆえである、ということだ。ティツィアーノが現れ、〈正義〉の楽隊が壊滅したことが、まるで自分のせいだとでもいうような憔悴の仕方であった。そのくせその目は、悲しみと同時に、煮え滾《たぎ》るような殺意に満ち溢《あふ》れている。

そのアドニスが、表面上はむしろ淡々として告げた。

「この先に湖がある。〈外〉の住人にとっては、〈正義〉も〈悪〉も関係なく、死者の魂を慰める場の一つだ。そこで、見世物があるそうだ。見に行きたい者がいればついてきてくれ。なるべく全員が来てくれるとありがたいらしい」

「はて。見世物とは？」

キティが首を傾げた。

「俺にも判らん」

「……あのう、誰がそんなことを？」

当然の疑問を、ギネスが代表して尋ねる。が、その答えがこれまた振るっていた。

「〈悪〉の指揮者《コンダクター》だ。名を、ジンバックという」

一瞬、誰もがしんとなった。

「なんだと……」

カシスが恐ろしく低い声を漏らした。なんとその手が、錠《とざ》された剣にかかっている。

「貴様、そういえば〈外〉の出だったな？　たった今話していた相手もそうか？」

「そうだ」

「どういう了見だ。その話し相手はどこへ行った。何故、姿を隠す」

「あんたみたいなやつがいるからだ」

アドニスはきっぱりと言った。

「いいか、誰もが勘違いをしてたんだよ。俺たちだけじゃない。この戦いに関していえば、〈悪〉のやつらも同じ勘違いをしてたんだ。俺たちの敵は誰だ？　え？　俺たちの敵だよ。そもそも誰がこの闘いの火種を播《ま》いた？」

「ティツィアーノ……」

ギネスが律義に答える。

「そうだ。俺たちの敵はティツィアーノ、ただ一人だ。しかも〈正義《トップドッグ》〉と〈悪《アンダードッグ》〉その両方に共通した、悪魔のような敵なんだよ」

ベルはふと変化に気づいた。アドニスの、ティツィアーノに対する変化である。今回の選抜が決定した当初は、むしろティツィアーノに対する好感さえ見ることが出来たのだ。〈正義〉全体を敵に回してまでも己を守るか……そういう賛嘆が、皮肉の中にも見え隠れしたものである。そういう共感や賛嘆の念が、今や一切消え果て、代わって恐ろしいまでに憎悪し、殺意の標的としてあげつらうのだった。

そのアドニスが、吠《ほ》えた。

「繰り返す。敵はティツィアーノ、ただ一人だ！」

11

通路を出た途端、一同、誰もが息をのんだ。それほど広大で霊然たる風景であった。鏡のように滑らかな水面が眼下に広がった。天井が見えない。周囲の壁にまたたく蛍光石の青白い光に照らされ、ようやく水面とその上の空間の区別がつくのが、ともすると無限の高みと奥深さに、身も心も引き込まれるような感覚に襲われそうになった。

ぱしゃん。水面に小さな波紋が起こるのが、闇に遠く見えた。燐光《りんこう》を照らし返す朧《おぼ》ろな飛沫《ひまつ》のゆくえを、耳あるいは鼻、そして目で、それぞれ追った。――いた。

湖の縁から中央まで、流麗な彫刻を施された青い電気石《トルマリン》の橋がかかっている。橋は湖の中央で礼拝堂につながっており、飛沫はその礼拝堂にかかった。魚影と見まがう流れるようなフォルムが見え、水族《マーメイド》特有の優雅な動作で礼拝堂に腰を下ろした。

（綺麗《きれい》だ……）

ベルは思った。ティツィアーノは水鋼《みずがね》の糸を織りなした羽衣で全身を包んでいる。炎も剣もことごとく弾《はじ》く、水族《マーメイド》特有の鎧《よろい》である。灰銀色の衣が燐光をまとう様子は屍衣《しい》にも似て、堕《お》ちた闇の底で死者を操り、狂乱の行いを繰り返す魔の巫女《みこ》にふさわしかった。

衣から美貌《びぼう》が覗《のぞ》いた。鋭く研ぎ澄まされた刃のような顔立ちが、ふつふつと得体の知れない衝動に満ちているのが判る。ついで、胸元からさあっと衣をかきわけて、あの妖《あや》しく歪《ゆが》んだ刃が現れた。

ふいにティツィアーノが叫んだ。といってベルにはそれが、かっかかかっ……と何かを低く打ち鳴らすようにしか聞こえない。

ベネディクティンが苦しそうに耳を塞《ふさ》ぎ、いまいましげに呟《つぶや》いた。

「何かを呼んでるわ、あいつ……あの橋の上で何かやるつもりよ」

その言葉通り、湖の水面から続々と死者の群が現れ、橋の両側を上り始めた。なんというおびただしい数か。中にはとっくに肉が崩れ、死告鳥《レイヴン》の花の根を全身にまといつかせた剣士の姿もあった。誰もが慄然《りつぜん》とした。ティツィアーノは〈正義〉と〈悪〉両方の生者を生ける屍《しかばね》と化したのみならず、次々と墓を暴き、同じく自分の玩具《がんぐ》としたに違いなかった。

ベルたちには聞こえない合図のもと、死者の群が橋の上でいきなり戦いを始めた。

剣、鉄を手に手に打ち鳴らし、声なき叫びを上げ、もがき振るい、おののき歌い、食らいつき切り裂き、ずたずたにされ、そのつど、傷口に寄生された明滅する何かが体内奥深く侵入し、およそ考えられないような異様な姿へと変貌してゆくのだった。

「神を気取ってやがる……」

アドニスが言った。橋の両端が、それぞれ〈正義《トップドッグ》〉と〈悪《アンダードッグ》〉であることは明らかだった。

無惨のひとことに尽きた。まだ生者としての意識を保つ者もいるようだった。すすり泣きながらその身を内外からぼろぼろに食い荒らされ、やがてベルが神の樹に似ていると思ったあの微細な刻印《スペル》の明滅を全身に帯び、魂さえ操られるかのように沈黙した。

そしてその戦いに勝ち残った者は次々とティツィアーノのもとでひざまずき、すがりついた。淫虐《いんぎゃく》といっていい光景だった。あまりにも音なくそれが行われたため、誰もがこれがひどく妖しい幻想に思われていた。

その中でたった一人、キティだけが冷ややかとも言えるまなざしで淡々と語った。

「あの者の刃のかけらが身体に食い入ることによって、どうやら死者は操られているようですな。その業をもって成すのが神楽《カグラ》の真似ごととは……」

「カグラ……？」

ベルが青ざめた顔で振り返ると、なんとキティは平然と微笑して言った。

「神楽しませ、神楽しますます者を楽しませ、天地万物を一切の楽にまとめあげ、秩序と混沌《こんとん》とその間《あわい》に、神・民の意志を遍《あまね》く満たすことを、わが国では神楽《カグラ》と申します。なんともはや……あの者はまるで神に恋するあまり自ら神になろうとでも言うかのようですな？」

あとの言葉は、何を思ったかアドニスに問いかけられていた。

「水族《マーメイド》らしい一途《いちず》さと脆《もろ》さでな。あいつは神を憎悪し過ぎた。それがいつの間にか神との同化に変わった。心の天秤《てんびん》を支えるには、どうしたって狂う他なかった。その結果、自分を賞品にして愛人同士を闘わせていたのが、ここまで大掛かりになったらしいな」

アドニスもまた、当然のように、問われたことに冷静に答えていた。

ベルには彼らが何を言っているのか、判るようでいて判らない。他の面々も同様であろう。キティやアドニスでさえ、理屈として判っているだけで、決してティッィアーノの感情を理解しているわけではなさそうだった。ただベネディクティンだけは、同族ということで相手の心理を多少なりとも察しているのか、

「あいつは楽しんでなんかいないわ」

ぽつりと呟いた。

「擬神は楽しんだりしないでしょうね」

「擬神……？」

ベルが首を傾げると、キティはふいにじっとベルの目を見て、呟くように言った。

「滅びし神に倣い、その法《テーマ》のみを己の存在意義とせざるをえない者のことを言います。別名を、〈機械仕掛けの神《デウス・エキス・マキナ》〉、とも……」

キティの言葉が半ばから途切れた。

気がつけば、一切の音がなくなっていた。あたかも耳をつんざくかのような静寂である。凍りつくような沈黙の中、恐るべき視線が、ひたと一団を見据えていた。とてつもない恐怖が一団を襲ったが、さすがに誰一人として悲鳴を上げたりはしなかった。

幾つかのことが、連続して起こった。

死者の群が動きを止め、にわかに一団を振り返った。

――アアアアドォオオオオオニィイイイイイイイス……！

広大な空間を金切り声で埋め尽くさんばかりにティッィアーノが吠《ほ》え、かと思うと、

「こりゃやべえ、退《ひ》けっ！」

聞き覚えのあるようなないような声とともに、突然、一団の背後に人影が現れた。

反射的にベネディクティンがその人影を弾丸で打ち抜いたかに見えたが、

「幻……!?」

その蛍族《ロイテライテ》の老人の幻影は、にやりと不敵な笑みを浮かべて逃走経路を指示するや、またたく間に消えていた。

「逃げるぞ、ついて来い！」

アドニスが駆けた。通路を一団が全力で走り抜けた。アドニスを先頭に、ギネスとカシスを後衛する形でベルとベネディクティンが並んで走り、最後尾はまたもやキティである。

部屋に雪崩れ込むなり素早く扉を閉め、

「お下がりください。この扉、鉄壁と化して御覧に入れましょう」

キティが〈式《フォーミュラ》〉を展開すると、扉一面に光輝く演算が浮かび上がった。

それに応じるようにして、すぐさま扉に死者の殺到する気配が満ちた。なんという素早さか。

一団が扉に向かって剣を構えようとするなり、

「無用！」

キティの叫びとともに、閃光《せんこう》が走った。扉の向こうで何かが爆発的に発生し、一瞬のうちに

扉に触れる者全てを払ったようであった。

「この扉、あちら側から触れれば、ことごとく焦熱地獄の目を見ます。開くのはこちら側からのみにて……ご安心を」

一同、ものの見事に啞然《あぜん》とした。これほどの腕前は見たことがなかった。

「行くぞ！」

アドニスの先導で、再び走り出した。部屋を飛び出し、通路を抜け、いささかの迷いもないアドニスの走りに、みな必死でついていった。

滴るものがあった。天井からぽつりぽつりと零《こぼ》れ、やがてそれは一団の行く手に水面を形づくった。誰もがそれに気づいていたが、止まる者はいなかった。

「バンブー、熱くて折れやすい剣《やつ》だ」

アドニスがぼそりと呟いた。その手が、ふいに虚空に現れた柄《つか》を引っ摑《つか》む。と見るや、するすると刃が虚空から抜き放たれていた。

刻み込まれた〈？〉《クエスティオン》——それはベルの初めて見る、剣握るアドニスの姿であった。これまでは楽隊の右と左に別れていたため、互いの戦う姿は見えないでいたのだ。

飲食魔法《レスト・ラント》によって、水面を通じ、何人かの死兵がむっくり起き上がる。

アドニスの足は更に激しく地面を蹴《け》り、疾風の速さで斬り込んでいった。

相手の剣をかわしざま、突いた。剣が死兵の顔面に突き込まれ、熱い、の名の通り、剣が握り手の意志を発揮して炎熱を発し、あっという間に死兵の顔面が内から燃え盛った。

と見るや、刃の突き刺さった相手の顎《あご》をてこに、なんと自らその剣をへし折った。あらかじめ折れやすいよう、切り込みを入れておいたのであろう。熱くて折れやすい、のゆえんであった。そして間髪入れずに別の死者の脇腹に残った刃を叩《たた》き込むと、これまた相手の肋骨《ろっこつ》をてこに拳《こぶし》で叩き、刃を折った。相手の体内に食い込んだ刃のかけらが炎熱を発し、猛烈な臭気とともに死者を内側から焼き尽くす。

なんとも凄《すさ》まじい剣技であった。

こうまで無造作に剣を使い捨てるなど、ベルには想像も出来ない。まさしく剣盗人ゆえの、振るわれる剣こそ哀しく悲鳴を上げるかのような手法だった。

残った刃を足元の水面に向かって投げ放つや、水面が泡を発して煮え立った。水面から覗きかけた腕が弾ける水にずたずたになり、ついで燃え盛る。アドニスの剣には、恐ろしく容赦がなかった。どうすればより効率良く敵を殺せるか。それだけを考えた剣だった。

絶対に共感できない。ベルはそう直感した。アドニスの剣と自分の剣とは、まるで光と影のように対立するものだ。

もしそのアドニスと戦ったらどうなるか。ベルは想像して慄然となった。恐らく、どちらも決して相手を許容しない。互いの剣が互いを否定するのだ。敗北した方には二度と剣を握ることさえ許さないような、苛烈《かれつ》で残酷な戦いになるに違いなかった。

戦いたくない。アドニスとは、決して……心底そう思った。

そんなベルの思いを余所《よそ》に、アドニスはほぼ一人で前面の敵を切り払い、両翼を守るベルとベネディクティンの掩護《えんご》を半ば無視して、何かに憑《つ》かれたかのように突き進んでいった。

「そこだ」

アドニスが足を緩め、やがて立ち止まった。

その手を壁に当てる。硬い革の手袋に覆われた手。それが壁の一部のようにも見える扉を開き、堂々と中へ入っていった。なんの警戒もない動作だった。慌ててベルがその傍らに立つが、アドニスがひょいと手で遮ってベルの剣を押し止めた。

一団が中に入り、扉がキティの背後で閉まると同時に、部屋に明りが点《とも》った。

「来たなあ……」

蛍族《ロイテライテ》の老人が、言った。

その周囲には、足長族《フロッツギー》が六名と月瞳族《キャッツアイズ》が三名、老人を守護するようにして静かに佇《たたず》んでいる。

いずれも、〈正義〉に仇《あだ》する、〈悪〉の剣士たちであった。

「なんとまあ、とんでもねえ面子《メンツ》が揃ったもんだぜ」

一団を見回しながら、老人がしみじみと言った。

アドニスがあらかじめ告げていた通り、老人は名をジンバックといった。

〈悪〉においては名指揮者《コンダクター》として名高い、百戦錬磨のつわものである。この戦いの当初、〈正義〉の楽隊が惨々たる潰走《ついそう》に陥ったのは、ティツィアーノではなく、実はこの老人の指揮によった。それはまた、狂乱せるティツィアーノさえその指揮下に置いていたことをも示している。

その手腕たるやベルたちの想像を絶するものがあった。

　とはいえ、

「あの水っ娘《こ》もよ、最初現れたときは、あんなんじゃなかったんだよ」

　ジンバックは相手を哀れむように言った。

「確かに、こう、細い糸がぴいんと張り詰めてるような、危なっかしい気配はあったけどよ、俺が見る限りは、しっかり頭も働いてるし、目に心ってもんがあったんだがな。それがさ、水《みず》鋼《がね》にくるまって、俺に言うのさ。これから〈内〉のやつらが、このカタコームを、大舞台作って攻めに来ると。自分は由縁《ゆえん》あって城を出て、〈正義〉に仇するためにここに来た。ともに戦いたい、っってさ……」

　ベルは思わず眉《まゆ》をひそめた。他の〈正義〉の面々も同様である。

　そもそもこのカタコームの洞窟《どうくつ》を攻めるのは、ティツィアーノが理由ではないのか。ティツィアーノさえ倒せば、この洞窟にもはや用はないはずである。それなのに、ジンバックの証言では、まるで〈正義〉はこの洞窟を占拠するために戦うかのようではないか。

「王の神言は戦いを予定調和させる」

　アドニスが口を挟み、不審げな〈正義〉の面々に向かって言った。

「最高階級者《トップヒエラルキア》のティツィアーノが、ここでの戦闘のことをあらかじめ知っていたとして不思議はない。たまたま戦いの口実が前後しただけだろう。そうでなければ、ティツィアーノがここに堕《お》ちてゆくことを、王は……神は、知っていたのかもしれないな」

そう語るアドニスを、ジンバックがじろりと見やった。

「なあ、あの水っ娘《こ》がいったいいつおかしくなったのか、教えてやろうか」

アドニスもまた、ジンバックを振り返り、真っ向から視線を交わした。

「俺の姿を見たときからだ。そうだろう?」

「そうさ」

にやりとジンバックが笑った。相手の底を見透かすような、なんとも意地の悪い笑みだ。

「お前さんの姿を見るなり、張り詰めていたものがぶち切れたんだよ。水を操って出口という出口を塞《ふさ》ぎ、かと思いきや、だれもかれも関係なくあの剣で斬って回りやがった。なあアドニス、もしかしてあの水っ娘《こ》をおかしくしたのは、お前さんなんじゃねえのか」

にわかにはっとした。ベルが、である。それなら、アドニスの激しい殺意も、ティツィアーノがアドニスの名を金切り声で呼んだのも、説明できる気がした。急に胸が痛んだ。心がちくちくする。およそ名付けようのない、こんなにも胸の塞がる思いは初めてだった。

だがアドニスは暗い顔で、呆気《あつけ》なくそれを否定した。

「俺じゃない。別の男だ。そしてその男は、負けるべき戦いに抗《あらが》って死んだ。御老、あんたと違って〈内〉ではときに、神言によって勝ちようのない戦いを強いられることがあるんだ。この戦いのように。その男は、そんな戦いでむざむざ殺されるのが嫌で楽隊を離れ、逃亡者として伴奏者《ピアニスツス》の神官に殺されたんだ」

「なんでそこに、お前さんが関係ある」

「その戦いで生き残った〈正義〉はたった二人だった。男を斬った神官でさえ死んだ。生き残りの一人は、ガフって男だ。そしてもう一人が俺さ。その戦いの功績をみとめられて、最高階級《トップヒエラルキア》に上り……そして俺はティツィアーノに、あいつの最愛の男がどうやって死んだのか、教えてやったんだよ。それからだ、あいつが神の真似ごとをし始めたのは。いったんは、もう一人の生き残りのガフに、剣を折られておとなしくなったんだが……とうとう狂うだけ狂ったってわけだ。俺の姿を見て、それを思い出したんだろう」

単にきっかけであって、ティツィアーノの狂乱の理由《ことわり》ではない。言外にそう言っていた。

違う。ベルはそう直感していた。アドニスは嘘を言っていない。しかし本当のことも言っていない。もしかするとそれは、最高階級《トップヒエラルキア》にある剣士にとって、言ってはいけないことなのかもしれない――ティツィアーノとアドニスはやはり……という思考を拒むようにして、そう思っていた。そしてその直感は限りなく鋭くアドニスの内面に迫っていたが、この時点ではそれを知るよしもない。ただ、アドニスの本心が決して自分の手には届かないということだけはよく判っていた。哀れみだけでは、何も答えてくれない男だった。

「まあ、いいさ。確かなことは、このままじゃあ、あの水っ娘《こ》に俺たち全員が操り人形にされて、何の意味もない血みどろの戦いをさせられるってことだ」

ジンバックが、飄々《ひょうひょう》として、言った。

「そこでだ。なあ、お前さんがた。俺たちと、いっとき、手を組まねえか」

敵はティツィアーノただ一人、とはアドニスの繰り返した言である。死者を自在に操るティツィアーノを、共闘してともに倒そう、またそうせねば、ここから生きて出ることも叶《かな》わない。なんならティツィアーノを倒してから、また〈正義〉と〈悪〉に分かれて仕切り直してもいいじゃないか。そうジンバックは、まことにさらりと言ってのけるのだった。

これに、ベネディクティンとカシスが強硬に反対した。

「冗談じゃないわよ。それが罠《わな》じゃないっていう証拠があるの？　もし罠じゃなくっても、一緒に戦うってことは、こちらの剣を見せることになるわ」

敵にこちらの剣質や戦法を知られてしまう。しかもいまだに舞台は〈悪〉に有利なのだ。いつどこで裏切られるか判らないし、出口さえ判らないのではこちらの分が悪すぎる。

ベルとしては、ジンバックを既に信用していた。裏切るくらいならそもそもこんな話を持ち掛けず、洞窟の闇の中で一人一人倒してしまえばいいのだ。指揮者《コンダクター》の顔を知られてしまったことを思えば、分が悪いのはむしろ〈悪〉の方である。

それに、ベルがジンバックと顔を合わせるのは初めてのことではない。ミモザ夫妻を救出したときの、ジンバックの指揮の見事さ、また逃げっぷりのよさはいまだに覚えている。味方にして、これほど頼もしい者もいない。そう告げようとしたときである。

「あんたら頭わいてんじゃない？　分が悪いってのは私らのことを言うのよ！」

そう叫んだのは、なんと少女であった。名をミストといい、ベルより齢《とし》は上であろう。一族の常として女性を陣頭に置く足長族《フロッギー》の、実質的なリーダー役らしかった。

そのせいか、実に聡《さと》い。ベルが思ったようなことに加えて、出口を教えて欲しいのなら地図を書いてやるからさっさと出て行けばいい、その代わり出口は全て水の中だ、水に入れば魚の餌よろしくティツィアーノに取っ捕まるのがおちだぞ……等々、舌鋒《ぜっぽう》鋭くベネディクティンとカシスの言を両断してしまった。

これにはベルも思わず大声で笑った。ベネディクティンが小娘を前にしてたじろぐ姿は痛快でさえあった。

「なあベネット、あんたの負けだよ。ここは手を組むに限るぜ」

ベネディクティンを愛称で呼んだのは、無論、嫌がらせである。

「ふうん、そう。判ったわ、ベル。あなたがそう言うのなら、私はそれに従いましょう」

ベネディクティンの方も、鉄の微笑みを見せて頷《うなず》いた。ラブラックと呼ばずにベルと呼んだところに嫌味があった。しかも何かあれば全てベルの責任だと言外に断定している。

にやり。二人、顔を見合わせて笑った。

「よし、じゃあ早速、役割分担といこうか」

表面上は姉妹のごとき親しさの二人に安心し、ジンバックが手を叩《たた》いて言った。

最初に指揮者《コンダクター》が決まった。これは既に決まっていたとさえいえる。

「俺さ、やってもいいかな？」

まるで子供のようなジンバックの言に、一同、異議なく頷いた。

ついで、演出者《ディレクター》の選出である。

「なあ、あんた、やってみないかい」

ジンバックが声をかけたのは、なんとキティであった。

「ほう、私が?」

面白そうに問い返すキティを見て、一同、これまた納得して頷いていた。それほどこの〈賢い者《ザ・オール》〉は、短時間で多くの者にその恐るべき腕前をみとめさせていたのだ。

だが、どれほどの名指揮者《コンダクター》とはいえ、旅の長耳族《ラビッテイア》をその指揮下に入れるなど前代未聞の選抜である。しかも、純粋に個人的な理由でベルに助力しているだけで、この戦いにはもともと何の関係もない。キティにとってはただベル一人を掩護すればよいのである。

そこを、ジンバックは確信して言った。

「ああ、俺の見たところ、あんたにしか出来ねえな。それに、もし協力してくれるんなら、もしかするとあんた、思わぬ拾い物をするかもしれねえぜ」

「ふむ? 拾い物とは?」

「へへ、実はよ……先日、うちの若いやつらがさ、拾ったのさ。金ぴかの、時計だよ」

「ほほう。金の時計というと?」

とぼけた顔をして、なおもキティが問い返す。その赤い瞳《ひとみ》が、ちらりとミストを見やった。

ベルは勿論《もちろん》のこと、ほとんどの者がキティとジンバックの取り引きの内実を知らない。

ミストはジンバックの言わんとすることを早々に悟り、むっつりとふてくされていた。

「それがさ、機械式《マキナ》の時計なんだよ。この国じゃあ、滅多にお目にかかれねえ代物さ」

ジンバックに、キティは目を戻した。

「やはり、因果の糸は、いまだほころびを見せぬ……」

ぶつぶつとわけの判らぬ独り言を呟《つぶや》き、しばらく思案する素振りを見せたかと思うと、

「それは、もしかすると、私が先日、落とした物かも判りませんね」

にこりと笑んで、そう答えていた。それはまた、演出者《ディレクター》として楽隊の一員に加わり、一時的にせよ、ジンバックの指揮下に入ることを了承する言葉であった。この一事だけでも、ジンバックは〈剣の国〉の歴史に残る快挙を成し遂げたといってよかった。

「おい、ミスト。ほれ、お前がこないだ拾った物をお出ししな」

逆らいようがなかった。

「ジンバック様、ちゃんと戦いが終わってからじゃ駄目なの？」

「お前な、そんな無粋なことを言うんじゃないよ」

ミストはきっとキティを睨《にら》むと、金の懐中時計を取り出し、渋々と手渡した。

再び手に戻ってきた金の時計を、キティが当然のように懐にしまった。まるでそれがいずれ戻ってくることを予想していたかのような所作だった。それにかちんときたミストが、

「あんたまさか、こうなるのが判ってて手放したんじゃないでしょうね」

ぼそぼそと小声で詰《なじ》る。言い掛かりなのは自分でも判っているが、相手が旅の長耳族《ラビッツテイア》では、不思議ではないような気にさせるものがあった。

だが睨まれた方は困ったように長い耳をひっぱりひっぱり、

「必ずしも、そういうわけじゃあ、ないんですけどねえ……」

ミストの隣に立つ青年に、救いを求めるような目を向けた。

青年の名はクラウドといい、ミストの双子の兄で、参謀役としてミストとともに足長族《フロッギー》の一団を率いる身であった。そのクラウドが、平然として手を振った。

「いやー、どうせ似合わんから。不相応ってやつね。自分で言ってたもん」

「あんたは黙ってなさいよっ」

かっと赤くなってがなる。その矛先が変わった隙に、キティがジンバックに言った。

「では……これを拾って頂いたお礼として、私がしかとその役、引き受けましょう」

「あいさ」

ジンバックが嬉々として手を叩いた。

こんな調子で次々と役柄が決まり、それをギネスが一覧にして一同に見せて回った。

指揮者《コンダクター》　ジンバック
　　蛍族《ロイテライテ》　〈悪《アンダードッグ》〉
演出者《ディレクター》　キティ＝〈賢い者《ザ・オール》〉
　　長耳族《ラビッツテイア》　旅の者《ノマド》
脚本者《リブレット》　ギネス
　　弓瞳族《シープアイズ》　〈正義《トップドッグ》〉

伴奏者《ピアニスツス》　カシス
月瞳族《キャッツアイズ》　〈正義《トップドッグ》〉

はじめ、ギネスはジンバックに声をかけられるなり、

「やれと言われるのなら、やりますが……」

また当初の自信のなさそうな口調に戻っていた。これだけの混成楽隊である。またどうせ、恐ろしく矛盾した要求ばかりうるさく注文されるんだろうなあ。そう思っているのが、ベルの目にも明らかだった。しかし〈悪〉の面々には、この態度は理解出来ない。

ジンバックが困ったようにギネスを見詰めると、代弁するかのようにミストが詰った。

「あんたにやる気があるか訊《き》いてんのよ！　最初《はな》っから責任逃れみたいなこと言って！」

「は、はあ……では、どんな脚本《ほん》を書けばいいんでしょうか。それによるんですが」

「どんなって……おいおい、それがお前さんの仕事だろうが」

「ええ、勿論ですが……その、事前に注文を……」

「お前さんよう、今までずっとそうやってきたのか？」

ジンバックがつくづく呆《あき》れた顔で言った。それを更にミストが詰め寄る。

「馬っ鹿みたい。あんたねえ、頭煮えてんじゃないの？　自分の書きたいものを書けばいいじゃない。そうやって人の顔色ばっか気にしてるから、あんな隙だらけの陣操りになるのよ。あれじゃあジンバック様じゃなくたって、あっという間に叩き潰《つぶ》せるわ」

ギネスはそのミストのあまりの気《き》っ風《ぷ》の良さに、ちょっと感動したようだった。足長族《フロッギー》は、弓瞳族《シープアイズ》よりもずっと種族的に立場が弱い。〈正義〉では、滅多に表舞台にさえ出ることのない一族である。それがこんなにも威勢良く言いたいことを口に出来るとは……

「君は強いんだね」

つい、そう返していた。

「ありがと。あなたは弱さを盾にしてるのね。惨めだわ」

ぐさりと胸に突き刺さるような言葉にも、何故だかしみじみと微笑が浮かんだ。

「そうだね……」

静かに微笑《わら》っているその顔は、むしろ何ごとか吹っ切れたようであった。つとジンバックに向き直り、

「やります。試してみたいことがあるんです」

はっきりとそう言った。

それに次いでジンバックを呆れさせたのは、カシスの存在であった。

「何だい伴奏者《ピアニスツ》って。あんた、いったい何をしに来てるんだ?」

皮肉でもなんでもない、純粋に理解出来ない、そういう顔で問うた。

仮面の奥で、カシスがたじろぐのがベルには判った。鍵鎖《チェーン》で錠《とざ》された剣を持つカシスが実際の役に立つとしたら、多少の聖灰を常に携帯しているということだけである。

「ははあ、回復役ってわけか。贅沢《ぜいたく》だねえ……」

だが〈悪〉には、治癒専門者の存在自体が納得ゆかない。治癒能力があるのならそれにこしたことはないが、それ以前に剣を振るえない者がいったい何の役に立つのか。

「いや、私は王に語るべく……」

「見物人てわけか」

「ただ見守るのではなく戦いの推移を見定め、敢えて苦言を呈しつつ……」

「ああ、判った判った。邪魔にならんよう俺の後ろに居ろ、な」

ジンバックはさも面倒臭そうに手を振った。

「剣を振り回したくなったときだけ、何か言ってくれりゃいい。そうでなきゃ黙ってな」

さすがのカシスも、これには絶句するしかなかった。同時に、歯がみして剣握れぬ自分に耐えているのが、ベルにはよく判った。あんな仮面、取ってしまえばいいのに。ついそう思う。あんな鎖も、私が代わりに千切ってやろうか。しかしそうはいかないことも、判っていた。カシスは剣士である以前に、神官だった。

そしてその剣士たちの陣形が、同じような調子で、順繰りに決まっていった。

ギネスが書き記したのは、次の通りである。

剣士《ソリスト》　右翼

トム＝コリンズ　月瞳族《キャッツアイズ》　〈外《アンダードッグ》〉

ジョン＝コリンズ　月瞳族《キャッツアイズ》　〈外《アンダードッグ》〉

サンディ＝コリンズ　月瞳族《キャッツアイズ》　〈外《アンダードッグ》〉
クエスティオン＝アドニス　月瞳族《キャッツアイズ》　〈正義《トップドッグ》〉

剣士《ソリスト》　左翼
ラブラック＝ベル　種族不明　〈正義《トップドッグ》〉
ベネディクティン　水族《マーメイド》　〈正義《トップドッグ》〉
ミスト　足長族《フロッギー》　〈悪《アンダードッグ》〉
クラウド　足長族《フロッギー》　〈悪《アンダードッグ》〉
トゥディ　足長族《フロッギー》　〈悪《アンダードッグ》〉

剣士《ソリスト》　後衛（指揮者の輿《こし》を担ぐ）
スノウ　足長族《フロッギー》　〈悪《アンダードッグ》〉
コラル　足長族《フロッギー》　〈悪《アンダードッグ》〉
フローズ　足長族《フロッギー》　〈悪《アンダードッグ》〉

「両翼をいちいち指揮するよりも、前面を二手に分けて、それぞれに一体化させた方が効率が良くなると、ずっと考えていたんです。指揮は前面に、あとは互いに指示し合って」

ギネスが言った。

ふんふんと頷《うなず》きながら、ジンバックはギネスの記す陣形に見入った。

「あと、演出の位置も、指揮の脇ではなく、前に……脇には脚本がつきます」

「演出を前面に出して独立させるのか、面白《おもしれ》えな」

「結界は第二の指揮というのが僕の持論でして……指揮の要望に合わせて結界を張るだけではなく、むしろ率先して剣士を動かせば……演出の腕次第では右翼と左翼でそれぞれ違う種類の結界を張ることも可能だと思うんですが……」

ギネスとジンバックがぼそぼそと話し込んでいる間、当の剣士たちは互いの剣技について語り合った。剣質が矛盾して互いに損なうようなことにならないため、最低限のことは話しておかねばならないからだ。その際の自己紹介は、ごく短い時間で信頼をつちかい楽隊を整えようとするための、必死の努力といえた。

ところがコリンズと名乗る月瞳族《キャッツアイズ》たちは、ひとことふたことアドニスと言葉を交わしただけで、じっと黙り込んでしまっている。同じ右翼を護《まも》る者たちとしては、より多くの言葉を短時間のうちに交わしておくべきであるはずだった。

だが、それもそのはず、ベルがそのことを口にすると、

「親子で、今さら何か話さなければいけないことは少ないのですよ」

コリンズの一人は、さらりと答えたのだった。

「親子……？」

あまりのことに、ベルはぽかんとした顔で相手を見詰めた。

「ええ。まさか共に剣を振るえるとは思ってもいませんでした。嬉《うれ》しいことです」

しみじみと言った。なるほどこれがアドニスの父かと思わせる、非常にスマートな印象を受ける男性だった。名をトム＝コリンズといい、カタコームの管理者の一人だという。

彼らこそ、この混成楽隊を最初に提案した人々であり、はじめはジンバックもその提案を渋ったという。それを説き伏せることが出来たのは、ひとえに彼らの特殊な位置ゆえだ。

〈正義〉も〈悪〉も分け隔てなく葬り、死告鳥《レイヴン》の種を播《ま》く。死告鳥《レイヴン》は、死者に由縁ある者の数だけ花咲き、死を告げるため墓所を飛び立つ。死を扱い、死告鳥《レイヴン》を育てることを生業《なりわい》とする彼らにとって、カタコームは〈正義〉からも〈悪〉からも超越した、中立的な聖所であった。

〈悪〉がここの地理に馴《な》れているのは彼らがたまたま〈外〉であるからにすぎない。カタコームを私利によって侵害する者は、たとえ〈悪〉でも撃退される。またカタコームに死者を見舞いに来る者は、たとえ〈正義〉でも丁重に歓迎されるのだった。つまり〈正義〉がカタコームに攻めて来た時に応戦したのは、主に彼らだったのだ。

どうりで、アドニスが今いる部屋まで何の迷いもなく走り抜けたのも、頷ける話だった。

「私たちの一族は常に〈外〉ですが、〈正義〉でも〈悪〉でもありません。ただカタコームを守ることを代々の使命としてきたのです」

そのため、ギネスは敢えて彼らの場合だけ〈悪《アンダードッグ》〉と記さず〈外《アンダードッグ》〉と記していた。

ベルは、ふとアドニスの宿舎の方の部屋を思い出していた。部屋の床に散らばった多くの黒い花弁は、死告鳥《レイヴン》のものだ。

果たしてトム＝コリンズは、カタコームを守るために多くのコリンズの名を持つ者が死んでいったと、沁《し》みるように静かな声で語った。闘いで死に、また洞窟《どうくつ》内に巣くう巨大な虫媒花《むし》に襲われ……。中でも最も多いのが、長年にわたって死告鳥《レイヴン》の種を播き続けたため、死の瘴気《しょうき》に心身を冒されることだという。死者の怨念《おんねん》や哀しみが、あるいはコリンズという一族を贖《あがな》いにして、浄化されるのかもしれない。そんな風に言った。

「ところでアドニス、お前、手は……」

トム＝コリンズの言葉に、アドニスは首を振った。

「そうか。やはり聖灰でも癒《いや》せなかったか……」

「俺は、そのためだけに〈内〉に入ったわけじゃ……」

「判っている。だがもはやコリンズの名に縛られるお前ではなかろう」

ベルにとってはなんとも核心をついた、はらはらする話題であったが、彼らはすぐにそのまま沈黙してしまった。およそ、低俗な好奇心を許すような雰囲気ではない。

やきもきするベルに、ふとまた別の者が声をかけた。

「鬼っ子さん、お名前をよろしいかしら」

ミストであった。口調に苛々《いらいら》としたものがある。右翼を司《つかさど》るアドニスたちと喋《しゃべ》っている暇があれば、こちらと出来るだけ意思疎通を果たすべきなのだ。しかもベルは左翼を引っ張る要である。話をしたいのならこちらと話せ。目がそう言っていた。

「ああ、ごめん。ラブラック＝ベルだ、よろしく。……なんだいその鬼っ子って」

「気にしないで、私たちが勝手にあなたのこと、そう呼んでただけだから」

あっさりと流した。そしてじっとベルの相貌《そうぼう》を見据えると、ぼそり、問うた。

「何で殺さなかったの？」

いつかの襲撃戦のことを言っているのだと、すぐに判った。

「私にも判らないよ。多分、斬れなかったんだ」

「どういうことよ」

「昔は、何でも斬ることが出来たんだ。少なくともそう思ってた。でも最近……色々あってね。何が斬れて、何が斬れないか、判らないんだ。実際に斬ってみるまではね」

「ふうん。じゃあ、私はどう？　私は斬れそう？」

相手に一切の虚偽を許さぬ、実に真っ直《す》ぐな問いだった。

一拍の間を置いて、ベルは首を振った。

「あなたの剣なら、斬ることが出来そうだけどね」

その二人の間に、クラウドが割って入った。

「あんだよー、素直に頼りにしてるって言やあいいのに。ミストもねちこいなあ」

「あんたはうるさいのっ」

一喝しつつも、ミストはなおもじっとベルを見詰め、やがてぽつりと呟《つぶや》き、笑んだ。

「剣が斬る、か……。いいわ。あなたのこと信用する。信頼はしないけどね。頼ったり頼りにされたりって、好きな方じゃないでしょ？」

「まあ……ね」

なんとも快活なミストを、実のところベルは一発で気に入っていた。

（ベネットのやつとは大違いだ）

済まし顔で他の足長族《フロッギー》たちと話し込んでいるベネディクティンを見て、思う。そのくせ、いつの間にか心の中でも愛称で呼んでいることに、ベル自身、気づいてさえいない。

最初に気づいたのはコリンズ父子であった。

長年死を扱ってきたゆえであろう。死者の気配ともいえる微妙な瘴気が部屋に迫り来るのを敏感に察知していた。

「ジンバックどの……」

トム＝コリンズの表情だけで、ジンバックはすぐに事態を察知したらしい。

「あいさ。それじゃあ、軽く手慣らしといこうか」

にわかに緊張する面々を振り返り、どこか溌剌《はつらつ》として言った。幾度となく戦いの恐怖を味わいながらも、決してそれに飲み込まれることなく対峙《たいじ》し、克服してきた熟練者の顔が、そこにあった。さっと指揮剣を抜き放ち、

「さっさと陣取れ！　本番はもちっと後だ、ぼちぼち調子を合わせて行こうじゃねえか」

実際にどれだけの敵を屠《ほふ》ったか数知れぬ獣の牙《きば》のような刃が、凶暴とさえいえる輝きとともに、びゅんと音立てて振るわれるや、その言下、一斉に楽隊が動いた。

扉に向かって、前面に、ベルが立った。すぐ傍らにはアドニスが立ち、後背にキティ、両翼が手に手に剣を握り、輿《こし》に担ぎ上げられたジンバックのすぐ隣に、必死の形相で思考をまとめようとするギネスの顔があった。そして忸怩《じくじ》たる思いを抱きながら佇《たたず》む、カシス。

扉と壁の隙間から、じわじわと水が漏れ、滴った。天井といわず壁といわず、部屋中がじっとりと湿り気を帯びてゆく。恐怖はない。昂揚《こうよう》があった。背筋のぞくぞくするような、楽隊としての一体感が、全ての者の剣握る由縁をしっかりと支えるようだった。

(こんなのは初めてだ……)

ベルはふと、この楽隊の一員であることに猛烈な喜びを覚えた。

(来る……!)

ジンバックの合図《きっかけ》とともに、ベルは歓喜をもって〈唸る剣《ルンディング》〉を振りかぶった。

キティが素早く〈式《フォーミュラ》〉を展開し、部屋中に演算を表した。

瞬間、楽隊の周囲を炎が走った。死兵に最も有効なのが火であることは一同の共通了解である。とてつもない速さで築き上げられた結界に、さしものジンバックも息をのんだ。

その火が水の流入を防ぎ止め、同時に前面に合図《きっかけ》を伝えた。剣士たちの一斉剣撃を促したのである。まったく新しい手法だが、間髪を入れぬ指揮が、水面から続々と踊り出る死者の群に一歩も二歩も先んじていた。

——EEERRREEEHHHWWWOOONNN……!

ベルの剣が激しく唸《うな》りを帯び、水面から飛び出した死者たちをひと振りで薙《な》ぎ払った。ある者は斬れ、ある者は砕き、いずれにせよ死も生も関係なく粉砕する苛烈《かれつ》な一撃である。

それとほとんど同時に、アドニスが腕を交差させ、かと思うと、なんと両手に剣を抜き放ち、二刃をもって迎え撃った。叩《たた》き込んだ剣を自ら砕き、刃の破片をばらまくような剣技を見せ、使い物にならなくなるたび新しい剣に取り替えてゆく。

両翼がそれに続き、あっという間に死兵が前面から消えた。倒された死兵は次々とキティの操る炎に焼かれ、踊るような火の動きがまた新たな指揮を剣士たちに伝えていった。

ふいに炎が開き、空隙《くうげき》をベルが走り、アドニスが追った。部屋の出口を確保するためである。扉を飛び出て敵を撃退し、単に結界とともに地歩を得ればよいところを、

「下がって！」

叫んでアドニスをとどめ、みなぎるものを全て剣にあらわし、扉目掛けて水平に叩き込んだ。破壊した。扉だけではない。そこにある壁が爆発したように吹き飛んだ。壁の向こう側にいた死兵たちが砕け飛んだ岩塊を浴びてずたずたになり水面を塞《ふさ》いだ。

これまでにベルのあらわしてきた剣撃の数々を遥《はる》かに上回る一撃であった。こんなものを食らえば一瞬で五体を吹き飛ばされかねない。

しいっ……。ベルの呼気が、呆然《ぼうぜん》と瞠目《どうもく》する楽隊の面々をはっと我に返らせた。

衝撃に震える剣を手に、いち早く通路に出たベルを炎が守護した。あたかも踊り狂う炎を身にまとい、白銀に輝く剣を手に、死者をもてあそぶティツィアーノに対してそれを討たんとする聖女のようだ。いかなる種族にも当てはまらぬ容姿が、いっそうその様子をその場にいる者

たちの目に際立たせた。勝てる。この申し子の存在が楽隊にある限り、生きてここを出られる。すぐさまその傍らに立ったアドニスも含め、今やベルは誰の目にもなくてはならない存在として映っていた。

狭い扉を一人一人通らねばならないという危険がなくなり、ジンバックは一気に楽隊を部屋から出し、通路を進ませた。

ベルはジンバックの指揮下、次々と与えられた役割をこなした。前面の敵を薙ぎ払い、左翼の展開する場をつくり、立て続けに攻め込んだと思うと足を止め、結界を優先させるやそれに従って更に歩を進め、右翼との間合いを計り、アドニスと状況を確かめ合った。

充実があった。自分の実力を超える力を、この楽隊がどんどん引き出してくれている気がした。この剣楽はいい。この楽隊は、とてもいい。いつしか旅に出るための使命を果たすという目的さえ忘れ、戦いに没頭していった。

そのベルが、ふと振り返った先に、ジンバックを見た。その口調こそ嬉々とし、顔こそ溌剌としているが、何かがおかしい。目が合った。じっとベルを見詰めるその目に、希望と、そして、心底ぞっとするような死相があるのに気づいた。剣が敏感に唸りを帯び、ジンバックが抱く恐るべき覚悟をベルに伝えた。

(死、死、死……!)

老練の名指揮者《コンダクター》の心の底に渦巻くものが、それだった。ティツィアーノを倒すためにはいったいどれだけの犠牲が出るか、というような生易しいものではない。

無数ともいえる死者を自在に操り、加えて水という強力な武器を持つティッィアーノを倒すのは至難といえた。まさしく全身全霊を尽くさねば倒せぬ相手である。では、全身全霊を尽くして倒したところで、果たして死者たちはもとの死の眠りに帰るか。

否、というのがジンバックの考えである。ティッィアーノは、斃《たお》れてのちもその狂乱を残して死者を駆り、生ける者をことごとく食い尽くすだろう。そのとき楽隊は恐らく既に力を使い果たした後である。おびただしい死者の群を退治する力など残ってはいまい。ではそのための余力を残して、ティッィアーノを倒すことが出来るか。

更に、否。生き残るなどということすら考えず、全身五感の限りを尽くさねば、勝機はない。

(冗談じゃない……！)

叫ぼうとして、ベルは反射的に口をつぐんでいた。

地底深い闇の中で、たった十六人の、孤立した、にわか仕込みの楽隊が勝つためには、そうするしかないことが判ったからだった。そして、そこまで覚悟していながら、ジンバックが決して絶望してはいないことも、同時に剣の唸りを通して伝わっていた。

死者に勝つためには、こちらも死者の心で戦わねばならない。どれだけ死を覚悟しても、また覚悟すればするほど、その心の在り方が逆に楽隊が確かに生きている証拠になるのだ。

死を覚悟する力をもって、死を制する。まさしく、死せる生者と、生ける死者との、生と死が入り交じり、互いに極《ひと》つになろうとするかのような剣楽であった。

ほとんど一瞬のうちに、それらのことが思考にさえならぬ感覚として伝わっていた。だから、ジンバックと目を合わせながら、はっきりとベルは微笑していた。きわめて強烈な、生者にしか浮かべられぬ、凶暴とさえいえる生の欲望をあらわす微笑であった。

そしてすぐさま前面の敵と向き合い、剣を振るった。

ベル以外に、ジンバックの覚悟をいち早く察したのが、すぐ傍らにいたギネスだった。

もとより言葉にして理解できるような事柄ではない。自分自身の感覚として理解し判断せねば得られぬ覚悟である。だからこそジンバックは何もそれについて言わず、ただ黙示して、その覚悟が楽隊の面々に自然と伝わってゆくことを選んだのだ。

(どうすればいい、どうすれば……)

ベルと違って、ギネスは心底、死に怯《おび》えた。死にたくない、絶対にこんな所で死にたくない。そう強く思ううちに、自分が既に半分死んでいるような気がしてくる。それがギネスの思考を極限にまで研ぎ澄ませ、全身に冷たい汗をぐっしょりとかきながら、必死の形相で、無数の案、無数の筋道を、確固とした唯一の脚本に仕上げさせてゆくのだった。

ふいに、ぼそりとジンバックが尋ねた。

「出来たかい」

「大体は……」

「短く言え」

「三幕」

「もちっと何か言え」

「全て焼きます」

ぴくりと、ジンバックの顔が反応した。

「焼くか」

「はい」

ギネスの形相は、蒼白《そうはく》の顔で歯を食いしばり、吊《つ》り上がった目に炯々《けいけい》とした光を溜《た》め、今や鬼気迫るものがあった。

「判った。お前は一切、戦うな。考え続けろ」

「はい」

ぴゅん。ジンバックの指揮剣が、鋭く空を切った。

「じゃあ、そろそろ本番といくかね」

第一幕・第一場

通路を出ると、一気に開けた。

無限かと思われる闇に、ごうごうと水の流れる音がこだましている。すぐ真下で、巨大な地下河が流れているのだ。落ちればティツィアーノに斬られるまでもなく、助からない。

コリンズ兄弟が、するりと動いた。アドニスの二人の兄たちの名は、上がジョン＝コリンズ、下がサンディ＝コリンズという。二人がそれぞれ分かれて、通路の出口付近の蛍光石《ランプ》を操作すると、ぼんやりとした青白い光の列が、二つ、闇の向こうへと伸びていった。

巨大な橋だったのである。甲檻花《ゴブレット》でも渡れそうな、電気石《トルマリン》で出来た流麗な橋だ。欄干の部分が蛍光石《ランプ》で出来ており、それが輝くさまは闇に巨大な光の橋がかかるようであった。

「この橋が、俺たちの地理だ。ただ渡るだけじゃねえ、要塞《ようさい》に仕立て上げろ」

ジンバックが言った。ギネスの、奇策ともいえるアイディアだった。

真下の水流は流れが激しく、飲食魔法《レスト・ラント》による死兵の招喚は使えない。天井も高すぎて、招喚された途端にまっさかさまに墜落するだけである。この特大の水路は、コリンズ一族が〈大地の腑《はらわた》〉と呼ぶもので、橋の両側に広がる空間から死兵が来ることはなかった。

つまり、死兵は橋の両端からしか来ることが出来ない。四方八方から次々と死兵が立ち現れていたこれまでの状況が、一変していた。

キティがさっそく演算を開始した。だが、橋全体を埋め尽くすような演算ではない。むしろ、楽隊全員が、ぎりぎり入れる程度の大きさである。

「来たっ」

ベルが橋の一端に向かって剣を構え、言った。

炎が前面に舞った。ごく小さな結界は、それでも橋を塞ぎ、続々と現れる死兵を押し止めるかにみえた。だがこれまでのような勢いはない。死兵たちを押し返すのは、むしろ剣士たちの役目だった。しかしそれも、じりじりと後退していった。炎の勢いが弱い分、徐々に水が剣士たちの足元を浸し始めたからだ。このままでは、〈正義〉の楽隊が指揮を討たれたときの二の舞になる。

事実、水面は密《ひそ》かにジンバックを担ぐ足長族《フロッギー》の足元にまで迫っていたのだ。

「ジンバック様……!?」

足長族《フロッギー》が、いつ水面に飲み込まれるか判らない恐怖にそれ以上耐え切れず叫んだ。

ぴゅん。ジンバックの指揮剣が音を立てて振るわれた。

それを合図《きっかけ》に、一斉に剣士たちが退《ひ》き、なんとジンバックたちをそのまま置き去りにして後退した。ギネスやカシスまでもが退いた。死兵たちが結界内に雪崩れ込み、同時に真下からも無数の剣がジンバックら目掛けて突き上げられた。

そのとき、ジンバックらは宙にあった。まさに間一髪のタイミングである。ベルに勝るとも劣らぬ跳躍力を見せた足長族《フロッギー》たちが、ジンバックを担いだまま、しなやかに着地した。剣士たちの後背である。

そして、結界が死兵たちに奪われた形になった、その刹那《せつな》――

轟《ごう》っ！　結界の内側が、爆発的な炎に満ちた。雪崩れ込んだ死者が一気に焼き払われ、天井高く火柱が立った。結界の逆転である。同時に、分厚い炎の壁が出来上がっていた。

これで、橋の一端はしばらくの間、水と死兵の侵入を防げるはずだった。

「ほれ、次々いくぜ」

ジンバックが素早く指揮剣を振って楽隊を促した。内心、この結界逆転の手法を考えついたギネスに驚嘆している。そしてこの鬼才ともいえる脚本者《リブレット》は、文字通り、死ぬ気で考えついた奇策を立て続けにジンバックに提示した。

橋のもう一端に向けて、炎を二手に分かれさせ、それぞれを両翼の盾とさせた。ここにきて前面と両翼が完全に一体化し、二つの独立する楽隊さながらに動き、双つの頭を持つ炎の蛇さながらにうねった。およそ陣形の常識を外れた方法である。

そしてそれも、炎の勢いが弱くなるにつれて徐々に退き、またもや足元に水面の侵入を許した。だが今回は跳躍して逃れられる距離ではない。

剣士たちの足元から、死兵たちの剣握る腕がぬうっと伸びた。

かと思うと、それらがまたたく間に凍りついていた。水面の更に下から猛烈な勢いで氷の刃が伸び、僅《わず》かに水面から体を現したばかりの死兵を散々に貫き、切り裂いてゆく。

なんとベネディクティンの結界であった。ティツィアーノの水が流れ込んでくる前に、あらかじめ橋の床の一部を薄氷で覆っていたのだ。これまたギネスの策である。足元から攻めるという向こうの戦法を、そのままそっくりやり返した形になった。

そこで更に、炎の壁が、氷の床の縁に沿って展開した。二段構えの障壁が、こうして築かれたかに見えた。

だがここで閉じ籠《こも》っていればいいというわけでもない。

「あの水っ娘《こ》が出て来ないんなら、いくら死人を焼いたって意味がねえ」

ジンバックの言に、ギネスが必死の形相で頷《うなず》いた。

「どうやっておびき出す」

「手強《てごわ》いと感じさせ、ついで隙ありと見せ、最後にこれで終わりと思わせておいて、猛烈に怒らせます。怒りです。怒りが、相手の出てくる動機の全てなんです」

ギネスは、まるでその怒れる相手が目の前にいるかのごとく、極度の恐怖に全身の体毛を逆立てた。それほどまでに、ティツィアーノの内心に迫っていたともいえる。

「大したもんだ」

恐怖に震えるギネスに、ジンバックはつくづく感心したように言った。

第一幕・第二場

鉄壁に見えた壁が、徐々にほころび始めていた。

わざとそうしたともいえる。このまま膠着《こうちゃく》していても、ある程度は疲労が回復するが、それ以上の効果がなく、かえって士気が下がるからだ。

だが、死兵たちの、まったく防御というものを考えない攻撃一辺倒の勢いに押されたのも事実であった。どんなに体を焼かれ、切り刻まれようが、決して止まらないのだ。

そして、それはやがて、死兵ゆえの特異な戦術としてにわかに楽隊を脅かし始めていた。

先《ま》ず真っ先にその戦術の恐ろしさを味わったのは、前面のベルとアドニスである。

アドニスが刃を突き込んだ相手が、刃を抱くようにして足を踏み出してきた。そしてアドニスの肩をしっかりと摑《つか》むや、更に一人が脇から同じようにしてわざと体を貫かせ、もう一方の剣を封じた。

そこから更に、貫かれた二人の背目掛けて、何人もの死兵が突き込んできた。剣を封じた死兵ごと、アドニスを串刺《くしざ》しにしようとしているのが明らかだった。

衣服を引き千切り、右の手袋を失いながら、からくもこれを逃れた。そこかしこに傷を負ったが、いずれも浅手である。だが問題は手袋だった。今こそはっきりとベルは見た。

その素肌の手が剣を振るうたびに、剣が歪《ゆが》み、挫《くじ》け、異様な成長を遂げていた。実際はそれほど急激に変化したわけではないが、〈唸る剣《ルンディング》〉の唸《うな》りを通して、はっきりと、アドニスの素肌の手で握られた剣が、悲鳴を上げるのを聞いていた。枯れる。このまま振るわれれば、あっという間に枯れてしまう。なんとも異様な叫びであった。およそ剣と剣士の交流する在り方ではない。アドニスの手はまるで腐敗をもたらす手だ。

だが、ベルの方もアドニスに気を取られている間に、それどころではなくなっていた。

数人の死兵が、一斉に、同じ速度で、あらゆる角度からベルを襲っていた。生者には、およそありえない形の攻撃である。確実に敵を斬る代わりに、どう振るっても味方にも刃を叩《たた》き込むことになるからだ。

ベルもまた腕と脇腹に浅手を負いながらこれを弾《はじ》き返し、あるいはかわした。かわした刃はそのまま他の死兵の肩と言わず頭と言わず、互いに全身くまなく切り裂いている。

しかも更にその背後から剣先《きっさき》が叩き込まれ、あたかも死兵の腹から刃が生えるようにしてベルに迫っていた。これを、ベルは戦慄《せんりつ》とともに砕いた。

(遊んでるんだ……)

死兵の特異な戦術が繰り出されるさまは、決死の覚悟というよりも、むしろティッィアーノのふとした思いつき以外のなにものでもなかった。まるで死者の体を用いた人形遊びである。胸くそが悪くなった。

かといって死兵が手を緩めることはない。彼らは既に死んでいるのだ。どれだけ切り刻まれようが関係なかった。

こんな戦術を見せられて、楽隊がなお恐慌に陥らないでいるのが奇跡のように思われた。だが実は、この戦術をギネスはとっくに予想しており、あらかじめジンバックに告げていたのだ。それが楽隊の恐慌を防いだのだが、これがまたジンバックを驚かせていた。

「慰みに、自分の自由に出来る玩具《おもちゃ》を壊すのは、僕もよくやることですから」

まるで、ティツィアーノに共感するかのようなことを、ギネスは言った。

「……俺は、なんだかお前さんのことが、だんだん怖くなってきたぜ」

ジンバックが、まんざら冗談でもなさそうな口調で、応じていた。

第一幕・第三場

死兵の異様な戦術はとどまるところを知らなかった。

でっぷりと腹の突き出た死兵が、何人か現れた。その身の膨れ方はおよそ尋常ではない。

剣士たちの間を、恐ろしく嫌な予感が走った。

誰の手も、剣振ることをためらったが、斬らないわけにはいかない。どうしようもなくその一人を斬り裂いた。かと思うと、傷口が見る間に広がり、そこからごぼりと大量の水が溢《あふ》れた。死者の体を用いた、水汲《みずく》みである。そして滴る水を通して、更に死兵が召喚された。その中にも、溺死《できし》者のように全身が膨れ上がった者がいる。

たまらず足長族《フロッギー》の一人が膝《ひざ》を折って嘔吐《おうと》した。すかさず死兵たちが斬り込んでくるのを、転がってかろうじてかわすが、あっという間に追い詰められた。

それを、クラウドが素早く掩護《えんご》するが、まずいことに左翼の陣形に穴が開いた。

そしてなおまずいことに、死兵の突き込んだ刃が、もう一人の死者を背後から貫き、それはそのままクラウドの脇腹を深々と斬り裂いていた。

「クラウド!」

ミストが悲痛な叫びを上げた。

ベルは迷わず前面を退き、あとは結界に任せた。

だが、間に合わない。倒れたクラウドを、嘔吐していた剣士が庇《かば》うが、これも肩をやられて剣を落とした。残るはミスト一人である。それまで三人で押さえていたところを、たった一人でしのぎきれるわけがない。猛烈な剣撃の嵐に見舞われるかに見えた。

そのとき、ミストに迫った刃が、突然、片っ端から砕けた。

ちぃん。水鋼の弦が立て続けに弾かれ、足長族《フロッギー》たちを救った。ベネディクティンが一つ弓を引くたびに、三つからの水晶球が放たれ、死兵どもの頭蓋《ずがい》を砕いてはたちまち凍りつかせる。

そしてそのせいで、自分の守りはがら空きになった。

「ベネット!」

ベルが思わず叫んでいた。

そのときには既に死兵の群がベネディクティンに斬りつけた後だ。剣撃によろめきながらも更に弾丸を放ち、一人の頭蓋を粉々に砕いている。

「大丈夫よ」

ベルを振り返ったベネディクティンの顔の左半面が、真っ赤に染まっていた。無惨な刀傷が、眉《まゆ》の辺りから頬の下まで、真っ直《す》ぐ走っている。左目はもはや二度と見えまい。

烈火のごとき怒りが、ベルの中で荒れ狂った。

「よくも！」

それはまさしく爆発そのものだった。崩れた左翼に雪崩れ込んだ死兵の群が、一瞬で吹き飛ばされた。先頭にいた者が、衝撃で五体ばらばらになるほどの剣撃であった。

激しく唸りを帯びる〈唸る剣《ルンディング》〉とそれを引っ提げるベルに、死者さえ怯《おび》え戸惑うかに見えた。事実、それはティツィアーノが、一瞬とはいえベルに戦慄を覚えた証拠だった。

そしてそれが逆に狂乱の死兵を更に猛《たけ》り狂わせた。

五人いたところが、ベル一人だった。どれほどがむしゃらに剣を振るっても追いつかぬ量だ。少しずつとはいえ、後退せざるをえない。それを、ふいに弾丸が掩護した。

「ベネット……！」

目を丸くするベルに向かって、ベネディクティンが血塗《ちまみ》れの顔でにこりと笑んだ。

「大丈夫だよ、ベル」

なんと、目を閉じて弾丸を放っている。目で射るのではなく耳で射るのだ。水族《マーメイド》特有の超聴覚があるとはいえ、真実、恐るべき腕前であった。

しかし、ベルを驚かせたのは、もっと別のことだ。

その声が、いつの間にか男っぽくなっているのだった。声だけではない。微妙な顔つきや、体つきが、艶《えん》とした印象はそのままに、徐々に雄性を帯びてゆくのである。

「私の中で、女が眠りに就くのが判る……もう起きないのかもしれない」

目を閉じ、水晶を射ながら、呟《つぶや》くように言った。

水族《マーメイド》は、必要に応じて性を変える。だがそれは、半ば本人の意志を離れた、肉体的な現象である。それが、顔を傷つけられたゆえか、あるいはより戦いに適した体格になる必要があると、体が判断したためか。それとも、無意識の内に、ベルを、心の鏡に映すべき相手として、定めたのかもしれなかった。

いずれにせよ、目ではなく耳で射る雄性の水族《マーメイド》——隻眼の弓使いが、このときをもって誕生したのだった。

第二幕・第一場

「ほれ、お前さんに仕事が出来たぜ」

ジンバックが、カシスに、声をかけていた。

神官のみが管理することを許される聖灰を用いて、負傷した者を癒《いや》す役を頼んだのだ。

重傷者は、クラウドら足長族《フロッギー》が三名、アドニスの下の兄であるサンディ＝コリンズ、ベネディクティンの、計五名である。いずれも完治には遠いが、生命の危険は避けられた。

それ以外に、聖灰の残量を案じて敢えて治療を受けずに済ませた者が大半だった。無傷の者など、カシスくらいである。ジンバックやギネスでさえ、若干の負傷は免れなかった。

「さあて、第二幕といくか」

ジンバックの呼び掛けとともに、楽隊の面々が再び陣形を取った。

今いる場所は、カタコームの管理者が使う、また別の部屋の一つである。

地理――即ち橋を捨てることから、ここからの戦いが始まっていた。

いくらでも防御を固められる代わりに、その場から身動きできなくなるのを避け、敢えて洞《どう》窟《くつ》内を縦横無尽に駆け抜ける戦法に切り替えたのである。

無限の迷宮かと思われるカタコームの洞窟において、コリンズ一族の案内があってこそ可能な戦法であった。彼らは、記憶不可能なこの複雑きわまる蜘蛛《くも》手の道を、実に迷いなく進むすべを知っていたのだ。

「風を嗅《か》ぎ、水流を探るのもよいでしょう。しかし地下の闇の中では、ときにそれすら出来ないことが多々あります。そんな時に頼れるのは、自分をすっぽりと包むこの大地との関係で生まれる、自分の存在感覚だけなのです」

たびたび小休止を挟むつど、トム＝コリンズが語った言葉は、のちのベルに、大いなる啓示を与えることになる。だが今は、ただただ純粋な驚嘆を、その言葉に感じていた。

「目を閉じ、意識を内側に向け、大地全体の気配を感じ、方角を知るのです。心の中にふと垣間見えたビジョンを信じること、それが、自分という存在を導く、目に見えない意図のようなものをもたらすのでしょう。はるか闇の向こうにある、見えないものを見る力を養うのはとても難しいことですが、しかし何もそれが、特殊な、種族的な超能力というわけではありません。誰しもが、ときに無意識に行っていることだと、私は思っています」

この地下道墓地の守り主たるトム＝コリンズは、そう語りながら、着実に楽隊を導いていった。それは、長年死そのものを祭り、扱ってきた者の、生者としての力だった。

その力によって、楽隊は様々な場所で水の流れを封じて回った。ギネスの脚本に従って、結界術を用いて河をせきとめたり、湖の入り口を塞《ふさ》いだりするのだが、それがどういう意味を持つものか、ベルには計り知れないものがある。

どうやら、徐々にティツィアーノの操る水の量を制限し、やがて水そのものから切り離すことを目的としているようなのは確かだ。

だが、その先が、判らない。

なんといっても鬼気迫る形相のギネスが、

「出来ました」

ジンバックとキティに告げたきり、剣士には一切その内容を伝えていない。ジンバックが、敢えてこののちの脚本を公開しなかったからだ。

ただ、その脚本を見せられたジンバックの、かっと目を見開いた顔が、それが並大抵の陣操りではないことをあらわしていた。

だがどれほど途方もない考えであろうと、それを実行するだけの力が楽隊に残っていなければ話にならない。

洞窟内を駆け回りながらの戦闘は、確実に楽隊を疲労させる。

特に、複数の結界を駆使し、楽隊を守護するキティは、口にこそしないが、誰の目にもひどく疲れ切っているのが明らかだった。ここでキティを欠いたら楽隊の戦力は激減する。

そしてそれを十分に読んだ上でギネスの放った奇策が、またもや功を奏していた。

ジンバックとベネット、そしてときにアドニスが、薄荷煙草に水晶球の弾丸、使い捨ての剣などを用いて結界を築き、更には幻術さえも使って、幾つもの結界を渡り飛ぶように突き進んでいったのである。

一つ一つの結界は効果も薄く、規模も小さい。そしてその代わりに、アドニスの剣のように、作ったそばから捨て去り、死兵が結界を占拠したと見るや、これを結界逆転の手法を用いて焼き尽くした。

「やれやれ、私も、ちと荷がかちすぎたようですな」

さすがのキティが、ほっと息をついてギネスに感謝したほどであった。

しかしそれでも剣士たちには、徐々に自分たちがのっぴきならない状態に追い込まれているのがうすうす感じられるのだった。

疲れで腕も足も急激に重くなり、息が切れ、傷が痛んだ。それを押して戦い続けるための昂《こう》揚《よう》感も、このままずっと暗がりを走るのかと思うと、少しずつだが確実に萎《な》えてゆく。

その様子を見て、キティが、背後のジンバックを振り返った。

「そろそろ限界ですかな……」

間断なく指揮剣を振るい続けながら、ジンバックが厳しい顔で頷《うなず》いた。

ひゅん。指揮剣がひときわ強く空を切り裂き、コリンズ一族がそれに反応した。

「やはり、どうあっても……」

トム＝コリンズが沈痛な顔で、それでも反論することもなく、あらかじめ打ち合わせていた通りに、楽隊を導いた。

「いったい、何処へ行くんだ」

ベルの問いに、アドニスが父と同じく、しかめっつらで答えていた。

「天道墓地——そう呼ばれる、死の花園だ……」

第二幕・第二場

鋭い鳥の鳴き声がこだました。

目の前を、死告鳥《レイヴン》の濡《ぬ》れたような黒花が、一面に咲き乱れている。

城をそのまま放り込めそうなほど巨大な、天蓋《ドーム》状の空間だった。天井にぽっかりと空洞が開き、星のまたたく夜空が見えた。地下の闇に比べ、聖星《アース》の照らす夜空のなんと明るく優しげなことか。一同、揃って感嘆をこぼしたほどだ。

そこが天道墓地と呼ばれる由縁は、明らかだった。

天井に開いた洞《あな》から、遺族に死を告げ知らせるべく、天へ向けて死告鳥《レイヴン》が飛び立ってゆくのが判った。死告鳥《レイヴン》は、暗い夜の空にはばたく鳥花だった。

洞《あな》のすぐ真下に、二階建ての大きな霊廟《みたまや》があった。聖星の淡藍《うすあい》の光の下、白亜の壁が美しく映えている。

そしてなんと、ジンバックが輿《こし》を降り、その廟の前に佇《たたず》んだのであった。

ここまで楽隊を指揮してきた老人は、しばらく無言で廟を見上げていたかと思うと、きわめて厳粛に、一同を振り返って言った。

「ここが、俺たちの最後の地理だ」

「すまねえ、コリンズ。あんたがここをなるべく避けてたのは、判っていたがよ……」

ジンバックの言葉に、トム＝コリンズが痛々しく首を振った。

「あなたは勝運をもってここを選んだ。私たちは、それに従いましょう」

カタコームを守る者にとって、この場所こそ、ただの洞窟を信仰の場として成り立たせている、最も神聖で不可侵な空間であった。死者は様々な儀式を経てここに連れてこられ、広大な墓所の一郭に葬られるとともに、死告鳥《レイヴン》の種が播《ま》かれた。〈正義〉も〈悪〉もここでは関係がなく、ただ一様に、静謐《せいひつ》な眠りの中、大地に還《かえ》るのだった。

そうした死者の眠りを守るかのようにして、キティが結界を展開した。墓所全体を覆うほどの、これまでになく広域の演算に、しばしの時を要した。その間にも、コリンズ一族が、生ける死者の接近を告げている。

剣士たちは手に手に剣を握り、ここが最後の砦《とりで》であることをはっきりと覚悟していた。

ジンバックが輿を降り、三人の足長族《フロッギー》を剣士たちとして両翼に加えたことが、その覚悟のほどを端的に表している。

だが、どうしてここなのか。

一つには、死者の補給路を断つという意味があった。墓所はここ一つではない。だがティツィアーノが掘り返したのは、いずれもここより小規模な墓所でのことだ。加えて、今いる墓所には、特に優れた剣士の類《たぐ》いが葬られている。それが、ティツィアーノによって狂乱せる意志を吹き込まれる恐れがあった。

しかも、楽隊がここに来たことにより、同時にこの墓所の存在をティツィアーノに知らせてしまったのも確かである。むしろそちらの方をこそ、恐れるべきではないのか。

また、ここには出入り口が一つしかなかった。迎え撃つには絶好の場所だが、同時に追い詰められたことにもなる。天井に開く巨大な空洞は、ベルでさえとても手の届く高さではない。

ジンバックもギネスも、それについては、ついにひとことも説明しなかった。

ただ、これが決して消極的な防衛ではないことは、二人の形相を見れば明らかだった。

両名ともに、ひたと勝運を見据え、いついかなる場合にも即座に手を打つ用意があり、機と見れば一気に勝負に出るべく、思考の限りを尽くしていた。それが、判る。

だからこそ、死者の群が姿をあらわしたとき、剣士たちの脳裏からは一切の疑問が綺麗《きれい》に消え、ジンバックの指揮下、猛烈な応戦を見せたのであった。

だが楽隊全体を守るべき結界が、墓所全体に広がっているため、大きすぎて半ば使い物にならない。そこかしこから死兵に侵入され、じわじわと押されていった。

果たして後退を余儀なくされた楽隊は、墓所に侵入した死兵が次々と眠れる死者を暴き、妖《あや》しく明滅するティツィアーノの刃のかけらを植えつけては更なる狂乱を呼んだ。

このままでは確実に囲い込まれる。楽隊の背後に霊廟があった。逃げ場はもはやそこにしかない。しかしそこに逃げ込めば、更に確実に囲い込まれてしまう。

いったい、どうするのか。

背後に佇むジンバックとギネスの、起死回生の策を、剣士たちは祈る思いで待った。

そしてその祈りを粉々に打ち砕くかのような音が、にわかに轟《とどろ》いた。

それは、あちらこちらで封じ、せきとめて回った大量の水が、とうとう溢《あふ》れ返り、一気にこの墓所目掛けて流れ込んでくる、悪夢の音であった。

第二幕・第三場

「ジンバック様！」

ミストが悲鳴のような声を上げた。

剣士たちを、凍りつくような絶望感が襲った。

恐らく、ティツィアーノが水の封印を片っ端から破り、ついでその流れを操って、この墓所まで迫っているのだろう。ごうごうと流れる水の音がどんどん近づいてくる。まずい。だが逃げ場など最早ない。このまま死者もろとも濁流に巻き込まれ、一人一人ティツィアーノの刃にかかる以外にいったいどんな道があるというのか。

だがしかし、ジンバックは厳しい顔でひたと戦況を見据えたまま、動かない。ただ、

「俺に、背負《しょ》えるかな。俺だって、いつか近いうちに、ここに葬られるはずだってのに」

そんな不可解な言葉が、その口をついて出ただけであった。

「僕も、背負えるとは思いません。ですが、そうするしか……ないでしょう……」

ギネスがわなわなと全身をおののかせて応じた。その目は今まで以上にきらきらとした光を溜《た》め、狂気すれすれのなんとも危うい様相を呈していた。

「それだけの価値があると、思いたいです、僕に……生きる価値が……」

ジンバックがからからと笑った。

「本当に、そうだなあ」

そして、来た。

無数の死告鳥《レイヴン》が一斉にはばたいた。

その恐るべき濁流は入り口付近の岩壁を削り取らんばかりの勢いで流れ込み、瞬く間に墓所に広がった。地面も、墓標も、飛び遅れた鳥花も、死兵の群も、みなことごとく飲み尽くし、それ自体が巨大な獣であるかのように、楽隊を粉砕すべく迫り狂った。

ぴゅん。轟音《ごうおん》さえ切り裂いて、ジンバックの指揮剣が空を切った。

「退《ひ》けえーっ！」

退くところなど、霊廟以外にない。剣士たちが一斉に振り返り、走り出した。

指揮がそうさせたとはいえ、それは潰走《ついそう》以外のなにものでもなかった。

「そうだ。それでいい……」

自分もじりじりと後退《あとずさ》りながら、その脇を剣士たちが駆けてゆくのにギネスは確信に満ちた呟《つぶや》きを漏らした。

「お前も行け」

ジンバックの言葉に、

「はい」

応じるなり、背を向けて廟へ走り込んでいった。キティは既に廟のすぐ手前まで来て、まるで何かを見計らうかのように濁流とジンバックとの間に目を行き来させている。

さすがにベルとアドニスはジンバックを振り返ったが、

「行け！」

一喝され、足を緩めながらも廟に向かって走った。

これでは、誰が見ても、指揮者《コンダクター》を見捨てて逃げ出した形になる。

とうとうジンバックが、濁流を見詰めながら、後衛の位置に立つことになった。

それこそ、ジンバックとギネスがキティとともに放った起死回生の策だった。

「また会ったなあ……水っ娘《こ》よう……」

濁流の向こうに妖しく歪《ゆが》んだ剣が現れるのを見て、ジンバックが不敵にも笑みを浮かべた。

そして素早く振り返ると、自分もまた廟に向かって走り出した。

その途端だった。真下から振り上げられた凶刃が、ジンバックの右足を膝《ひざ》の下辺りから断ち切っていた。水面が、そのすぐ足元にまで迫ったと気づいた瞬間だった。

「……手前《てめ》えの足の遅さを忘れてたなあ」

斬り飛ばされた自分の右足を見詰めながら、照れ臭そうに呟いた。安堵《あんど》の顔であった。ここで終われば、その後の苦を背負わずにすむ。老体にしてはよくやった方だろう。そんなことをぶつぶつ呟きながら廟を振り返るや、さっと顔色が変わった。

なんとベルとアドニスが引き返してきていた。

「馬鹿野郎！　構うんじゃねえ！」

その声に悲痛な響きがあった。

水面から死兵がぬうっと姿を現した。

だが、ジンバックの負傷を見たベルの怒りたるや、猛烈を極めた。その剣を一閃《いっせん》するなり、一瞬にして死兵たちを剣ごと粉々に撃ち飛ばし、ついで地面に向けて超重量の剣を叩《たた》き込んだ。

大地が揺れるかのような衝撃とともに、流れ込んだ水面がそこから現れかけた死兵ごとばらばらに飛び散った。

そのときには既にアドニスがジンバックを担いで走り出している。

「走れ、この馬鹿どもが！」

ジンバックの叱責《しっせき》が飛んだ。もとよりそのつもりである。ベルはアドニスとともに廟《びょう》に向かって一目散に駆け抜けた。

廟の扉が半ば閉ざされ、キティがその前に立ってじっとジンバックを見詰めている。

ぴゅん。最後の力を振り絞るようにして、ジンバックが、指揮剣を振った。

信じ難いことが起こった。

今まさに廟に迫ろうとするところで、濁流が、消えた。それこそ悪夢から覚めるかのように、多少の水流を残し、ごうごうと轟く音さえ消えていた。

代わってそこに、炎が燃え盛っていた。

第三幕・第一場

「なんとまあ……」

ベルはあまりのことに、呆然《ぼうぜん》と呟いた。足は廟に向かって一直線に走り込んでいる。

何もかもが、一瞬のうちに燃え上がっていた。

墓標が、死兵が、花が、濁流に飲み込まれたものの全てが、火炎の中にあった。

「早く！」

キティが叫んだ。

言わずもがな、ベルは濁流に代わって八方から迫り来る焦熱に魂の消えるような思いをして扉の中に駆け込んだ。素早く閉ざされた扉には、既にキティの演算がびっしりと浮かび上がっている。炎を遮るためのものだと知れた。

「死に目に会ったよ」

ベルが言った。その足はそのまま階上へと向かっている。

「放っときゃいいものを、余計な世話を焼くからだ」

アドニスの背で、ジンバックが面白くなさそうに応じた。

「御老一人で勝ち逃げさせるわけにはいかないだろう。こんなことをしでかしておいて、それはないな」

アドニスが厳しい顔で言った。

屋上に上ると、残りの面々が呆然とした顔で周囲を見渡していた。屋根のそこかしこに、いつの間にやら炎熱を遮る演算と、ベネディクティンによる結界が張り巡らされていた。

真上に巨大な空洞を仰ぐそこは、地下から天を臨む、天望台ともいうべき場所であった。

そしてそこから見渡す一切が、赤く燃え上がっている。空洞全体が真っ赤に染まり、ばさばさと音立てて屋根に落ちるのは、火だるまになった死告鳥《レイヴン》だ。文字通り天をも焦がす勢いの炎の嵐に、赤という色が、これほど多様で恐ろしい色合いを見せるのだと、ベルは戦慄《せんりつ》とともに初めて知った。それほどの炎だった。

「最初に墓所全体を覆った結界は、このためだったのですか……」

トム＝コリンズが、問うでもなく問うた。あまりの嘆きの深さに、もはや心の痛みさえ感じなくなったような声であった。

「ああ、そうだ」

ジンバックが、断たれた足の傷を手当てされながら、ぼそりと答えた。

そもそもこの策は、あちらこちらで水を封じたところから始まっていた。

ティツィアーノと水流を分断させるかに見せ、その実は、あらかじめちょっとした衝撃ですぐに流れ出すよう封印を弱めておいたのである。しかもその封印は、破られると同時に、幻術を表すよう設定されていた。濁流の幻である。

それは、本物の水以上に水らしい幻であった。五感を……それも、水族《マーメイド》の五感をも惑わすに足る幻を、本物の水流に上乗せして、流し込んだのである。

そうして計算され尽くした封印の数々は全ての水流をこの墓所に導き、それら全てが、楽隊をも巻き込んだまやかしであったのだ。

加えて、死者の補給路を断つかに見せ掛け、実際は眠れる死者ごと全てを焼き払うなど、尋常の精神に考えつけるものではない。焼かれた死告鳥《レイヴン》の数は、それだけ、待ち人の死を知らずにその帰りを待ち続ける者がいることを示していた。

それは連綿と続く伝統を、今の世を過去から支える死者の存在を、ことごとく灰燼《かいじん》に帰し、永遠に失わせる行為であった。

「我々は、自分たちが生き残るために、死者を、信仰の場を、焼き払ってしまった……」

トム＝コリンズがじっと目を閉じて言った。

「まだ死告鳥《レイヴン》の種がある。種がある限り、それを播《ま》き続ければいい」

アドニスが、家族の背に、静かな声をかけた。

「今日、大きなものを失った。それは確かだ」

果たしてトム＝コリンズはゆっくりと目を開き、そっと頷《うなず》いた。

「だが私自身が失われたわけではない。辛《つら》いことだが、私は今ここにいる。そのことを、受け入れよう……」

炎に向かって、誓うように囁《ささや》いた。

「私は、許せない……」

ミストが、天高く舞う炎を睨《にら》んで言った。

「こんなこと、許せないわよ……」

何度もそう繰り返した。

そのたびに、ギネスの顔が悲しみに満ちてゆく。このような策を考え出したこの身を、いっそ屋根から投げ出し、死者もろとも焼き尽くしてしまったらどんなに楽か……

そういうギネスの心情を、また、ここにいる全ての者の心を、ベルは敏感に察した。それらの思いが、剣の唸りを通して、自分の身に直接流れ込んでくるかのようだった。

悲しかった。怒りがあった。こんなことになってしまったという畏怖《いふ》があった。これで助かるかもしれないという安堵があった。生存していることへの喜びと苦痛がないまぜになって、炎のように荒れ狂っていた。

そしてそれこそが、生きていることの何よりの証拠だった。

第三幕・第二場

怒り狂っていた。

幻術によって、水族《マーメイド》の当然まとうべき加護を逆用されたということが、この狂乱せる者の心を侵害していた。それだけでは決して生命たりえない、ただの水こそ、この者が最後の心の安らぎの在処《ありか》として身を置いていた、慰みの母であった。その水を奪われた。守ってくれるものはもう何もない。己の生命をかけて戦い、奪い返さねばならなかった。

「来たか……」

ジンバックが、天望台の出入り口を見て、言った。

剣士たちが、何も指示されぬまま、陣形を取った。

三人の死兵が、全身に火をまといつかせて、剣士たちに歩み寄って来る。どの体も、風船のようにぶよぶよに膨れ上がり、顔など目鼻の区別さえつかない。それが、かぱっと口を開くと、ごぼりと大量の水が溢《あふ》れ出た。

「やっぱり、その手で来たか」

「ええ。最後の水場とでもいいますか……」

互いのやり取りの合間に、ジンバックは指揮剣を振るって陣形を微妙に操作し、またギネスはとうとう剣を抜いた。ジンバックは右足を失い、輿《こし》にも乗らず、その場に座り込んでいる。移ろう場などもはや互いに持ち合わせぬ、いよいよの終幕であった。

　ぱちんと死兵の体が音立てて弾《はじ》けた。その五体をつき破って、真っ赤な水流が、三方、楽隊に向かって猛烈な勢いで滑り込んでくる。

　雄叫《おたけ》びが上がった。誰からともなかった。楽隊全部が咆哮《ほうこう》を上げて立ち向かった。左右の赤い水が死兵を続々と召喚し、流れる速さで突入した。衝突。剣が折れ飛び、身が砕かれ、生と死、地下と天空を貫く炎の嵐、全てが凄絶《せいぜつ》なまでに奏でられた。

　中央を走る赤い水流は、いまだ何者も召喚せぬまま、真っ直《す》ぐジンバックのもとへと走り込んだ。ジンバックがそうさせた。そのために左右両翼を必要以上に幅広くあけさせていた。刃があった。妖《あや》しく歪《ゆが》んだ刃が、真っ直ぐジンバック目掛けて走る水流の殺意をあらわした。誰もそれを止める余裕がない。ジンバックが誘った。たとえ指揮者《コンダクター》の生命を秤《はかり》にかけようとも、ここにきて、ティツィアーノの姿を出現させねば、何の意味があろうか。

「そうだ！　来い！」

　ジンバックが叫んだ。立った。左足だけで。手には指揮剣のみ。死を覚悟してなお何かしらを成そうとする者の姿があった。

　だがそうはさせなかった。足長族《フロッギー》たちが、強引に中央に流れ込んでいた。あらゆる感情がここに来て爆発し、彼らをつき動かしていた。ジンバックが叫んだ。止まらない。

「お前さえここに来なければ！」

　ミストの叫びこそ、彼らの剣の由縁であった。みな諸共に妖しく歪んだ刃に向かって一瞬のためらいもなく切り込んでゆく。

真っ向からぶつかった。辺り一面に赤い飛沫《しぶき》が飛び散り、床中が赤と白亜の斑模様《まだら》に染め上げられた。ティツィアーノの刃はほとんど一瞬で彼らを斬り倒したが、彼らの死せる生者としての気魄《きはく》が赤い水流を弾き返していた。

「ミスト！　クラウド！　トゥディ！」

ジンバックが彼らの名を叫んだ。絶叫だった。

「スノウ！　コラル！　フローズ！」

もはや名を呼ぶことしか出来ぬジンバックの目の前で、腹を真一文字に斬り裂かれたミストが、なおも立ち上がり、再度迫る水流に立ち向かった。その剣が半ばから折れ砕けている。悲痛な表情だった。死が目前に迫ってなお、ひたすら一矢報いようとする顔だった。

そこへ更に、ミストの眼前を、ギネスが剣を掲げて立ち塞《ふさ》がった。

「死ぬものか！　死なせるものか！　ここまできて、ここまで……！」

ミストがギネスの背に向かって何ごとか叫んだ。鋼の相撃つ激しい音が、その叫びをかき消した。

剣撃の刹那《せつな》、真っ赤な水流がしぶきを上げて走り抜けた。ギネスの振り下ろした剣の真下であった。

ギネスの左腕が、その流れの中に落ち、飲み込まれた。

絶叫がギネスの口から迸《ほとばし》った。左腕の肘《ひじ》から先がなかった。だが叫びは、自分の身をかえりみるよりもむしろジンバックへと猛烈な速度で流れ込む赤い殺意に向けられていた。

もはや誰一人としてジンバックを守る者はいなかった。ベルもアドニスも、それぞれ左右の水流を必死で食い止めている。届かない。速すぎる。ジンバックがぎらぎらした目で指揮剣を振りかざした。そのとき。

その男が、動いた。

ここまでただ一人、無傷で来た、仮面の神官――

カシスは、両手を大きく左右に広げると、ティツィアーノの殺意を抱擁するかのように立ち塞がった。そして両者が激突するかに見えた寸前、赤い水流から、まるでたった今生まれ出たように血塗られた死兵が踊り出で、獣の牙《きば》のようにカシスに食らいついた。

カシスの全身を、無数の刃が貫き、斬り裂いた。その背後に立つジンバックが、カシスの背の一面に刃が生えるのを、呆然《ぼうぜん》として見入った。

からん。カシスの顔から黄牙《アイボリー》の仮面が弾き飛ばされ、白亜の地に転がった。

黒い体毛が見えた。精悍《せいかん》な月瞳族《キャッツアイズ》の顔が現れ、その口から大量の血反吐《へど》が溢《あふ》れ出た。

無数の刃を全身に受けても、カシスは声一つ上げなかった。カシスが声を上げたのは、その身が完全に死と相伴った瞬間、己《おの》が剣を握ったときである。

まさしく咆哮であった。生命力の全てがその叫びに凝縮され、一瞬のうちに爆発した。

同時に、その剣を錠《とざ》す神の鎖が引き千切られ、弾け飛んだ。

――轟《ごう》っ！

僅《わず》かに一撃。カシスの身を引き裂く死兵がみな剣ごと真横に両断され、ものの見事に宙に浮いた。

更に返す刃で、死兵の後背から迫るティッィアーノの剣を見事に弾き返すや、カシスの剣は敵の剣先《きっさき》ごと木っ端微塵《みじん》に砕け散っていた。

金切り声が上がった。灰銀色の水衣に身を包んだ、ティッィアーノである。カシスの猛反撃によって、ついにその身が、水流の外に弾き出されていた。

このときには既にベルたちが死兵を打ち砕き、とうとう姿を現したティッィアーノに向かって走り込んで来ている。

一方、ジンバックが愕然《がくぜん》と座り込んだすぐ目の前で、全身に刃を受けたカシスがどさっと倒れた。最期の息吹がゆっくりとその口から解き放たれていった。

傍らでギネスが膝《ひざ》をつき、同じく負傷したミストが、ギネスにもたれかかるようにしてひざまずく。

「……他に、なかったのかい」

カシスが、目だけをギネスに向けた。その顔が、微笑を帯びている。神官である身に死を招くことで、初めて、己の意志で剣を振るうことの出来た者の、最期の笑みであった。

その目がゆっくりと光を失い、やがて完全な沈黙が、カシスの全身に満ちていった。

「馬鹿よ……」

ミストが言った。わななくような、か細い声音だった。

すっとクラウドがやって来て、カシスの遺体に手を伸ばした。

「ありがとな」

そう言って、聖灰を手にすると、負傷した者たちの治療に当たった。

「私も、あんなのになっちゃうのかな……」

ミストが、ギネスのたった一つ残った右腕に抱きかかえられながら、淡々と呟《つぶや》いた。

聖灰によってどうにか塞がりかけた傷口に、ティッィアーノの刃のかけらが、早くも切り離しようのないほど寄生している。ぼんやりとした微細な光の明滅が、徐々に傷口から侵入して、全身にゆき渡るまでに、どれほどの猶予もありそうになかった。

ミストだけではなく、ギネスの左腕や、クラウドを含め、その他の者たちの傷もみな同様である。

「指揮者《コンダクター》、みなで屋根の縁に乗ることを提案します」

ギネスが言った。押し殺した声に、最後の、きっぱりとした決意があった。

万が一、ティッィアーノに斬られた者が、死兵と化した場合、その寸前に、自らの意志で火の中に飛び込ませるための、処置であった。

腕の中で、ミストが震えるのが判った。ぎゅっとギネスの胸にしがみついて来る。

「こんなときに、一緒にいるのが、あんたみたいなやつだなんて……」

囁《ささや》くようなミストの声を、ジンバックの怒鳴り声がかき消した。

「調子に乗るなっ、小僧っ子！」

吠《ほ》えた。声に、やり切れない響きがあった。

「お前さんは、よくやったよ……なにも、そこまですることはねえ。それに、あの水っ娘《こ》が操ってたのは、死んだやつだけだ。あの剣が完全に砕かれてもまだお前たちが生きてりゃ、俺たちの勝ちさ。それまで、待つんだよ。諦《あきら》めねえでよ。まだ戦えるやつらに、後はみんな任せちまってよ」

ふとギネスは、そう告げるジンバックの顔から、綺麗《きれい》に死相が消えているのに気づいた。

ははは……。思わず笑いが零《こぼ》れた。我ながら、情けないほど、ほっとしていた。笑いながら泣き顔になっていた。全身から力が抜けてゆく。緊張の糸があっという間にほころび、切れ果てようとしていた。

だがその前に思い当たることがあった。

「ミスト、これを……」

腕の中の少女に、ギネスが自分の剣を手渡した。

少女のまなざしが、無言で、その意味を問う。

「僕の代わりに、この剣を、育ててやって欲しい。片腕だけで剣を育てられるほど、僕は強くないから。僕が使えば、このまま無駄に枯れさせてしまうことになるだろうから」

〈外〉では貴重な、ユリ科の鋼であった。純白の輝きに、一瞬ミストがうっとりとなって見入った。育てようによっては、かなりの烈剣になる。

「この刻印《スペル》は……？」

剣の腹に刻み込まれた、EVRENという言葉を、指でなぞった。

「弓瞳族《シープアイズ》の間で、最も大事にされている言葉だ。勇気《イヴレーン》と臆病。どちらが欠けても、一方だけでは成り立たない……そういう意味の言葉だよ。臆病《おくびょう》さは僕がずいぶんと教えてきたから、今度は君の手で、勇気を教えてやって欲しい」

くすりとミストが笑った。

「あんたに怒鳴ってやったみたいに？」

「頼む……」

ぐらりとその体が傾いだ。今度はミストが慌ててギネスを抱きかかえた。

「死んだ？」

クラウドがのほほんとした口調で訊《き》く。

「死んじゃいないわよ、馬鹿っ！」

ギネスをその剣とともに抱きかかえながら、ミストが怒鳴った。自分が決して死なせない。そういわんばかりの勢いであった。

その様子に、クラウドがにっこりと肩をすくめた。

「今度こそ、本当の贈り物だなあ」

これで、ようやく肩の荷が降りたとでも言うように、微笑を浮かべた。

そしてその顔のまま、今まさに繰り広げられんとする、最後の死闘に目を向けた。

第三幕・第三場

異様のひとことに尽きた。

ついに姿を現したティツィアーノの尋常ならぬ姿に、ベルは慄然《りつぜん》として見入った。

屍衣《しい》にも似た衣以外には、何も身につけてはいない。全裸である。美しくなまめくその身の至るところに、剣と同じ、神の樹に似た明滅の光があった。

衣の隙間から伸びる剣が、漆黒の色をしていた。どす黒く血がこびりつき、それがそのまま剣肌と化したかのような色合いである。明滅する光が赤黒い夜天に光る星のようで、その色が、そのまま剣を握る手にも浮かび上がっている。

いや、それどころか、剣と手の区別さえ容易ではなかった。両腕が、剣と一体化してしまっているのだ。もはや指先がどこにあるのか、あるいはどこからどこまでが剣であるのか、それさえはっきりしない。鋼も肉も骨も一緒くたになって溶け合い、鼓動し、互いが互いを飲み込もうとするかのようだった。

(剣が、握り手を食っている……？)

およそ考え難いことだった。いったい何が起これば、そんな事態になりうるのか。

ぽつり、ぽつり。音を立てて、その剣先から、血が滴っている。

カシスに反撃された際に砕かれた先端部分から、剣が、赤い血を流しているのだ。

鋼鉄の果実でもあり、剣士の肉体でもある剣――

その剣の腹にある、LEGNA の刻印《スペル》が、歪《ゆが》みながらもかろうじて読み取れた。

「使わす者《レグナー》か……。今となっては哀れな言葉だ」

アドニスが呟いた。それこそ、神を愛したゆえに奪われ、憎むゆえに心の天秤《てんびん》を失い、その果てに自ら神になろうとした、狂乱の剣士の刻印《スペル》であった。

ひゅっ。鋭く空を裂いて、アドニスの手が二刃を執った。それを見て、ベルは思う。

（いったい、どうしてなんだ……？）

根深い疑問だった。片腕で剣を振るい、なおかつ全く剣質の違う二つの剣を同時に扱うなど、ベルの想像を絶する業である。恐るべき力量であり剣の才であるといえた。

それほどの腕の持ち主が、剣を育てられないなど、どんな事情があれば成り立つのか。

ティッィアーノとアドニス。二人の対峙《たいじ》は、まるで、剣に飲まれた女と、剣を貪《むさぼ》り食らう男の、固く因縁づけられたものであるかのように、ベルの目には映るのだった。

もとより、ティッィアーノに立ち向かっているのは、ベルとアドニスだけではない。他にも、トム＝コリンズとベネディクティン、そしてキティが、ともに炎を背にするティッィアーノに差し迫っている。あとは、みな重傷を負いながらも、生きて、彼らの戦いを見守るしかない状態であった。

五対一。

中でも特にアドニスの殺意たるや、思わずベルがぞっと鳥肌立つほどなのだ。そしてそれだけ、ティッィアーノとアドニスの間に、ベルには到底見果てぬ何らかのつながりを感じて、心苦しいほどにぎゅっと胸を締め付けられる気がする。

（なんなんだろう、この感じは……）

だが一切のそうした心の揺れ動きが、急速に、剣握る手へと一点に束ねられていった。

死兵が、現れていた。

割れた剣先から流れる血が、ごく小さな血溜《ちだま》りをつくったかと思うと、にわかに、続々と、剣握る死兵が現れたのだ。

——アァドォニィス……

不気味な声でその名を呼びながら、ティツィアーノが笑った。凄惨《せいさん》な笑みであった。

ベルにはそれが、復讐《ふくしゅう》者の顔にも、感謝する者の顔にも見えていた。

「とうとう玩具《おもちゃ》が尽きたか」

アドニスが言った。その唇が、不敵な笑みの形に吊《つ》り上がっている。

血溜りより現れた死兵は、僅《わず》かに十数名。これまで無数といっていいほどの死兵を打ち倒してきた剣士たちの目には、勝つためにこそ戦うべき相手として映った。

猛然とアドニスが駆けた。またたく間に、戟尺《げきしゃく》の間合いに入っている。

それに続く形で、両陣の剣がいっせいに振りかざされた。

激突した。

剣、鉄を打ち鳴らし、激しく振るい、穿《うが》ち砕け散る、生と死の居合いであった。

アドニスは止まらない。死兵を切り裂き、貫き、次々と剣を取り替え、なんと左右の手で二本ずつ、計四本の剣を捨て去って、ティツィアーノに切り込んでいった。

——凄っ！

裂帛《れっぱく》の呼を吐いて撃ち合った。アドニスの左手の剣が、真っ二つに折れ飛んだ。すぐさま右の剣を突き込み、切り返して折れた剣を投げつけ、その手でまた新たな剣を抜いている。右の剣が砕かれ、投げつけた剣もかわされ、更に斬りつけた左の剣さえ撃ち弾《はじ》かれるとともに、そこに新たな右の剣が抜き放たれ、襲いかかった。

浅くティツィアーノの首筋に傷が走った。だがそれだけである。激しく切り返すティツィアーノの刃を、アドニスが両手の剣を十字に交差させることで受け切った。

ほぼ一拍。その間に、いったいどれほどの手が繰り出され、またかわされたか。まさしく妙技といえた。掩護《えんご》しようとしたベルが、手を出せずにたたらを踏んだほどであった。

止まらない。ティツィアーノとアドニスの死闘は、今や死兵と他の剣士たちの戦いの中心舞台であった。自然と、そのどちらかが倒れれば、一方の陣営が他方を飲み込むかのような形になっているのだ。

（いける……！）

ベルはいち早く二人の戦いの推移を察した。ティツィアーノは死兵を操っている分、剣の立ち行きが僅かに鈍い。何か一つ、相手の意表を突けば、確実に倒せる。だが何をすればいいのか。

そしてアドニスは、当然のようにその答えをベルの目の前に提示してみせた。

アドニスの放つ刃が次々と砕けては足元に散らばり、そしてふいに、アドニスの足が、地に落ちた剣の一つを蹴《け》り上げた。その切っ先が、まともにティツィアーノの腹に叩《たた》き込まれた。

叫び。動きが鈍った。左右両腕の二方向にばかり気を取られていたティツィアーノの死角を、完全についた手法であった。あのような手でこられたら……果たして自分は防げたか。ベルは、死兵と戦いながらも、二人の戦いの観覧者として、また同じ剣士として、慄然とせざるをえない。

だがなんとティツィアーノはそこから切り返した。胸と腹を何本もの剣が貫き、骨まで穿たれている。それでいてなお、剣撃を放った。

アドニスはこれまた十字に受けたが、一方の刃が折れ、破片がアドニスの肩口を浅く切り裂いた。更に斬りかかるティツィアーノから素早く跳び退《すさ》って、折れた刃を投げる。かあん。あっさりと弾かれた剣が、床に叩きつけられて砕けた。

——凄絶。その一語に尽きた。

一方は、にわかには数え切れぬ刃を使い捨て、他方はその身をいくら貫かれようが、痛痒《つうよう》を感じさせぬ凄惨な笑みで佇《たたず》み、対峙している。屍衣にも似た衣の下で、ぬめるような白い裸体が朱に染まってゆく様は、恐ろしくも美しく、魔の巫女《みこ》と呼ぶに相応《ふさわ》しかった。

「なるほど。どちらが人形だ」

アドニスが不思議なことを呟《つぶや》いた。

自らの血溜りに佇む女目掛け、再度、裂帛の呼を放ち、猛然と切り込んだ。

ゆらり。ティツィアーノの体が奇妙に揺れ、なんと自ら剣を掲げてアドニスの剣を受けていた。

アドニスの迅速さがかえって仇《あだ》した。止まらない。そのままもう一方の剣も突き込んだ。脇腹から刺さった剣が、斜めに体内に潜り込み、肩の後ろまで貫通した。

一瞬、切り込んだアドニスが、ティツィアーノを抱きすくめる形になった。両者の眼が互いを覗《のぞ》き込んだ。それほど接近していた。

二人が刹那《せつな》の間、互いの眼に何を読み取ったか。ベルには計り知ることが出来ない。

ざあっ。音を立てて赤い水面が飲み込んだ。自らの血溜りに、アドニス諸共、潜った。

「アドニス！」

飲食魔法《レスト・ラント》であった。真下という死角をついた、仕返すような業によって、二人の姿が、一瞬のうちに血の向こう、今いる空間とは違う異次元に、消えていた。

ベルが死兵を叩き潰《つぶ》し、反射的に追った。追いながら、片っ端から死兵を斬り砕いてゆく。焦りがあった。このまま血溜りにアドニスを追って入れば、それだけ、ベネットたちが相手にする死兵の数が増える。その前に、出来るだけ叩き潰しておかねばならない。

だがこのままもたもたするわけにもいかない。アドニスの無事を切に祈った。疲れ切った両腕を叱咤《しった》しながら、剣と心合わせ、なお〈唸る剣《ルンディング》〉に内在する力の塊を放出した。そしてそれが更に、血を吐くような疲労につながってゆく。

「覚悟っ！」

キティが叫んだ。突然だった。味方にも敵にも、同時に放たれた、決死の言葉であった。

炎が荒れ狂った。見境がない。敵味方問わず、焼き尽くす戦法だった。死兵が声なき叫びを上げて焦熱に巻かれた。それを、ベネットが力を振り絞って結界を張り、トム＝コリンズともども、お互いを守り切った。

そして、

――EEERRRREEEHHH……！

〈唸る剣《ルンディング》〉が咆哮《ほうこう》し、炎の海に一直線の道を切り開いた。無我夢中だった。その剣撃は演算さえ分解するのだと、他ならぬベルが驚嘆した。

剣に身を預けるようにして火の中を駆け、その後ろを、ぴたりとキティが追う。

「ふむ。さすが、我が愛《な》し娘《こ》においては、これほどの火も、はや仇せぬか……」

まるで、ベルの力量を見定めるかのように赤い眼を細め、長い耳をぴんと立てる。

そして血溜りに飛び込んだベルを追って、

「なむさん！」

不思議な祈りの言葉とともに、自らも飛び込んだのだった。

それは何かを思い出させる空間だった。

思わずうっとりとする。……そうだ、とベルは思い至った。赤い世界。上下の区別もつかず、果てしなく広がる八方の赤く輝く闇の中、どこまでもふわふわと浮かび漂ってゆく。ここに飲み込まれ、そして再び現実の世界に放り出されたときには、みな、生ける死者になっていた。

そのことが、とても相応しく思われる場所だった。

（いつかどこかで、これと同じ感覚の中に、私はいた……）

どこだっただろう。疑問ともない疑問だった。何故なら、問いと同時に答えがすぐさま脳裏に浮かび上がっていたからだ。

（石の卵――）

その見果てぬ言葉があった。それを通して、自分はこの世界にやってきたのだ。だがその卵は、もはやかけらさえ判然としない。いったいどういう物であったのか。それを知ることも叶《かな》わず、故郷への道は、いまだ片鱗《へんりん》すら見せない。

ベルは、自分が何のために戦っているのか、ふと思い出したような気がした。

剣を握る手に、力がこもった。あたかもこの甘い空間に敵対する者として、剣を構えた。

そのときである。ふいにベルは、自分の身の回りに、いつの間にか上下の区別が生じていることに気づいた。

「キティ……」

自分の踏みしめていたものが、精緻《せいち》な〈式《フォーミュラ》〉の演算だと知って、思わず眼を瞠《みは》った。

床だけではない。正四角の形に、演算が展開し、上下左右の区別を作り出していた。まるで茫漠《ぼうばく》たる空間に、独自の秩序を展開するかのようである。ベルはつくづく感心した。

「ふふん……。上下左右を定め、位置と方向、時と場所を我が物とすることこそ、演算の神髄なり」

キティがちょっと胸を張って言った。自負に満ちた、というよりも、少年が自分の作った玩具を、照れくさそうに自慢しているような無邪気さがある。とても、下手をすれば死兵ごと味方を焼き尽くしかねない戦法を、果敢に選択した者とは、思えない。

(本当、得体の知れないやつ)

ベルはくすりと笑い、そして、剣を厳しく構えた。

どこからともなく、激しい剣撃の音が聞こえてくる。

「そこか……」

キティの呟きと、ベルが反射的にそちらへ剣を構えるのとが、同時であった。

演算の隙間から、その様子がはっきりと見えた。

アドニスが、剣を立て、柄頭《つか》に片方の足を乗せ、佇んでいる。

剣の刃が、中ほどから、何もない空間に消えており、ちょうどふっつりと剣の姿が欠けている箇所に、刻印《スペル》を施された牙《きば》が、がっちりと刃を噛《か》んで支えている。

バンブーが、もう一つの、更なる別の空間から、それをしっかりくわえているのだ。

アドニスの周囲には、既に一つ、砕かれた剣がふわふわと浮いている。それとともに、血があちらこちらの傷口から零《こぼ》れ、丸くなって泡のように漂っていた。バンブーに足場を任せたことで、それ以上の剣を抜き放つことが出来ないのが見て判った。

アドニスが、左手の手袋を捨てた。右手のそれは、とうに失われている。

そして、たった一つ残った剣の肌に、血に濡《ぬ》れた指を触れた。

遠目にはよく見えぬが、指で血を塗りつけ、剣の肌に何かを書き込んでいるらしかった。

「あれは……」

やがてふりかざされた剣を見て、ベルが声を上げた。

ペリエの剣だった。代々伝わる、伝家の宝刀ともいうべき見事な一品だ。長大で堅固、鋭く研ぎ澄まされた刃の腹には、輝かしく刻印《スペル》が刻み込まれている。

——OUROBOROS
永久なる者《ウロボロス》を意味する、神代の言葉である。名家の月瞳族《キャッツアイズ》の中には、その言葉を好む家が多い。ペリエの家系も同様なのだろう。代々受け継がれてきた戦いの証《あか》しであり、はからずも、生と死が交錯するこの戦いの、終止符《クエスティオン》を飾るに相応しい言葉であった。

そして、その言葉の末尾に、〈？〉が、はっきりと刻み込まれたのが判った。

懐疑を抱く者としての言葉だが、それを、いったいどんな方法を用いて刻み入れたのか。

ただ指でなぞっただけで鋼を削るなど、そんなことがあるはずがない。

「彼の手は触れるものを朽ちさせるようですね。特に触れる思いが強ければ強いほどに」

キティが冷静に分析した。そんなことがありえるのか、という疑問をさておき、現実に起こったことを、冷ややかに見詰めている言であった。

「そんなことが……」

「現に、彼の指が触れただけで、鋼が朽ちて削り取られてしまったでしょう」

「そうだけど……」

納得のゆかないベルが、はっと口をつぐんで見入った。

ふいにティツィアーノが現れ、アドニスに向かって赤い空間を猛烈な速さで泳いでゆく。まるで滑空する鳥だ。凄《すさ》まじい剣撃が襲った。だがアドニスは、かわすともなくその剣を外し、ゆらりと剣尖を垂れ、バンブーの支える剣の柄に、申し訳程度に足首をかけている。

ティツィアーノが自在に赤い空間を泳いで、四方八方から降り注ぐような剣撃を放った。信じられなかった。ベルとキティの見守る前で、アドニスはその剣撃をことごとくかわしていた。浅く斬られることはあっても、決して致命的なところにまで刃が届かない。その身が柔らかく撓《しな》い、かと思うと、とん、と足場である剣の柄を蹴《け》って剣撃を逃れ、すぐさまバンブーが別の剣柄をあらわし、今度はそれに足を乗せている。

いまだ、いっぺんたりと剣を振るっていない。僅《わず》かに、かわし切れぬ剣撃を受け流すだけである。まるで、眼には見えるが触れることの出来ない、幽霊《ガイスト》のようなしのぎだった。

そしてその動きが徐々にティツィアーノの動きに同調していった。ふと、跳んだ。舞った。完全にティツィアーノの動きに合わせた剣撃だった。

ふわりとアドニスの剣がティツィアーノを斬った。まるで剣で撫《な》でるかのように滑らかな剣の執り方だった。素早く離れたティツィアーノの左腕が、一瞬遅れて、肘《ひじ》の所からふっつりと断たれ、その剣にぶら下がった。

なんという華麗さか。これこそ、アドニスの全身全霊を尽くした手法に違いなかった。

その顔が厳しく引き締まれば引き締まるほど、身の動きは柔らかく広く撓い、鮮やかさを増してゆく。

足場である剣を次々と捨て、渡り跳び、いつしか攻守が交替していた。

ティッィアーノの顔の左半面が、ばっさりと斬り裂かれた。と思うと、右足が骨を断たれる嫌な音とともにその身から離れた。

「仕返ししてる……」

ベルがぞっとして呟《つぶや》いた。ギネスやベネディクティン、そしてジンバックたちが負った傷の中でも、特に致命的な傷を、ことごとくティッィアーノの身に刻み込んでゆく。耳を斬り、腹を裂き、胸を突いた。陰惨きわまる光景に、思わず眼をそらしたくなる。

だが、更にぞっとするのはティッィアーノであった。

笑っているのだ。凄惨《せいさん》な笑みを満面に浮かべ、まるで斬り裂かれることを快く思っているかのように、アドニスとの死の舞踏を踊っていた。

正しく、快であるのかもしれない。慄然《りつぜん》としてそう思わざるをえない。ティッィアーノの身が、斬られれば斬られるほどに、異形と化してゆくからだ。切り落とされた腕は剣に飲み込まれると同時に新たに刃の一部と化し、また傷口からは増殖する刻印《スペル》の明滅とともに得体のしれない、鉱物の枝のようなものが生え出して傷を塞《ふさ》いでいった。

「あの剣、神の樹にそっくりだ……」

ベルはついにそのことを口にしていた。さすがに神官であるカシスの前では、口に出来ない事柄だった。

「癌種の剣」

断言する口調で、キティが応じた。

「死に至る病をもって、擬神の御座となる……架空の魂の在処《ありか》とでも申しましょうか」

「なあ、擬神って、いったいなんだ……？　どんどんティツィアーノが王の姿に似てくるのは、どうしてなんだ？　あれも、神の真似なのか？」

「まるで彼のような口調ですね。疑問だらけだ」

揶揄《やゆ》するようなキティに、ベルが眉《まゆ》をひそめた。

「いずれ判りますよ。旧《ふる》き擬神と楽園の民との戦いは、既に始まっているのですから」

「なんだよそれ、ちっとも判らない」

「でしょうとも。擬神の存在は、〈硬貨の国〉においてさえ、いまだ多くの謎に包まれた究極の謎々《エニグマ》なのですから……」

「なんだよ、あんたも判ってないってことか」

キティが肩をすくめた。

「それはさておき、ここからいかにして掩護《えんご》しますか。このままでは、斬り殺されるのは彼の方でしょう。むろん、その前に最後の機会を手にしようとあがくでしょうけれど」

「私がやる」

ベルが言った。その声に、毅然《きぜん》とした決意がある。

いったい何を、とはキティは尋《き》かなかった。ただベルの指示した通り、演算により壁の一方を開いたのみである。

「あまり余裕はありません。演算の一端を欠いたままでは、この異空に耐えられない」

ベルは無言で頷《うなず》いた。

〈唸る剣《ルンディング》〉を逆手に持ち、剣尖を二人の戦いに向けるという、異様な構えをとった。

「信じてるよ」

剣にそっと唇《くち》づけた。

そのとき、アドニスが鋭く呼を上げた。ティツィアーノが、猛烈な勢いでアドニスに迫った。

刹那《せつな》、限界にまでたわめられた力がベルの手から一気に放たれ、

——EEERRREEEHHHWWWOOONNN……！

なんと、投げた。

まさにティツィアーノが剣を振るうかに見えた刹那、超重量の剣が真横から稲妻のごとく襲いかかった。握り手はいない。剣だけが捨て去られたかのように突っ込んできた。

ティツィアーノがまともに〈唸る剣《ルンディング》〉に激突した。

どん！　爆発した。剣質に内在する力が爆発的に解き放たれるや、ティツィアーノの半身が粉々に吹き飛んだ。剣筋も何もない、もし握り手がいれば、握る者の腕ごと相手を粉砕する、危険な力の放出であった。

その次の一瞬で、アドニスの剣が、ティツィアーノの頭に叩《たた》き込まれた。まさしく予告した通り、その脳髄にペリエの刃が潜り込み、同時に根元から粉々に砕け散った。

そしてもはや、アドニスに剣はない。

新たな刃を抜く間もない。半身を砕かれたティッィアーノがなお魔笑を浮かべるのを、かっと眼を見開いて見詰めた。

信じ難いことが起こった。ティッィアーノの剣撃を映すアドニスの目が、その刹那、別の剣撃を映していた。

なんとベルが、放り投げたはずの〈唸る剣《ルンディング》〉を手に、振り上げられたティッィアーノの剣の、更に頭上から躍りかかってくる。

それは到底、手法などと呼べるものではなかった。

放たれた剣が、磁力に引かれるようにして、再びベルの手に戻ってきたのである。剣とその握り手に、一体ともいえる共感があってこその離れ業だった。それこそ、剣の痛みさえ自分の体の痛みとして感じるほどの交感がなければ出来ぬ芸当である。ベルがいくら異常なほどの剛力を持つとはいえ、超重量の剣をあれほど自在に操れることの、これが秘密だった。

ティッィアーノの魔笑が、愕然《がくぜん》と凍りついた。

アドニスの眼前で、閃光《せんこう》が、一直線に、ティッィアーノの剣と体を通過したかに見えた。

真実、斬っていた。

水鋼の衣ごと、ティッィアーノの右肩がふっつりと離れ、同時に、その腕であり剣であるものが、真っ二つになって分かれた。

血潮が迸《ほとばし》った。なんと、剣から、である。断たれた右肩からは、申し訳程度に血が零《こぼ》れただけで、あの、神の樹に似た枝が生え出し、それも急速に枯れ果てていったのだった。

ひゅう……。ティツィアーノが息吹した。まるで、今まさに産声を上げようとする赤ん坊のようだと、ベルは思った。長い眠りから覚め、現実の世界に生き返ろうとするように、驚きにも似た光をその瞳《ひとみ》にたたえ、アドニスを見詰めた。

ふと、

「アドニス……？」

ティツィアーノが呼んだ。穏やかな声だった。

アドニスは凍りついたように動かない。

ティツィアーノがアドニスに向かって腕を伸ばした。差し伸べる手さえもはやない腕だ。だがまるでそのことに気づかぬかのように、なおも弱々しくみじろいだ。

その顔から綺麗《きれい》に険がとれ、頭蓋《ずがい》に刃を受けた血塗《ちまみ》れの顔が、切とした微笑みを浮かべている。

その哀しい微笑に触れて、ベルは突然、胸中に疑念が生じるのを覚えた。

(この女《ひと》さえ、剣に操られていたんだろうか……)

縦に両断された剣が、赤い空間に漂っているのを、眉をひそめて見やった。

一度は砕かれたというその剣が、どうやってか復活し、それがかえって握り手を脅かした——アドニスの言と照らし合わせて考えると、そのような結論に達するのだ。

そしてそれはむしろ、哀しみを弥《いや》が上にも増す考えであった。たったひと振りの剣が、果たして、ここまで恐ろしい悲劇を生み出せるものなのか……

「もう大丈夫だ、ティト」

ふいに、アドニスが、ベルがまだ聞いたことのない、ひどく優しい声で、言った。

ベルが、はっと我に返って、アドニスを見た。途端、なぜだか、ずきんと胸が痛んだ。

アドニスが、他ならぬ自分が切り裂いたティッティアーノの腕をとり、抱きしめた。素肌の手だった。艶《つや》やかな手が、ずたずたになったティッティアーノの体を慰めるように撫《な》でていた。

「俺の手が触れても……もう……」

言い止《さ》して、絶句した。そのアドニスの顔が、みるみる悲痛に染まっていった。

ティッティアーノは答えない。虚空を見上げるその双眸《そうぼう》は、既に生ある者の光を失っている。ただ魂のかけらが、残り香のようにいっとき存在を感じさせ、やがてそれもまた、霧のように消えていった。

疲れ切った顔のアドニスが、ふいに怯《おび》えにも似た表情を浮かべた。憔悴《しょうすい》した様子はいっそう深まり、それは決して闘い切った者の持つ晴れがましい疲れではなかった。

「……お前の身に、俺が種を播《ま》こう」

アドニスが言った。明らかに悔恨の響きに満ちた言葉だった。

「……死告鳥《からす》の花が綺麗に咲くように、俺が苗を育てよう」

まるでそうすれば、これから自分を責めるであろう葛藤《かっとう》から逃れられるとでもいうようだった。

その言葉を、果たして死せる者の耳は聞いただろうか。

狂乱の渦を巻き起こしたこの水族《マーメイド》は、哀しい微笑を帯びたまま、死んでいた。

ベルが何かを言おうとした。だが、言葉にならないでいた。

やけに胸が痛んだ。女の亡骸《なきがら》が遮っているせいで、アドニスのいる所まで行けないことが、ひどく痛切に感じられていた。

今のアドニスの目に、ベルは映ってはいなかった。それは何も映そうとはしなかった。ただその内面を責める激しい何かが、哀切な光となって双眸に湛《たた》えられるばかりだった。

女の屍を間に挟んで、ベルとアドニスは、いつまでも赤い胎《はら》の中を漂い続けていた。


(『ばいばい、アースII　懐疑者と鍵』に続く)

本書は、２０００年12月に小社より刊行された単行本上下巻を四分冊の上、文庫化したものです。

ばいばい、アース

I

理由《ことわり》の少女《しょうじょ》

冲方《うぶかた》 丁《とう》

平成19年 9月25日 初版発行
令和6年 6月15日 13版発行

発行者●山下直久

発行●株式会社KADOKAWA
〒102-8177 東京都千代田区富士見2-13-3
電話 0570-002-301(ナビダイヤル)

角川文庫 14802

印刷所●株式会社KADOKAWA
製本所●株式会社KADOKAWA

表紙画●和田三造

●お問い合わせ
https://www.kadokawa.co.jp/ (「お問い合わせ」へお進みください)
※内容によっては、お答えできない場合があります。
※サポートは日本国内のみとさせていただきます。
※Japanese text only

ISBN978-4-04-472903-5 C0193

◆◇◇

角川文庫発刊に際して

角川源義

第二次世界大戦の敗北は、軍事力の敗北であった以上に、私たちの若い文化力の敗退であった。私たちの文化が戦争に対して如何に無力であり、単なるあだ花に過ぎなかったかを、私たちは身を以て体験し痛感した。西洋近代文化の摂取にとって、明治以後八十年の歳月は決して短かすぎたとは言えない。にもかかわらず、近代文化の伝統を確立し、自由な批判と柔軟な良識に富む文化層として自らを形成することに私たちは失敗して来た。そしてこれは、各層への文化の普及滲透を任務とする出版人の責任でもあった。

一九四五年以来、私たちは再び振出しに戻り、第一歩から踏み出すことを余儀なくされた。これは大きな不幸ではあるが、反面、これまでの混沌・未熟・歪曲の中にあった我が国の文化に秩序と確たる基礎を齎らすためには絶好の機会でもある。角川書店は、このような祖国の文化的危機にあたり、微力をも顧みず再建の礎石たるべき抱負と決意とをもって出発したが、ここに創立以来の念願を果すべく角川文庫を発刊する。これまで刊行されたあらゆる全集叢書文庫類の長所と短所とを検討し、古今東西の不朽の典籍を、良心的編集のもとに、廉価に、そして書架にふさわしい美本として、多くのひとびとに提供しようとする。しかし私たちは徒らに百科全書的な知識のジレッタントを作ることを目的とせず、あくまで祖国の文化に秩序と再建への道を示し、この文庫を角川書店の栄ある事業として、今後永久に継続発展せしめ、学芸と教養との殿堂として大成せんことを期したい。多くの読書子の愛情ある忠言と支持とによって、この希望と抱負とを完遂せしめられんことを願う。

一九四九年五月三日

角川文庫ベストセラー

ばいばい、アース　全四巻　冲方　丁

いまだかつてない世界を描くため、地球（アース）に降りてきた男、デビュー2作目にして最高到達点!! 世界で唯一の少女ベルは、〈唸る剣〉を抱き、闘いと探索の旅に出る——。

黒い季節　冲方　丁

未来を望まぬ男と、未来の鍵となる少年。縁で結ばれた二組の男女。すべての役者が揃ったとき、世界はその様相を変え始める。衝撃のデビュー作！　——魂焦がすハードボイルド・ファンタジー!!

天地明察　(上)(下)　冲方　丁

4代将軍家綱の治世、日本独自の暦を作る事業が立ち上がる。当時の暦は正確さを失いずれが生じ始めていた——。日本文化を変えた大計画を個の成長物語として瑞々しく重厚に描く時代小説！　第7回本屋大賞受賞作。

光圀伝　(上)(下)　冲方　丁

なぜ「あの男」を殺めることになったのか。老齢の水戸光圀は己の生涯を書き綴る。「試練」に耐えた幼少期、血気盛んな〝傾奇者〟だった青年期を経て、光圀はやがて大日本史編纂という大事業に乗り出すが——。

はなとゆめ　冲方　丁

28歳の清少納言は、帝の妃である17歳の中宮定子様に仕え始めた。宮中の雰囲気になじめずにいたが、定子様に導かれ、才能を開花させる。しかし藤原道長と定子様の政争が起こり……魂ゆさぶる清少納言の生涯！

角川文庫ベストセラー

麒麟児　冲方丁

慶応4年、鳥羽・伏見の戦いに勝利した官軍が江戸に迫る。官軍を指揮する西郷隆盛との和議を担う、幕軍・勝海舟の切り札は「焦土戦術」。江戸そのものを人質に、2人の「麒麟児」の大博打が始まった！

GOTH　夜の章・僕の章　乙一

連続殺人犯の日記帳を拾った森野夜は、未発見の死体を見物に行こうと「僕」を誘う……人間の残酷な面を覗きたがる者〈GOTH〉を描き本格ミステリ大賞に輝いた乙一の出世作。「夜」を巡る短篇3作を収録。

GOTH《ゴス》番外篇　森野は記念写真を撮りに行くの巻　乙一

山奥の連続殺人事件の死体遺棄現場に佇む男。内なる衝動を抑えられず懊悩する彼は、自分を死体に見たてて写真を撮ってくれと頼む不思議な少女に出会う。GOTH少女・森野夜の知られざるもう一つの事件。

失はれる物語　乙一

事故で全身不随となり、触覚以外の感覚を失った私。ピアニストである妻は私の腕を鍵盤代わりに「演奏」を続ける。絶望の果てに私が下した選択とは？　珠玉6作品に加え「ボクの賢いパンツくん」を初収録。

小説　シライサン　乙一

親友の変死を目撃した女子大生・瑞紀の前に現れたのは、同じように弟を亡くした青年・春男だった。何かに怯え、眼球を破裂させて死んだ2人。彼らに共通していたのはある温泉旅館で怪談を聞いたことだった。

角川文庫ベストセラー

コロッサスの鉤爪　貴志祐介

夜の深海に突然引きずり込まれ、命を落とした元ダイバー。現場は、誰も近づけないはずの海の真っただ中。海洋に作り上げられた密室に、奇想の防犯探偵・榎本が挑む！（「コロッサスの鉤爪」）他1篇収録。

ダークゾーン　(上)(下)　貴志祐介

何だこれは!?　プロ棋士の卵・塚田が目覚めたのは闇の中。しかも赤い怪物となって。そして始まる青い軍勢との戦い。軍艦島で繰り広げられる壮絶バトルの行方と真相は!?　最強ゲームエンターテインメント！

復活の日　小松左京

生物化学兵器を積んだ小型機が、真冬のアルプス山中に墜落。感染後5時間でハツカネズミの98％を死滅させる新種の細菌は、雪解けと共に各地で猛威を振るう。世界人口はわずか1万人にまで減ってしまい――。

日本沈没　(上)(下)　小松左京

伊豆諸島・鳥島の南東で一夜にして無人島が海中に没した。現場調査に急行した深海潜水艇の操艇責任者・小野寺俊夫は、地球物理学の権威・田所博士とともに日本海溝の底で起きている深刻な異変に気づく。

日本アパッチ族　小松左京

戦後大阪に出没した「アパッチ」。屑鉄泥棒から鉄を食う怪物「食鉄人種」に変貌した彼らは、大阪の街から飛び出して、日本全国にひろがり仲間を増やし、やがて日本政治をゆるがすまでになっていく――。

角川文庫ベストセラー

時をかける少女〈新装版〉　筒井康隆

放課後の実験室、壊れた試験管の液体からただよう甘い香り。このにおいを、わたしは知っている――思春期の少女が体験した不思議な世界と、あまく切ない想いを描く。時をこえて愛され続ける、永遠の物語！

日本以外全部沈没　パニック短篇集　筒井康隆

地球の大変動で日本列島を除くすべての陸地が水没！　日本に殺到した世界の政治家、ハリウッドスターなどが日本人に媚びて生き残ろうとするが。時代を超越した筒井康隆の「危険」が我々を襲う。

ふちなしのかがみ　辻村深月

冬也に一目惚れした加奈子は、恋の行方を知りたくて禁断の占いに手を出してしまう。鏡の前に蠟燭を並べ、向こうを見ると――子どもの頃、誰もが覗き込んだ異界への扉を、青春ミステリの旗手が鮮やかに描く。

本日は大安なり　辻村深月

企みを胸に秘めた美人双子姉妹、プランナーを困らせるクレーマー新婦、新婦に重大な事実を告げられないまま、結婚式当日を迎えた新郎……。人気結婚式場の一日を舞台に人生の悲喜こもごもをすくい取る。

きのうの影踏み　辻村深月

どうか、女の子の霊が現れますように。おばさんとその子が、会えますように。交通事故で亡くした娘を待ちわびる母の願いは祈りになった――。辻村深月が〝怖くて好きなものを全部入れて書いた〟という本格恐怖譚。

角川文庫ベストセラー

ロマンス小説の七日間　三浦しをん

海外ロマンス小説の翻訳を生業とするあかりは、現実にはさえない彼氏と半同棲中の27歳。そんな中ヒストリカル・ロマンス小説の翻訳を引き受ける。最初は内容と現実とのギャップにめまいものだったが……。

月魚　三浦しをん

『無窮堂』は古書業界では名の知れた老舗。その三代目に当たる真志喜と「せどり屋」と呼ばれるやくざ者の父を持つ太一は幼い頃から兄弟のように育つ。ある夏の午後に起きた事件が二人の関係を変えてしまう。

白いへび眠る島　三浦しをん

高校生の悟史が夏休みに帰省した拝島は、今も古い因習が残る。十三年ぶりの大祭でにぎわう島である噂が起こる。【あれ】が出たと……悟史は幼なじみの光市と噂の真相を探るが、やがて意外な展開に！

ののはな通信　三浦しをん

ののとはな。横浜の高校に通う2人の少女は、性格が正反対の親友同士。しかし、ののははなに友達以上の気持ちを抱いていた。幼い恋から始まる物語は、やがて大人となった2人の人生へと繋がって……。

鬼の跫音　道尾秀介

ねじれた愛、消せない過ち、哀しい嘘、暗い疑惑——。心の鬼に捕らわれた6人の「S」が迎える予想外の結末とは。一篇ごとに繰り返される奇想と驚愕。人の心の哀しさと愛おしさを描き出す、著者の真骨頂！

角川文庫ベストセラー

ペンギン・ハイウェイ　森見登美彦

小学4年生のぼくが住む郊外の町に突然ペンギンたちが現れた。この事件に歯科医院のお姉さんが関わっていることを知ったぼくは、その謎を研究することにした。未知と出会うことの驚きに満ちた長編小説。

新釈　走れメロス　他四篇　森見登美彦

芽野史郎は全力で京都を疾走した――。無二の親友との約束を守「らない」ために！　表題作他、近代文学の傑作四篇が、全く違う魅力で現代京都で生まれ変わる！　滑稽の頂点をきわめた、歴史的短篇集！

四畳半タイムマシンブルース　森見登美彦　案／上田　誠

水没したクーラーのリモコンを求めて昨日へタイムスリップ！　ところが悪友が勝手に過去を改変し、世界は消滅の危機を迎え……『四畳半神話大系』と「サマータイムマシン・ブルース」の奇跡のコラボが実現！

くノ一忍法帖　山田風太郎ベストコレクション　山田風太郎

大坂城落城により天下を握ったはずの家康。だが、信濃忍法を駆使した5人のくノ一が秀頼の子を身ごもっていると知り、伊賀忍者を使って千姫の侍女に紛れたくノ一を葬ろうとする。妖艶凄絶な忍法帖。

人間臨終図巻（上）（中）（下）　山田風太郎ベストコレクション　山田風太郎

英雄、武将、政治家、犯罪者、芸術家、文豪、芸能人など下は15歳から上は121歳まで、歴史上のあらゆる著名人の臨終の様子を蒐集した空前絶後のノンフィクション！　天下の奇書、ここに極まる！